# Aangespoeld

## MEREDITH COLE

De Fontein

© 2010 Meredith Cole
© 2011 voor deze uitgave: Uitgeverij De Fontein, een imprint van De
Fontein|Tirion bv, Postbus 13288, 3507 LG Utrecht

Oorspronkelijke uitgever: Thomas Dunne / Minotaur books, an imprint of
St. Martin's Publishing Group
Oorspronkelijke titel: *Dead in the Water*
Uit het Engels vertaald door: Bonella van Beusekom
Omslag: Marry van Baar
Omslagfoto: ©Vanesa Muñoz/Trevillion Images
Vormgeving binnenwerk: Text & Image, Beilen
ISBN 978 90 261 8791 9
NUR 332

www.defonteintirion.nl

Ter herinnering aan Louise Holt, de bibliothecaresse uit mijn kindertijd, die nooit zei dat ik te jong was voor een boek of beperkingen stelde aan het aantal boeken dat ik mocht lenen. En veel dank aan alle bibliothecarissen die woekeren met hun mogelijkheden en lezers in contact brengen met geweldige boeken.

# I

Als eerste verschenen Glenda's ogen, net onder de oppervlakte. Ze keek donker en beschuldigend, alsof ze het niet prettig vond om ondergedompeld of gefotografeerd te worden. Toen ze in het glinsterende bad weer kwam bovendrijven, duwde Lydia haar meedogenloos terug met haar tang. Nog dertig seconden in de ontwikkelaar en dan kon ze de zwart-witfoto in het stopbad leggen.

Lydia had het gevoel dat het haar was gelukt om zowel Glenda's persoonlijkheid als haar beroep te vangen in haar levensmoede gezicht, haar brutale pose en haar goedkope kleren. Maar Lydia wilde dat ze zich er niet zo schuldig over voelde dat ze Glenda's telefoontje die middag had gemist. Ze had met opzet niet opgenomen, omdat ze dacht dat Glenda weer zou proberen geld van haar te krijgen om drugs te kunnen kopen. Toen Lydia haar berichten een paar uur later had afgeluisterd, was ze geschrokken van de angst in Glenda's stem.

'Lydia, je moet me helpen. Ik weet niet wie ik anders moet vragen. Bel je me terug?'
Terwijl ze zichzelf koelte toewuifde in de bedompte, veel te warme doka belde Lydia Glenda op haar mobieltje, meteen nadat

7

ze het bericht had afgeluisterd. Maar Glenda nam niet op. Lydia zei tegen zichzelf dat het waarschijnlijk weer vals alarm was. Drugsverslaafden waren er berucht om dat ze iedereen om zich heen meesleepten in de emotionele achtbaan die hun leven was. Lydia had er nog steeds een ongemakkelijk gevoel bij. Ze belde Glenda nog een paar keer, maar op geen van haar telefoontjes werd gereageerd.

Ze haalde Glenda's foto uit de ontwikkelaar en wapperde er snel mee voor ze hem in het stopbad liet vallen. De chemicaliën zouden het ontwikkelproces tot staan brengen, waardoor werd voorkomen dat de ontwikkelaar het hele papier zwart maakte. Tien seconden later legde ze het vel in het fixeerbad om Glenda's beeltenis voorgoed op het papier vast te leggen. Ze keek toe terwijl de dertig seconden langzaam voorbij tikten en liet de foto vervolgens in het waterbad glijden. De chemicaliën moesten er helemaal afgespoeld worden voor ze hem in het licht kon bekijken.

Lydia had Glenda voor het eerst ontmoet op Wythe Avenue langs de rivieroever van Williamsburg, Brooklyn. Ze was van een feestje gekomen en had op een taxi staan wachten, wat veel langer had geduurd dan de beloofde vijf minuten. Glenda was heel opvliegend geweest terwijl ze die warme zomeravond op potentiële klanten afstevende. Ze leek over de veertig en Lydia was geschrokken toen ze later hoorde dat ze drieëntwintig was, vijf jaar jonger dan zijzelf.

Glenda, die merkte dat Lydia geïnteresseerd was, had haar een voorstel gedaan. Kennelijk vroeg ze aan vrouwen vijftig dollar en honderd voor een triootje. Even was Lydia sprakeloos geweest, maar daarna had ze een tegenvoorstel gedaan. Ze vertelde dat ze op zoek was naar een model. Glenda had zich een beetje gevleid gevoeld, maar als een echte zakenvrouw wilde ze er wel voor betaald worden. Omdat Lydia verwachtte de foto's te kunnen verkopen, vond ze dat een redelijk verzoek. Ze onderhandelden over een tarief dat iets lager uitviel dan wat Glenda voor een pijpbeurt rekende, en planden hun eerste fotosessie een week later.

Die eerste sessie met Glenda, in een straat in de buurt, was een ramp geweest. Glenda was high en Lydia was geschrokken van de wezenloze blik in haar ogen. Ze had de foto's snel gemaakt en was slordig geweest met scherp stellen, tegenlichtcorrectie en belichting. Toen ze de proefafdrukken van de shoot onder de loep nam, realiseerde ze zich dat alle opnamen waardeloos waren. Ze besloot op zoek te gaan naar een ander model en haar verlies te beperken, maar Glenda had gebrek aan geld en aan klanten en belde haar opnieuw.

'Als je drugs gebruikt, gaat het niet, oké?'

'Ik probeer niets te nemen. Ik beloof het.' Glenda klonk wanhopig.

Lydia bedacht cynisch dat Glenda zich alleen wilde laten portretteren omdat ze anders geen crack kon kopen, maar toch popelde ze om het opnieuw te proberen. Ze had er een hekel aan als iets mislukte, vooral als ze wist dat ze het beter kon. Glenda had iets onverklaarbaars waar de camera van hield.

De tweede fotosessie ging beter. De twee vrouwen ontspanden een beetje en raakten met elkaar in gesprek. Glenda's leven van armoede en misbruik stond zo ver af van Lydia's opvoeding in een middenklassengezin in Dayton, Ohio, met excentrieke, maar liefhebbende ouders, dat het voor de twee vrouwen in het begin moeilijk was om echt contact te krijgen. Glenda had drie kinderen van drie verschillende kerels en haar moeder Susa voedde hen op in Bushwick. Glenda sprak vol liefde over hen, maar Lydia vroeg zich af hoe vaak ze de kleine Roberto, Brittany en Carlos eigenlijk zag. Glenda liet ook doorschemeren dat een vriend van haar moeder haar jaren geleden had verkracht, waardoor ze in haar huidige beroep terecht was gekomen, en Lydia's hart ging uit naar het jonge, onschuldige meisje dat Glenda vroeger moest zijn geweest. Lydia betwijfelde of iemand ooit uit volle overtuiging hoer werd, en ondanks al haar stoere praatjes had Glenda veel verdriet.

De foto die nu in het spoelbad lag was gemaakt bij hun derde fotosessie. Lydia had toevallig haar uitrusting bij zich toen ze Glenda was tegengekomen. Die stond in de rij voor de soepkeuken van de kerk, maar ze was ongeduldig geworden van het wachten. Lydia had haar meegenomen naar een café in de buurt en haar daar op een lunch getrakteerd. Nadat ze hun maag hadden gevuld, waren ze naar een verlaten pakhuis in de buurt gegaan voor een nieuwe poging. Terwijl Glenda er uitdagend bij stond, slechts verlicht door het weinige daglicht dat door de vuile kapotte ramen naar binnen drong, experimenteerde Lydia met een langere sluitertijd. Het resultaat zag er griezelig en bijna spookachtig uit. Lydia had, of dat nou goed of slecht was, zowel Glenda's wanhoop als haar arrogante houding weten te vangen.

Meer dan een week was er voorbijgegaan voordat Lydia de doka in kon om de film van die sessie te ontwikkelen en af te drukken, maar ondertussen had ze nergens anders aan gedacht. Gelukkig was haar baan als administratief medewerker voor de gebroeders D'Angelo stompzinnig genoeg om zich het grootste deel van de tijd te kunnen verliezen in haar kunst. De D'Angelo's waren twee privédetectives die het nooit erg druk hadden; iets waar ze niet erg mee leken te zitten. Maar Lydia had er een hekel aan om zich te vervelen, dus had ze een advertentie in de gouden gids laten zetten en een website voor het bedrijf gemaakt. Daarna was de hoeveelheid werk verdubbeld en de D'Angelo's waren niet bepaald in de wolken geweest. Haar werk bestond nog steeds uit rekeningen betalen, onkostenverslagen schrijven en de telefoon beantwoorden; alleen moest ze dat nu allemaal nog vaker doen.

De twee minuten die noodzakelijk waren voor het spoelbad waren eindelijk om en Lydia haalde de foto eruit. De afdruk moest een paar uur drogen voor ze hem mee kon nemen naar huis. Omdat er verder niemand anders bezig was in de doka, kon Lydia veilig de plafondlamp aandoen om de afdruk te bekijken. Ze onderzocht de hoeken en de lichte en donkere plekken van de foto angstvallig op gebreken. Maar de afdruk zag er fantastisch uit en haar blik werd telkens weer naar Glenda's ogen getrokken. Wat had ze gewild toen ze belde? Wat had ze voor problemen?

Lydia hing de afdruk aan de waslijn die boven het aanrecht was gespannen en deed de lamp weer uit. Ze ging de zwarte draaideur door die de doka met de kleedkamer verbond. Lydia huurde de donkere kamer samen met een groep fotografen, maar zij was die dag de enige die de ruimte gebruikte. Ze viste haar mobieltje uit haar kluisje en keek op het display. Geen berichten. Ze probeerde Glenda opnieuw te bellen, maar hing op toen ze haar voicemail kreeg. Misschien was dit een overdreven reactie. Ze wilde geen tien berichten achterlaten en er vervolgens achter komen dat Glenda alleen maar geld wilde lenen.

Lydia koos een ander bekend nummer en moest even glimlachen toen ze de telefoon hoorde overgaan. Ze had pas sinds kort een vriend. Ze had Jack Wash tijdens een opening van een galerie ontmoet, nadat ze ervan overtuigd was geraakt dat alle alleenstaande mannen in New York ofwel homo ofwel psychotisch waren, of allebei. Jack bleek wonderbaarlijk genoeg geen van beide te zijn. Ze gingen nu al een maand met elkaar om en hun relatie leek alleen maar beter te worden. Ze was dol op de manier waarop hij zijn voorhoofd fronste als hij nadacht, en ze vond zijn mondaine gevoel voor mode inspirerend. De seks was goed en de gesprekken waren nog beter. Hij was kunstschilder, maar had een goede baan bij een effectenmakelaar om zijn rekeningen te betalen. Hij was niet saai en niet platzak. Lydia had weer hoop gekregen dat ze niet de rest van haar leven alleen zou blijven.

Jack nam de telefoon na vier keer overgaan op. Hij was waarschijnlijk druk bezig geweest met iets, maar klonk niet geïrriteerd. 'Hé, mooie meid. Hoe gaat het met afdrukken?'

'Goed. Ben je klaar met doeken spannen?'

'Ja. Ik heb ze zelfs al behandeld en mijn nieuwe idee geschetst.'

Zondag was ook zijn studiodag en ze zouden elkaar later die dag ontmoeten, nadat ze allebei productief en creatief waren geweest. Lydia voelde dat ze helemaal begon te tintelen toen ze eraan dacht hoe goed ze in elk opzicht bij elkaar pasten. Ze kon het niet nalaten Jack over Glenda's telefoontje te vertellen. 'Is het gek dat ik me zorgen maak?'

Jack zweeg even. 'Ze heeft je toch al eerder in paniek opgebeld? Echt betrouwbaar is ze niet.'

'Maar zo doet ze nooit.' Lydia zweeg. Ze kon niet uitleggen waarom het ditmaal anders voelde. Misschien kwam dat doordat ze Glenda inmiddels wat beter had leren kennen. Of doordat ze dacht dat Glenda haar nu niet meer zou beduvelen. Of doordat ze in Glenda's ogen iets had bespeurd waardoor ze haar niet meer als hoer beschouwde, maar als individu begon te zien.

'Maak je er geen zorgen over. Ga weer aan het werk, en dan zie ik je om zeven uur. Gaan we nog steeds voor een pizza en een film?'

'Natuurlijk.' Lydia snorde tevreden in de telefoon. Ze had zo'n zin om lekker met Jack op de bank te knuffelen, terwijl ze naar een recente film op dvd keken. De afgelopen week had ze erover nagedacht of ze het zich maar verbeeldde, of dat hij echt was. Ze was er nog niet helemaal aan toe om hem voor te stellen aan haar ouders. Dat was op dit moment trouwens ook onmogelijk. Haar ouders reisden momenteel in een camper door Amerika, genietend van hun pensioen. Ze stuurden haar ansichtkaarten van de zonderlingste plekken die ze bezochten. De laatste kaart was van het Spam Museum, en uit de foto bleek dat dat ingeblikt vlees en geen ongewenste e-mail was. Maar Lydia stond het zichzelf wel al toe zich een rooskleurige toekomst met Jack voor te stellen en daar hoorden onder andere een huis, een lieve hond en een stel kinderen bij.

In plaats van gerustgesteld te zijn door Jacks advies voelde Lydia zich nu rustelozer dan ooit. Ze besloot naar Wythe Avenue te gaan, waar Glenda meestal rondslenterde op zoek naar klanten, en te kijken of ze haar kon vinden. Ze zou haar camera meenemen, en als alles in orde was, hield ze er tenminste een paar foto's aan over. Ze had doordeweeks zo weinig tijd om te fotograferen en als ze niet in de doka verder werkte, wilde ze toch proberen alles uit haar studiodag te halen.

Op Wythe Avenue was Glenda nergens te vinden. Er stonden een paar andere vrouwen verveeld te kijken, maar Lydia was te verlegen om te vragen of ze Glenda hadden gezien. Ze maakte zich waarschijnlijk onnodig ongerust. Glenda kon ook een dagje vrij hebben genomen om haar kinderen op te zoeken, zei Lydia tegen zichzelf, of misschien sliep ze haar roes uit. Hopelijk zou ze de volgende dag, een en al excuses, opbellen.

Aan het eind van Grand Street was het enige parkje dat Williamsburg aan het water had. Op iemand van buiten New York zou het geen schilderachtige indruk maken. Het park bestond uit een grasveldje, met langs de rivier grote rotsblokken. Je kon een glimp opvangen van de beroemde gebouwen van Manhattan, achter de krachtcentrales, lelijke flatgebouwen en een verhoogde snelweg die de rand van Manhattan vormden. Vanuit het park kon je ook de Williamsburg Bridge in al zijn roestige glorie zien liggen. Meestal stond er één grote file. Een langzaam rijdende trein kwam af en toe boven je hoofd langs, en van tijd tot tijd zorgde een snelle veerboot voor hoge golven die tegen de rotsblokken sloegen. Soms voer er een grote aak met vuilnis langs zeilbootjes die er fragiel uitzagen; een uitgesproken studie in contrasten.

Het park was stil voor een zondagmiddag. Het weer was de hele week al warm, vochtig en windstil, en Lydia veronderstelde dat iedereen die dat kon binnenbleef en van de airconditioning genoot. Een chassidisch gezin met drie kinderen in bij elkaar passende marineblauwe pakjes en een baby in een kinderwagen zat op een parkbankje. Een eenzame trompettist speelde een bluesnummer, waarschijnlijk alleen vanwege het plezier om het te horen weerkaatsen tegen de muren van de fabriek van Domino Sugar in de buurt. Een lichtbruine pitbull snuffelde rond bij een boom, terwijl zijn in heupbroek gestoken eigenaar in zijn mobieltje kletste. Ondanks de aanwezige afvalbakken waren bezoekers van het park erin geslaagd dat weekend veel rotzooi te maken. Het verbaasde Lydia nog steeds hoe lui mensen konden zijn: soms gooiden ze de troep gewoon pal voor een afvalbak neer.

Ze liep naar de rotsblokken aan de oever van de rivier. Ze moest het water zien. Er kwam altijd een licht briesje vanaf het water, en de wind tilde haar schouderlange felrode haar op en koelde haar hals. Haar paarse gladiatorsandalen waren niet zo handig om te klauteren. En dat gold ook voor haar vrolijk gekleurde stippeljurkje, maar ze tilde het op en bleef doorgaan. De rivier kalmeerde haar altijd. Veel restaurants in de buurt hadden fonteinen en bassins geïnstalleerd om in te spelen op de essentiële menselijke behoefte aan stromend water, en die waren verbazend populair.

Het ergerde haar dat ze nog meer troep in het water zag drijven. Er was een campagne in de hele staat geweest om de rivier schoon te maken, maar als mensen hun rommel niet eens in afvalemmers voor hun neus konden gooien, zou het nooit helemaal schoon worden. De rivier stroomde hier op topsnelheid, maar de rotsblokken zorgden voor een draaikolk, waardoor het afval op de oever terechtkwam. Lydia klom dichterbij en vroeg zich af of ze het met een stok kon weghalen. Een golf van een voorbij varende motorboot bracht het afval omhoog en een bleke hand kwam naar de oppervlakte.

Lydia verstijfde. Ze dacht even dat ze het zich verbeeldde. Wat een groot stuk zwerfvuil had geleken, was een lichaam. Ze klauterde dichterbij en hoopte dat het iemand was die gered en gereanimeerd kon worden, iemand die net in het water was gevallen. Maar de hand dreef opnieuw naar de oppervlakte, levenloos.

Langzaam deed ze een stap achteruit en ze kreeg haast geen lucht meer. De inhoud van haar maag dreigde naar boven te komen en ze moest op een van de keien gaan zitten en haar hoofd naar beneden houden, om te voorkomen dat ze de controle verloor. De wereld stond ineens op zijn kop. Iemand die ooit een levend, ademend en liefhebbend mens was geweest, was nu dood en dreef in de rivier. Maar niemand in het park leek in de gaten te hebben dat er iets aan de hand was.

Lydia zocht in haar tas naar haar mobieltje. Ze had gehoord dat de waterpolitie mensen uit het water viste die van de brug waren gesprongen of gevallen, maar voor zover ze kon zien was er geen zoektocht gaande. Met trillende vingers begon ze het alarmnummer te bellen, maar ze stopte voor ze het laatste cijfer had ingetoetst.

Ze opende haar telefoonboek en scrolde naar beneden, tot ze bij een nummer kwam dat ze in geen maanden had gebeld. Rechercheur Daniel Romero, politie New York, afdeling Moordzaken. Ze aarzelde opnieuw en vroeg zich af of ze geen vergissing beging. Romero en zij hadden in het verleden een aanvaring gehad en ze wist eigenlijk niet of ze hem wel wilde zien. Maar dit ging niet om haar. Er was iemand overleden en er moesten antwoorden worden gevonden. Romero was een goede rechercheur en hij zou ervoor zorgen dat het lijk respectvol werd behandeld, hoe ambivalent zijn relatie tot Lydia ook was.

Romero's telefoon ging maar één keer over voordat hij opnam. 'Romero.'

Ze kreeg nog steeds de kriebels als ze zijn stem hoorde. 'Met Lydia,' zei ze. Ze vroeg zich te laat af of hij misschien al wist dat zij het was. Voordat hij iets afgezaagds kon zeggen zoals dat hij zich afvroeg hoe het met haar ging, kwam ze al ter zake. 'Ik sta hier in het park aan het water bij Grand en Wythe en er drijft een lijk in de rivier.'

Romero vloekte zachtjes in het Spaans. 'Een waterlijk. En heb je al hulp ingeroepen?'

'Nee. Nog niet.'

'Oké, dan doe ik dat. Ik ben er zo.' Hij hing op zonder gedag te zeggen.

Lydia hield een oogje op het lijk terwijl ze wachtte. Als het wegdreef wilde ze precies kunnen aanwijzen in welke richting. Ze had er geen zin in om een idioot met waanvoorstellingen te lijken als Romero eindelijk kwam opdagen.

# 2

Lydia leunde naar achteren tegen Jacks brede borst en ademde de vage geur van terpentine in die in zijn T-shirt hing. Ze was blij dat ze hem meteen na Romero had gebeld. Jack was in recordtijd naar haar toe gekomen toen hij van haar akelige ontdekking had gehoord. Romero keek nieuwsgierig maar schijnbaar ongeïnteresseerd naar hem. Hij hield zich bezig met de fotograaf en het forensisch team die zoveel mogelijk bewijsmateriaal probeerden veilig te stellen, voordat het lichaam zou worden weggehaald.

'Wil je hier niet weg?'

Jack scoorde punten omdat hij zich meer zorgen maakte over haar geestelijke gezondheid dan over de studiotijd die hij kwijt was. Wat er allemaal gebeurde fascineerde haar, maar ze begreep dat anderen misschien liever niet toekeken bij een dergelijk onderzoek. Van de rivier kwam een zwavelachtige geur en de avond was warm en broeierig. Lydia schudde haar hoofd. 'Romero wil me vast wat vragen stellen.'

'Hoe ken je hem eigenlijk?'

'Via mijn werk,' zei Lydia vaag. Dat klopte niet helemaal, maar ze had er geen zin in om Jack stapje voor stapje in te wijden in wat ze vroeger met Romero had gehad. Haar gevoelens voor Romero waren zo complex en duister, dat ze die zelf niet eens begreep. Hij was prikkelbaar en soms kwetsend, maar heel goed in zijn werk. Agent zijn ging voor hem niet om macht, maar om rechtvaardigheid. Zijn ouders zaten in het onderwijs, net als die van haar, en ze had hem er ooit op betrapt dat hij de nieuwste vertaling van *Oorlog en vrede* zat te lezen. In weerwil van zichzelf voelde ze zich tot hem aangetrokken.

Jack zag er zo jong uit vergeleken met Romero. Hij had niet van die diepe groeven om zijn mond en ogen, of van die zorgrimpels op zijn voorhoofd, zoals Romero had. Hoewel hij zich in het weekend als een slordige kunstenaar kleedde, had hij verder allemaal dure kleren. Ze had zijn gevoel voor stijl leuk gevonden, toen ze elkaar voor het eerst ontmoetten. Maar nu, vergeleken met Romero's simpele kaki broeken en polo's, leken Jacks kleren te kakkerig, te privéschoolachtig. Hij leek zo'n dandy, met zijn verzorgde nagels en zijn gezicht dat duidelijk glad was gemaakt met een mannelijk geurende schoonheidscrème. Romero had niet de tijd of het geduld om zichzelf uitgebreid te verzorgen. Voor Lydia had een man die minimale aandacht besteedde aan wat hij droeg, maar er toch in slaagde er sexy uit te zien, iets ongelooflijk aantrekkelijks.

Het gaf haar een ongemakkelijk gevoel om zo over Jack te denken en ze draaide zich naar hem toe en gaf hem een zoen op zijn wang. 'Bedankt dat je meteen bent gekomen toen ik je belde.'

Jack zoende haar terug. 'Geen punt, joh. Maar laten we geen gewoonte van plaatsen delict maken, hè?'

Het tafereel langs de oever van de rivier deed Lydia denken aan een vreselijk ongeluk op de snelweg. Als ze langs zo'n ongeluk reed, had ze altijd de tegenstrijdige verlangens om niets te zien en alles te zien. Meestal won het verlangen om te kijken, en dan ving ze een glimp op van een verwrongen auto of van iemand die onder het bloed zat. Dan voelde ze zich vreselijk dat ze had gekeken.

Er klonk een schreeuw en ze zag Romero staan, bij de agenten en mannen van het forensisch team die het lichaam uit het water tilden.

Ze wilde het opgezwollen lijk niet zien, maar wegkijken kon ze ook niet. Ze ving een glimp op van doorweekte, rode stof. In een flits zag ze kraaltjes langs de zoom dansen en ze wist dat het een vrouw was. En dat niet alleen: ze wist wie het was.

'Laten we hier wegwezen,' siste Jack in haar oor, met zijn arm om haar schouders geslagen.

Lydia schudde haar hoofd, terwijl haar blik het team dat het lijk onderzocht geen moment uit het oog verloor. Ze vroeg zich af of dit hun eerste ruzie als stelletje zou gaan worden. Tot dusverre was alles gladjes verlopen, maar ze wist dat het slechts een kwestie van tijd was voor ze iets gevonden zouden hebben om het over oneens te zijn. Ze hoopte alleen dat dat nog lang niet zou gebeuren. Ze genoot ervan als ze in totale harmonie met elkaar waren. 'Ik ben getuige.'

'Jij bent alleen degene die het lijk heeft gevonden. Wat kun jíj hun nou vertellen?'

Lydia kon niet precies uitleggen waarom ze zich verantwoordelijk voelde tegenover het lijk. Maar ze kende haar naam en haar gezicht en de familie van de vrouw was nog niet gekomen om om haar te rouwen. Er stonden alleen maar mensen om het lijk heen die zich uit hoofde van hun functie met haar bezighielden. Lydia voelde dat ze moest blijven om de familie van de overleden vrouw te vertegenwoordigen, tot ze was geïdentificeerd.

Romero, die eindelijk aan haar leek te denken, kwam naar Lydia en Jack toe lopen. Lydia liep bij Jack vandaan en probeerde een verwelkomende glimlach op haar gezicht te toveren. Die glimlach was kennelijk niet erg overtuigend, want ze zag Romero even wankelen toen hij haar aankeek.

Hij veegde zijn voorhoofd af met een ouderwetse witte zakdoek en trok een notitieboekje tevoorschijn. 'Vertel me nog eens hoe je het lijk hebt gevonden,' begon Romero, die geen moeite deed om beleefd te doen. 'Was dat hier bij de stenen, of heb je het verplaatst?'

'Romero,' begon Lydia.

Jack kneep in haar arm. Ze wist dat hij wilde dat ze zich terugtrok en buiten het onderzoek bleef, maar dat kon ze niet. Er was een vrouw bij betrokken, die gekleineerd, afgewezen en misschien zelfs vermoord was. Zij verdiende het om een naam te krijgen.

Lydia haalde diep adem. 'Had ze een kleine tatoeage op haar rechterpols?'

Romero werd stil, zijn blik werd behoedzaam. 'Hoe weet jij dat?'

'Het is toch een hoefijzer, of niet?'

'Heb je het lichaam gevonden of heb je soms gezien dat het in het water belandde? Als je weer iets voor me geheimhoudt, Lydia –'

Jack deed een stap naar voren, testosteron borrelde in hem omhoog. 'Hé, moet je horen. Zonder advocaat hoeft ze niets te zeggen.'

'En wie ben jij?' vroeg Romero, terwijl zijn rechterwenkbrauw omhoogging. Jack mocht dan geld hebben, maar Romero had twintig agenten klaarstaan om hem te steunen.

Lydia vroeg zich af of ze straks gingen kijken wie het verst kon plassen. 'Het is in orde, Jack,' zei ze, in een poging hem te kalmeren. 'Ik kan de vragen van de rechercheur best beantwoorden.' Ze wendde zich weer tot Romero en beet op haar lip. 'Ik herkende haar kleren toen jullie haar uit het water trokken. Heeft ze een hoefijzertatoeage, of niet?'

Romero klemde zijn kaken op elkaar. Hij was er vroeger ook al niet gelukkig mee geweest dat ze bij zijn zaken betrokken was. 'Inderdaad. En nu moet je me meteen vertellen hoe je haar kent en wie ze is.'

Die donkere en beschuldigende ogen die tevoorschijn kwamen vanuit het niets en nu alleen nog op papier bewaard waren. 'Ze heet Glenda. Ze is een prostituee die ik heb gefotografeerd. Ze heeft me vanochtend opgebeld om me om hulp te vragen. Ze had mijn voicemail ingesproken en ze klonk erg bang. Later heb ik haar teruggebeld, maar toen werd er niet opgenomen. Ik denk dat je zou kunnen zeggen dat het mijn schuld is dat ze dood is,' zei Lydia, en toen verbaasde ze zelfs zichzelf door in tranen uit te barsten.

Romero keek weg en wachtte tot ze zichzelf weer onder controle had. Jack gaf haar een onhandige knuffel. Lydia wist dat ze allebei alleen maar wilden dat ze zou ophouden met huilen. Ze wilde niet dat Glenda dood was. Ze wilde zich er niet zo schuldig over voelen en begon nog harder te snikken.

Jack klopte op haar schouder. 'Het is niet jouw schuld dat ze dood is. Jij bent niet verantwoordelijk voor haar.'

Lydia haalde diep adem. Ze had een loopneus en wist dat ze er waarschijnlijk niet uitzag. Op zoek naar een zakdoekje begon ze in haar tas te rommelen. 'Ze wist dat ik voor de D'Angelo's werk. Misschien was ze bang om de politie om hulp te vragen en wilde ze weten of een privédetective haar kon helpen.'

Lydia vond een oud butterscotchsnoepje in haar tas, een ongebruikt filmrolletje en een stukje papier waarop iemands telefoonnummer gekrabbeld stond, maar ze kon geen zakdoekje vinden. Jack zuchtte en pakte haar de tas af. Hij vond het pakje zakdoekjes en gaf het haar. Lydia snoot luidruchtig haar neus.

Het PD-team had Glenda's lichaam op een brancard getild en het met een laken bedekt. Glenda was niet erg lang en het leek wel alsof er een kind onder het laken lag. Lydia dacht aan Glenda's kinderen en de tranen sprongen haar weer in de ogen. Die kinderen waren al met bijna niets begonnen, en nu was er geen hoop meer dat Glenda een echte moeder voor hen zou worden. Ze waren wees.

'Weet je waar Glenda bang voor was?' vroeg Romero.

Lydia schudde haar hoofd. 'Ze stapte elke avond bij vreemde mannen in de auto. Misschien is ze een psychopaat tegengekomen. Ik weet het niet. De laatste keer dat ik haar sprak, maakte ze zich meer zorgen om haar volgende shot dan om haar persoonlijke veiligheid.'

'Had ze naaste familie?'

'Een moeder. Susa. Die woont vlak bij Bushwick in de sociale woningbouw. Ik heb haar adres wel ergens.'

'We gaan uitzoeken of dit Glenda is of niet. Zodra we meer weten informeren we je. Als het inderdaad Glenda is, willen we verder met je praten over je foto's.'

'Geloof je me niet? Ik heb haar kleren en alles herkend.' Als er iemand was die een persoon aan de hand van zijn kleren kon identificeren, dan was het Lydia wel. Ze was dol op mode en had haar woonkamer in een inloopkast veranderd. Stoffen en ontwerpen vielen haar van grote afstand al op, en ze herinnerde zich altijd wat mensen droegen. Ze kon zich niet altijd herinneren wat ze zeiden of deden, maar dat was een ander verhaal.

'We moeten haar officieel identificeren,' zei Romero. 'Wil je me ondertussen een lol doen en je buiten mijn zaak houden?'

Lydia vond het niet prettig als mensen haar vertelden wat ze moest doen. Maar het grootste probleem met naar een moordenaar zoeken, was dat moordenaars moorden plegen. En als een moordenaar dacht dat jij hem misschien te pakken zou kunnen krijgen, probeerde hij je te vermoorden. Lydia had er geen behoefte aan om opnieuw in de loop van een vuurwapen te kijken en voor haar leven te vechten. Maar als haar werd verteld dat ze ergens uit de buurt moest blijven, dan zette ze haar hakken in het zand.

Jack voelde kennelijk dat Lydia haar zelfbeheersing verloor, want hij boog zich voorover en legde zijn arm om haar heen in wat eruitzag als een beschermend gebaar, maar voelde als een bankschroef. Geïrriteerd schudde Lydia zijn arm van zich af. Ze liep bij hem vandaan om haar neus opnieuw te snuiten in het zakdoekje dat ze krampachtig vasthield.

'Als jullie vinden dat iemand die prostituees vermoordt de moeite niet loont of als het een cold case wordt, moet je niet boos worden als ik me ermee ga bemoeien. Ze was een mens en dit verdiende ze niet.'

Romero keek alsof hij nog iets wilde zeggen, maar hij en Jack wisselden een blik en Romero schudde alleen zijn hoofd.

'Hé, Romero. Kom hier eens naar kijken.'

De arts, een jonge Aziatische vrouw, gebaarde naar Romero, en zonder afscheid te nemen snelde hij terug naar de plaats delict. Lydia rekte haar hals, benieuwd naar het nieuwe bewijsmateriaal. In plaats van haar daar een glimp van te laten opvangen, leidde Jack haar kalm weg van de rivier, met zijn arm stevig om haar schouders geslagen.

'Laten we hier wegwezen, oké? Laat die agenten hun werk doen.'

'Wat een zak! Hij doet net alsof ik van plan ben om me helemaal op zijn zaak te storten en zijn leven moeilijker in plaats van eenvoudiger te maken.'

'Hij wil waarschijnlijk voorkomen dat hij een aanklacht aan zijn broek krijgt als jij gewond raakt, of zo. En wat maakt het uit, jij laat die agenten toch hun werk doen en houdt je erbuiten?'

Lydia onderdrukte een scherp antwoord. Romero maakte zich heus geen zorgen over rechtszaken, hij wilde gewoon niet dat ze zich met zijn zaken bemoeide. Jack begreep Romero niet, en waarom zou hij ook? Ze hadden elkaar nog maar net ontmoet en ze waren heel verschillend. Jack was waarschijnlijk alleen ooit met de politie in aanraking gekomen om een parkeerbon. Maar ze wilde geen ruzie met hem maken, en al helemaal niet over Romero. Jack was haar perfecte vriendje. 'Glenda was een individu. Ik wilde ervoor zorgen dat ze zich dat herinnerden en de zaak niet zomaar sluiten.'

'Glenda had veel problemen en iedereen kan haar vermoord hebben. Een klant, haar dealer, een of andere gek op straat. Ga jezelf nou niet in gevaar brengen om erachter te komen wie het was.'

Jack had gelijk. Glenda had aan de zelfkant van de maatschappij geleefd en het zou verstandiger zijn als Lydia zich erbuiten hield, maar ze was geobsedeerd door die vrouw. Glenda had niet alleen met Lydia samengewerkt om een verbazingwekkend portret te creëren, ze had haar die ochtend ook om hulp gevraagd. Lydia had haar lijk gevonden en voelde zich verantwoordelijk voor haar. Ze was vastbesloten om in elk geval Glenda's familie op te zoeken en te condoleren. Misschien wisten zij waarom Glenda had gebeld om hulp te vragen. Dan zou Lydia met betrekking tot één vraag tenminste gerustgesteld zijn.

# 3

De maandagochtend was voor Lydia altijd moeilijk. Er was een tijd geweest dat ze allerlei los-vaste baantjes had gehad of zonder werk zat en tot twaalf uur had geslapen als ze wilde. Opstaan en om negen uur naar je werk gaan was veel lastiger. Ze had altijd veel koffie nodig om op gang te komen en een unieke outfit die haar stemming van die dag weerspiegelde. Vandaag had ze zwarte laarzen met hoge hakken en open tenen, een roze minirokje en een strak wit knoopbloesje aan. Haar kleren zagen eruit als een eerbetoon aan het oudste beroep ter wereld.

De D'Angelo's hadden hun privédetectivebedrijfje van hun vader geërfd en ze vonden het oneerbiedig tegenover hem om het meubilair te veranderen. Daarom was hun kantoor rond 1954 blijven steken. In de dossierkasten zaten deuken, de bureaus zaten onder de krassen en groeven en er lag afschuwelijke grijze vloerbedekking vol vlekken. Toen Lydia zes maanden geleden voor hen was komen werken, was ze als een tornado door het kantoor gegaan. Ze had dode planten weggegooid, alle stapels doorgenomen om onbruikbare papieren weg te gooien en zelfgemaakte foto's aan de muren gehangen om de boel op te fleuren. Eerst hadden de D'Angelo's een hekel gehad aan alles wat ze deed, maar toen ze eenmaal merkten hoeveel gemakkelijker ze zonder alle rommel de informatie konden vinden die ze nodig hadden, begonnen ze de veranderingen schoorvoetend te accepteren.

Frankie D'Angelo, de jongste broer, zat op zijn gebruikelijke plaats achter zijn bureau, verstopt achter een krant, toen Lydia binnenkwam. Hij las graag koppen voor, maar Lydia was niet in de stemming om te luisteren. Frankie was er door zijn broer Leo in getraind om zijn mond te houden als iemand hem een nors antwoord gaf.

Het was bedompt in het kantoor en de airconditioning werkte slechts met tussenpozen. Lydia liep naar het koffieapparaat, vulde haar kopje en ging achter haar bureau zitten.

Frankie was een goedgemutste, niet al te slimme man, die in elke baan gelukkig had kunnen zijn. Hij was geen groot strateeg of zakenman, maar kon klanten heel goed op hun gemak stellen en hen verzekeren van de discretie van het bedrijf. Hij was een goede privédetective, want hij ging methodisch te werk voordat hij het bewijsmateriaal aan de cliënten overhandigde. Hij was altijd vrolijk en vriendelijk, en of ze nu wilde of niet, Lydia moest hem wel aardig vinden.

Leo D'Angelo was mager, lang en stug. Als ze niet hetzelfde gekleed waren geweest – in een Oxford-overhemd, een kaki broek en mocassins – hadden de mannen er heel verschillend uitgezien. Lydia vroeg zich wel eens af of hun moeder nog steeds hun kleren voor hen uitkoos en ze identiek kleedde om ruzie te voorkomen. Leo was slim en veeleisend. Hij ontdekte elke reken- of spelfout die Lydia maakte en dan riep hij haar op het matje alsof ze iets vreselijks had misdaan. Ze vond het moeilijk om voor hem te werken, maar ze leerde veel van hem.

Lydia had de baan bij de D'Angelo's aanvankelijk genomen omdat ze dacht dat het spannend was om privédetective te zijn.

De eerste week werd ze echter al met beide benen op de grond gezet. Ze moest archiveren, verslagen schrijven en het geld en de kwitanties beheren. Soms deed ze een klein onderzoek voor hen, waarvoor ze meestal de telefoon of de computer gebruikte. Ze zat nog steeds te springen om het veld in te gaan, al was het maar om te ontsnappen aan het smakeloze meubilair en de saaie karweitjes. Ze zou het heerlijk vinden om iets te doen waarbij ze haar camera zou kunnen gebruiken.

Lydia had besloten het tot haar taak te maken om de D'Angelo's hevig tegenstribbelend het digitale tijdperk binnen te slepen. Ze had een website voor hen gemaakt, ervoor gezorgd dat ze online geregistreerd waren en een advertentie in de gouden gids gezet. Als zij uit haar kantoorstoel wilde komen en niet dood wilde gaan van verveling, hadden ze meer opdrachten nodig.

Leo kwam een uur later binnenwandelen met een sporttas in zijn hand. Zijn haar, dat normaal glad gekamd was, zat nu in de war en was nat.

'Weer naar de sportschool geweest?' informeerde Frankie.

Lydia had nooit geweten dat de broers wel eens iets sportievers deden dan 's avonds naar het restaurant van hun moeder lopen om pasta te gaan eten. En wat nog vreemder was: Leo bloosde. Lydia kon er niets aan doen dat ze hem aanstaarde.

'Gewoon even gesport,' zei Leo snel en hij hernam zich voldoende om Lydia aan te kunnen kijken.

Die dook weg achter haar computerscherm om haar glimlach te verbergen. Als een man van middelbare leeftijd ineens naar de sportschool ging, kon dat voor zover zij wist maar twee dingen betekenen: het was op doktersvoorschrift óf hij had een oogje op een bepaalde dame en wilde indruk op haar maken. Het zou Lydia niet verbaasd hebben als een van de D'Angelo's last van zijn hart had gehad; te veel van Mama's pasteitjes eten kon dodelijk zijn. Maar uit de blos op zijn wangen maakte ze op dat Leo een nieuwe liefde had gevonden.

Leo ging achter de computer zitten om de ex-man van iemand op te zoeken, die nog alimentatie schuldig was. De gebruikelijke stilte daalde weer over het kantoor neer. Frankie legde zijn krant weg en handelde een paar telefoontjes met cliënten af. Lydia werkte zich onverstoorbaar door een onkostenverslag heen en telde kassabonnetjes voor water en batterijen op, tot ze er scheel van ging zien. Ze keken allemaal opgelucht op toen de deur rond elf uur met een klap openging.

'*Buon giorno*! Ik heb voor jullie allemaal iets *delizioso* meegebracht.' Mama D'Angelo kwam het kantoor binnen, gehuld in een roze trainingspak en de niet mis te verstane geuren van knoflook en Chanel nummer 5. Gouden en diamanten ringen sierden al haar vingers en haar gebruikelijke zwarte suikerspinkapsel werd met haarlak in model gehouden. Ze droeg een stomend blad met eten en allerlei zakken erbovenop.

Leo en Frankie sprongen allebei op en namen het blad uit haar handen. Lydia wist niet of dat een galant gebaar was, of dat ze gewoon honger hadden.

'Mama, je had hier in die hitte niet helemaal naartoe hoeven lopen. We zouden over een paar minuten komen lunchen.'

Mama maakte een wegwerpgebaar naar Leo. 'Ik dacht dat het beter was om hier te praten. Ik heb iets zakelijks te bespreken.'

Lydia vroeg zich af of ze weg moest gaan, maar ze wilde dit niet graag missen. Leo had een gepijnigde uitdrukking op zijn gezicht, alsof hij uitging van het ergste. Mama kwam meestal met eten naar kantoor als ze wilde dat ze iets voor haar deden. Wat ze vroeg was nooit gemakkelijk en meestal had het te maken met een van hun vele nietsnutten van familieleden.

'Zakelijk? Heeft het iets met het restaurant te maken?' vroeg Frankie vrolijk.

'Nee. Met *la famiglia*.' Mama ging veelzeggend zachter praten.

Leo schudde zijn hoofd. 'Je weet dat we zaken hier niet gratis kunnen doen, Mama. De overhead is te hoog. We moeten de rekeningen betalen en het salaris van Lydia.'

Lydia ging geërgerd rechtop zitten. Ze verdiende elke cent van haar salaris en ze had er een hekel aan dat ze haar gebruikten in een ruzie. Mama gaf de broers elke dag eten, en als je de kosten van al dat eten bij elkaar optelde, was dat waarschijnlijk heel wat gratis privédetectivehulp waard.

Mama's neusvleugels begonnen vervaarlijk te trillen. Lydia realiseerde zich dat ze Leo hetzelfde had zien doen, vlak voordat hij echt zijn zelfbeheersing verloor.

'Ik verwacht niets gratis, maar het gaat om je nicht Patricia.'

Mama had precies de juiste middenweg tussen beledigd zijn en edelmoedig zijn gevonden. Lydia wist dat de broers er als een blok voor zouden vallen.

'Je bedoelt de dochter van Rose?' vroeg Frankie. 'Wat is er met haar?'

Mama boog zich naar Lydia toe. 'Onze nicht heeft een moeilijk leven. Haar vader verliet het gezin toen ze nog maar een baby was. Ze had veel moeite met de middelbare school en is zonder diploma van school gegaan. En toen ontmoette ze eindelijk een man die haar familie goedkeurde, en is ze met hem getrouwd.' Ze wendde zich weer tot de mannen. 'Jullie herinneren je Al Savarese toch nog wel?'

Leo knikte en trommelde ongeduldig met zijn vingers op het bureau. 'Ik herinner me hem.'

'Rose was gisteren bij me en heeft hartverscheurend gehuild. Al, die man van Patricia die nergens voor deugt, bedriegt haar en ze denkt met een *puttane*.' Mama leunde naar achteren en liet het nieuws even tot hen doordringen.

Frankie en Leo keken geschrokken, ook al zagen ze in hun beroep meer slechte huwelijken dan goede – mensen die gelukkig getrouwd zijn bellen immers geen privédetective.

'Is hij geen advocaat, of zo?' vroeg Frankie.

'Hij heeft een hoge functie bij een verzekeringsbedrijf. Verdient een goed salaris. En ze dacht nog wel dat hij een goed katholiek was.'

Lydia vroeg zich af of Mama nu een kruis zou slaan, maar in plaats daarvan draaide ze aan haar ringen, alsof het een rozenkrans was.

'Patricia moet van die man af, voordat hij haar een vreselijke ziekte bezorgt. Rose vraagt dus of jullie foto's van Al zouden kunnen nemen.' Foto's van Al op heterdaad bedoelde Mama, maar ze was te netjes om dat te zeggen.

'Hebben ze geen kinderen?' zei Frankie fronsend. Hij schoof heen en weer op zijn stoel.

Mama ging er gretig op in. Ze boog zich naar voren om Frankie in zijn wang te knijpen. 'Zij zijn niet zoals ik gezegend met twee voortreffelijke zonen. Denk je eens in wat voor tragedie het zou zijn als kinderen zulke dingen te weten komen.'

'Je wilt dus dat wij Al volgen en bewijsmateriaal verzamelen, zodat onzé goed katholieke nicht kan scheiden?' vroeg Leo. Hij liet zich niet zo snel overhalen door de argumenten van zijn moeder.

'Misschien gaat ze de foto's wel gebruiken om hem in therapie te krijgen. Misschien verandert hij, als hij weet dat ze een privédetective achter hem aan heeft gestuurd.'

Lydia had nooit geweten dat Mama een optimist was. Misschien was het haar katholieke manier van ontkennen dat ze de dochter van haar zus hielp haar scheiding erdoor te krijgen. Ze vroeg zich af wat voor soort huwelijk Patricia en Al hadden, dat hij zijn gerief in de armen van straathoertjes zocht. Met pijn in haar hart dacht ze aan Glenda. Die had zo veel kunnen berei-ken, maar uiteindelijk was ze een hoer geworden die zich alleen nog zorgen maakte over haar volgende shot. Prostitutie verbie-den was volgens Lydia geen oplossing, omdat de vrouwen daar meestal de dupe van werden, maar ze wilde dat Glenda betere mogelijkheden had gehad en betere keuzes had gemaakt.

Na de schoorvoetende toezegging van haar zonen om het overspel van neef Al te gaan onderzoeken, rende Mama D'An-gelo het kantoor weer uit. Het duurde ongeveer dertig secon-den voordat ze aanvielen op het eten dat ze had achtergelaten: lasagne Bolognese, dik beboterd knoflookbrood, calamaris voor-af en cannoli met stracciatella als dessert. Halftwaalf was wat vroeg om te lunchen, maar ze kregen het zonder moeite naar binnen.

Toen van het feestmaal alleen nog wat kruimels over waren, slaakten ze alle drie tegelijk een zucht en leunden naar achteren. Lydia wou dat ze een siësta kon nemen. Ze had die nacht niet veel slaap gehad, omdat ze had nagedacht over Glenda en haar laatste momenten. Ze vroeg zich af of het zelfmoord was ge-weest of dat Glenda te high was geweest om te merken dat ze in gevaar was. De derde mogelijkheid, moord, joeg Lydia angst aan, maar door Glenda's telefoontje gingen haar gedachten wel telkens in die richting.

'Dus jij wilt Al als eerste volgen?' vroeg Leo met een grijns aan Frankie.

'Ik? Waarom ik? Waarom doe jij het niet? Jij was toch verkik-kerd op Patricia?'

Leo bloosde. 'Ik heb plannen voor vanavond.'

Lydia staarde Leo verbaasd aan. Zijn idee van een avondje uit was schaken met zijn vrienden. Op een of andere manier twij-felde ze eraan dat hij daarvan moest blozen. Er was vast sprake van een ontluikende romance. Lydia kon zich niet voorstellen wat Leo's type was, of wat voor vrouw zijn stugheid aantrekkelijk zou vinden.

'Wat voor plannen?' vroeg Frankie met een schittering in zijn ogen. Hij zou het niet opgeven tot Leo had opgebiecht wat er belangrijker was dan de familie helpen.

Lydia vond het zielig voor Leo toen zijn wangen nog roder werden. 'Ik zou het kunnen doen. Jullie neef Al kent mij niet,' bood ze terloops aan. Ze wilde niet te gretig klinken, maar het schaduwen van Al zou haar een prachtige gelegenheid bieden om 's avonds prostituees te fotograferen. En ze zou er nog voor worden betaald ook. Als ze de opdracht kreeg, kon ze niet alleen prostituees voor haar eigen reportage fotograferen, maar kwam ze er misschien ook achter of iemand iets over Glenda wist.

Frankie en Leo draaiden zich om en keken haar met een identieke frons aan.

'Dat is erg gevaarlijk voor een vrouw alleen. Dan zou je de hele nacht alleen bij de oever van de rivier zijn,' zei Leo.

'Dat soort mensen vindt het niet prettig om gefotografeerd te worden en kan gewelddadig worden. We zouden er niet mee kunnen leven als jou iets overkwam,' legde Frankie uit.

Leo schudde krachtig zijn hoofd. 'Ik doe het wel en ik gooi mijn programma wel om. Ik hoef er waarschijnlijk niet eens de auto voor uit. Hopelijk heb ik de foto's die Patricia nodig heeft in één avond bij elkaar.' Hij hoefde er niet bij te zeggen 'en dan laat Mama ons met rust', maar dat bedoelde hij wel.

Lydia deed haar mond open om uit te leggen dat ze een cursus zelfverdediging had gevolgd en dat ze best haar mannetje kon staan, maar ze zag dat de D'Angelo's niet van mening zouden veranderen. Ze moest gewoon zien uit te knobbelen hoe ze op eigen houtje door kon gaan met haar onderzoek.

# 4

Een halfuur later had Lydia echt frisse lucht nodig. Omdat ze haar lunch achter haar bureau had opgegeten, vond ze dat ze nog recht had op een pauze. Ze moest een condoleancetelefoontje plegen. De D'Angelo's waren verdiept in het natrekken van iemands antecedenten voor een cliënt uit het bedrijfsleven, en keken amper op toen ze vertrok.

Het was windstil en vochtig en er was geen enkele schaduw toen Lydia op haar fiets Metropolitan Avenue in oostelijke richting afreed. De zomer was het enige seizoen waarin ze wilde dat de gebouwen in haar wijk hoger waren, zodat ze meer schaduw boden op de stoep en op straat. Het was bloedheet en ze probeerde zo ver mogelijk uit de buurt te blijven van bussen met stationair draaiende motor en vrachtauto's voor stoplichten.

Lydia had Glenda ooit met een taxi voor het huis van haar moeder afgezet. Susa woonde in het socialewoningbouwproject in Bushwick. Dat was slechts twintig minuten bij het kantoor van de D'Angelo's vandaan, maar het leek wel of het een ander land was. Grote bakstenen flats met kleine raampjes torenden boven brede straten uit en werkloze jongeren hingen met hun pagers en mobieltjes op de hoeken van de straten. Lydia zette met enige schroom haar fiets daar dichtbij op slot. Haar zwarte Schwinn was zo oud en afgeragd dat hij nog nooit was gestolen, maar één keer moest natuurlijk de eerste keer zijn.

Die ochtend wist ze al dat ze Susa zo gauw mogelijk wilde bezoeken, maar ze had het niet aan Jack verteld. Ze had er weliswaar niet over gelogen, maar het gaf haar toch een vreemd gevoel. Ze was zich ervan bewust dat hij het er niet mee eens zou zijn en vond dat ze zich niet met Glenda's zaak moest bemoeien, maar ze dacht: wat niet weet, wat niet deert.

De voordeur van het gebouw stond open en hing half uit zijn scharnieren. Lydia stapte naar binnen en haar ogen wenden langzaam aan het donker. Er lag een man lag opgerold in het vieze halletje. Ze hoopte maar dat hij sliep. De liften waren defect volgens een briefje en dat was zo vergeeld, dat dat kennelijk al heel lang het geval was. Het was er bedompt en niet veel koeler dan op straat.

Lydia probeerde niet te ademen terwijl ze de trap op liep, want de urinelucht was bijna niet te harden. Ze voelde haar kleren tegen haar rug plakken en grijnsde. Tegen de tijd dat ze weer terug was op kantoor zou ze kapot zijn. Susa woonde op de achtste verdieping en toen Lydia daar was aangekomen, hijgde ze en was ze zelfs nog meer bezweet geraakt. Ze opende de deur naar de gang en de geuren van Caribisch eten en schoonmaakmiddel overspoelden haar. Toen ze op Susa's deur klopte hoorde ze een baby huilen. Ze had het gevoel dat ze werd bespied door het kijkgaatje en daarna ging de deur langzaam open.

Susa, een vrouw met een donkere huid en krulspelden in haar haren, gluurde voorzichtig naar buiten. Het geluid van de huilende baby werd sterker. Susa was klein en mager, maar Lydia herkende iets van Glenda in haar trekken. Waarschijnlijk was ze niet ouder dan veertig, maar ze zag eruit als zestig. Haar harde leven had haar gezicht getekend.

34

'U bent van de politie?'

Lydia schudde haar hoofd. 'Ik kende Glenda. Ik heb een portret van haar gemaakt.'

Susa staarde haar aan. 'Ze zei dat ze een ster zou worden.'

Glenda had nooit begrepen dat haar foto in het beste geval bij een galerie aan de muur zou eindigen en niet in een modetijdschrift zou komen.

'Ze belde me gisteren op. Ik ben haar toen gaan zoeken, en heb haar lichaam gevonden.'

Susa schudde haar hoofd. 'Ik moest naar het mortuarium komen. De kinderen moesten wel mee, want ik vertrouw hier niemand genoeg om op te laten passen.'

'Zou ik binnen mogen komen?'

Susa haalde haar schouders op en deed een stap opzij. Ze droeg een korte broek met een vies topje die om haar magere lichaam slobberden. Het appartement zag eruit alsof er een tornado doorheen was gegaan. Lydia moest voorzichtig lopen om niet op de kleren en het speelgoed te stappen die op de vloer lagen. Een kakkerlak schoot langs de muur omhoog en Lydia probeerde niet zichtbaar te huiveren. Door een deuropening zag ze twee schaars geklede, kleine kinderen zitten. Ze keken vanaf een bed naar een grote kleurentelevisie, waar het geluid van een tekenfilm uit schalde. De baby was gestopt met huilen en zat op de vloer op een vieze deken te kauwen. Lydia had nooit echte moedergevoelens gehad, maar nu voelde ze de overweldigende neiging om een beetje troost te bieden of in elk geval wat hulp bij het schoonmaken.

'Het was een mooi meisje, maar ze was altijd zo wild. Ik zei wel tegen haar dat ze niet achter de jongens aan moest zitten, maar ze wilde nooit luisteren. Ze dacht dat ze het eeuwige leven had,' zei Susa met trillende stem en ze begon te huilen.

Lydia nam haar voorzichtig in haar armen en hield haar tegen zich aan. Ze voelde zich erg verdrietig over het feit dat Susa's dromen over Glenda nooit meer uit zouden komen. Het was alsof ze een zak met botten tegen zich aan hield. Lydia vroeg zich af of Susa misschien ziek was. Ze leek wel een slachtoffer van een hongersnood of een aidspatiënt. Wat zou er met de kinderen gebeuren als Susa overleed? Ze zouden waarschijnlijk in pleeggezinnen terechtkomen en bij die gedachte werd Lydia heel verdrietig.

Na een paar minuten haalde Susa diep adem en ze veegde haar ogen af met een rood doekje dat ze achter het kussen van de bank vandaan haalde. Ze snoot luidruchtig haar neus. 'Wil je koffie? Niet van dat waterige spul van de supermarkt, maar échte koffie?'

'Ja, graag, als het niet te veel moeite is.'

Susa's ogen lichtten op. Ze schuifelde de keuken in. In plaats van haar achterna te lopen, ging Lydia de kamer binnen waar de kinderen televisie zaten te kijken. Te oordelen naar de toestand van de rest van de flat vond ze het beter om de keuken, waar de koffie werd gezet die ze zo zou gaan drinken, niet te zien.

De drie kinderen wierpen haar een snelle blik toe en keken daarna weer naar de televisie. Ze leken totaal niet nieuwsgierig naar wie ze was. Ze vroeg zich af wat zij van hun moeder hadden gevonden. Glenda had het dan wel steeds over haar kinderen gehad, maar Lydia wist niet hoeveel tijd ze echt met hen had doorgebracht. Lydia kon niets bedenken om tegen hen te zeggen, dus ging ze gewoon bij hen zitten om naar een heel gewelddadige tekenfilm over robots en monsters te kijken. Susa kon zich weinig veroorloven, maar ze bezuinigde niet op de kabel.

Eindelijk kwam Susa binnenschuifelen met twee mokken koffie en een paar donuts die er droog uitzagen. De koffie was heet en sterk en Lydia nam er dankbaar een slok van. Ze pakte geen donut. Gelukkig zat ze al vol van het eten dat Mama D'Angelo was komen brengen.

'Glenda belde me gisteren en ze klonk bang. Weet u wat er met haar aan de hand was?'

Susa keek haar met grote ogen aan. 'Gator Pinero is een nietsnut en een monster. Door hem kreeg mijn meisje haar leven niet op de rails. Hij liet haar altijd alle hoeken van de kamer zien. Het zou me niet verbazen als hij haar vermoord heeft.'

'Heet hij Gator?' vroeg Lydia. Ze stelde zich een man voor met allemaal scherpe tanden; half man, half beest en heel gevaarlijk.

'Ja. Hij runt alle prostitutie langs de rivier. En ik heb gehoord dat hij nu vrouwen uit Mexico haalt om voor hem te werken.' Susa schudde vol afschuw haar hoofd. 'Maar dat was niet voldoende voor hem. Hij moest mijn meisje ook nog kapotmaken.'

Lydia was blij dat ze eindelijk een verdachte had. 'Ik vind het zo erg voor u dat u Glenda hebt verloren. Kan ik iets voor u doen? Boodschappen doen, misschien?'

Susa knikte. 'Nu ze in de hemel is, wil ik dat mijn meisje een begrafenis krijgt die je niet snel vergeet.'

Lydia wist een kwartier later met een lichtere portemonnee en één mogelijke verdachte te ontsnappen. Ze wist niet zeker of de politie had bepaald of Glenda's dood zelfmoord of moord was geweest. De enige manier om daarachter te komen was met Romero praten. Ze keek op haar horloge. Ze maakte het best bont met haar lunchpauze, maar ze verzon wel een verhaal als de D'Angelo's erachter kwamen.

Wie het ook beoordeelde, het plaatselijke politiebureau zou nooit een architectuurprijs winnen. Het was een laag witstenen gebouw in een slechte buurt, dat de straat domineerde als een zwijgende en dreigende bewaker. Binnen hadden agenten een poging gedaan de saaie groene muren op te leuken met posters in het Spaans die vrouwen adviseerden hulp te vragen als ze door hun geliefde in elkaar werden geslagen, of die mensen aanspoorden om niet met drank op te rijden en uit te kijken voor zakkenrollers. Helaas hadden die decoratieve inspanningen niet veel opgeleverd. Bezoekers moesten vooroverbuigen om door een gehavend gat in kogelwerend glas met een agent over hun problemen te kunnen praten. Het was een wonder dat iemand nog in het systeem geloofde.

Lydia wierp één blik op de rij en belde Romero rechtstreeks op zijn mobiele nummer. 'Met Lydia,' stamelde ze en ze baalde ervan dat ze van haar stuk gebracht was. 'Ik wilde je iets vragen over Glenda.'

'Vertel me nog maar een keer hoe je de overledene kende.'

Romero had een hekel aan tijd verspillen. Dat was best – zij had vandaag ook niet veel tijd. Maar als hij dacht dat hij haar erin kon luizen door haar telkens weer dezelfde vragen te stellen, dan kwam hij van een koude kermis thuis. Ze herhaalde haar verhaal. 'Wat ben je te weten gekomen over haar dood? Is ze vermoord?'

'Het ziet ernaar uit dat ze gewurgd is, maar ze zijn nog met de lijkschouwing bezig.' Zijn stem klonk korzelig, alsof hij de afgelopen nacht weinig had geslapen.

'Gewurgd? Dan neem ik aan dat het geen zelfmoord of ongeluk geweest kan zijn.'

'Nee. We hebben een paar jaar geleden een zaak gehad met een seriemoordenaar aan de rivieroever, dus we houden met alles rekening.'

'De Brooklyn Strangler? De man die prostituees vermoordde? Ik dacht dat jullie hem te pakken hadden gekregen.'

'Ik ook. Maar we onderzoeken alles wat relevant is en iedereen die erbij betrokken zou kunnen zijn.'

Lydia besloot haar kaarten op tafel te leggen. 'Heb je al met Gator Pinero gesproken?'

Het bleef even stil aan de andere kant van de lijn. 'Hoe ken jij Gator?'

Lydia probeerde nonchalant over te komen. 'Haar moeder heeft me over hem verteld. Ze zei dat hij gewelddadig was. Ik vroeg me af of hij degene kan zijn over wie ze me belde.'

Romero begon hard te lachen. 'Pooiers slaan hoeren misschien in elkaar, maar ze zullen hun melkkoetje niet snel vermoorden.'

Dat irriteerde Lydia. Net alsof ze zo naïef of dom was. Niet iedereen gedroeg zich immers altijd rationeel. Gator zou best een psychopaat kunnen zijn. 'Ze zei dat ze bang was voor iemand. Misschien wilde ze overstappen naar een andere pooier.'

'Glenda zag eruit alsof ze al flink bezig was om zichzelf om zeep te helpen. Ik weet niet of ze hulp nodig had, maar deze moordzaak zal heel waarschijnlijk toegevoegd worden aan de lange lijst onopgeloste moorden in de stad. Tenzij er toevallig een getuige opduikt die ons vertelt wie het heeft gedaan.'

Lydia had wel eerder meegemaakt dat hij ontmoedigd was en ervan baalde, maar zo bitter had ze hem nog nooit gehoord. 'Je bent aan vakantie toe.'

'Dank je. Ik zal het de korpschef laten weten. Heb je nog iets anders voor me?'

'Niet echt. Ik moet weer aan het werk.'

'Die vent van gisteren – is dat je vriend?'

Romero klonk ongeïnteresseerd, maar helemaal zeker wist ze het niet. Hij was een goede pokerspeler.

'Ja.' Ondanks hun meningsverschillen gisteren hadden Jack en Lydia toch nog samen een pizza gegeten en was de avond heel bevredigend in bed geëindigd.

'Je moet naar hem luisteren en je erbuiten houden. Met mannen als Gator moet je het nou niet bepaald aan de stok krijgen, oké?'

Lydia was halsstarrig en impulsief. En hoewel ze die eigenschappen eerder als deugden dan als tekortkomingen probeerde te zien, was zelfs zij niet zo onbezonnen om er meteen vandoor te rennen en de confrontatie aan te gaan met iemand met de onheilspellende naam Gator. Romero moest deze aanwijzing maar natrekken.

# 5

Lydia keek op haar mobieltje toen ze het politiebureau verliet en snel terugliep naar haar fiets. De D'Angelo's hadden een berichtje voor haar achtergelaten, waardoor ze wist dat haar lange pauze hun was opgevallen. Ze moest snel terug, maar ongelukkig genoeg had ze een lekke band. Ze vloekte zo erg dat haar moeder geschrokken zou zijn als ze in de buurt was geweest. Lydia had het warm en was moe en chagrijnig. Ze zat niet te wachten op de extra kosten of het ongemak.

Ze kon de band hier niet plakken of vervangen. Als het al niet veilig was om haar fiets op slot voor een politiebureau achter te laten, waar dan wel? Ze liep naar de straat en wachtte tot er een zwarte taxi voorbij zou rijden. Er reden in dit deel van Brooklyn geen gewone taxi's op zoek naar klanten, maar er waren voldoende zwarte taxi's. Lang hoefde ze niet te wachten. Ze stak haar hand op en voor haar stopte een Lincoln.

Een jonge Jamaicaanse man met een kleurige gehaakte muts op zijn enorme bos dreadlocks liet een getint raampje zakken. 'Waar moet je naartoe, jongedame?'

'Lorimer Street. Ik heb haast.'

De portieren werden ontgrendeld. 'Op mij kun je rekenen.'

'Ben je echt wel negentien?' Dat was de minimumleeftijd voor een chauffeur van een zwarte taxi, maar hij leek eerder zeventien.

'Maak je geen zorgen, jongedame. Bij mij ben je veilig.'

Lydia sprong achterin. Ze realiseerde zich dat hij haar vraag niet had beantwoord, maar hij reed weg en leek een heel bedreven chauffeur te zijn. De auto had airconditioning en ze leunde met een gelukzalige zucht naar achteren tegen de glimmende leren bank.

'Studeer je?'

'Ik ben fotograaf,' antwoordde ze. Er waren momenten waarop ze er een hekel aan had dat ze er jonger uitzag dan ze was. Mensen namen haar dan niet echt serieus. Maar omdat ze zelf net haar twijfels over zijn leeftijd had geuit, kon ze het nu niet echt als een belediging opvatten. 'En ik werk ook voor een detectivebureau.'

'Privédetectives? Net als in *Moonlighting*?'

Lydia glimlachte beleefd. Hij keek zeker veel naar herhalingen op de kabel.

'En jij bent undercover?'

Lydia herinnerde zich dat ze haar sexy minirokje aanhad. Misschien was dat voor vandaag niet de slimste keus geweest.

'Als je ooit een auto nodig hebt voor een achtervolging, dan moet je me bellen, jongedame. Ik ben goedkoop.' Hij reed langzaam op een rood verkeerslicht af en gaf Lydia vervolgens zijn visitekaartje. Er stond EMMANUEL JORDAN, CHAUFFEUR op.

'Bedankt, Emmanuel. Ik heet Lydia McKenzie.'

'Lydia.' Het klonk alsof hij haar naam in zijn mond rond liet rollen om elke lettergreep te onderzoeken en te proeven. 'Dat onthou ik. Je hoeft me alleen maar te bellen.'

Ze reden Lorimer Street in.

'Zet me maar af op de hoek. Het kantoor is iets verderop.'

Emmanuel nam de omgeving in zich op alsof hij er later over zou worden overhoord. Misschien zou hij wel een goede privédetective zijn. Lydia stopte zijn kaartje in haar zak toen ze weer de hitte in stapte. Ze hoopte dat de airconditioning in het kantoor werkte. Vervolgens liep ze naar binnen om de D'Angelo's onder ogen te komen.

Toen Leo en Frankie uiteindelijk om halfvier vertrokken, slaakte Lydia een diepe zucht van verlichting. De dag had eindeloos geleken en Leo had haar steeds in de gaten gehouden, alsof hij dacht dat ze misschien nog een lange pauze zou proberen te nemen. Ze moest haar fiets ophalen en hem naar de fietsenmaker brengen. Daarna moest ze naar huis om nog een paar allerlaatste wijzigingen in haar outfit aan te brengen, voor ze uitging. Haar beste vriendin Georgia had een nieuwe band en die speelde op een voormalige rolschaatsbaan die tot disco was omgebouwd. Jack kwam ook en zou haar vrienden voor het eerst ontmoeten. Ze werd wat zenuwachtig bij dat idee, maar ze keek er vol spanning naar uit om met hem te pronken. Jack zag er goed uit en was slim en kunstzinnig, en ze herinnerde zichzelf eraan dat ze maar bofte dat ze hem had weten te krijgen.

Ze wilde nog eens naar Glenda's portret kijken. Jammer genoeg kon ze voor het weekend niet meer in de doka terecht. Er was iets met de foto dat aan haar knaagde en ze vroeg zich af of dat soms een potentiële aanwijzing was. Misschien zou ze proberen een vergroting van de foto te maken om de details beter te kunnen onderzoeken. Glenda had haar geholpen om dat geweldige portret te creëren en het minste wat Lydia kon doen, was helpen om het antwoord te vinden op de vraag hoe ze aan haar eind was gekomen.

De voormalige rolschaatsbaan zag er vanbuiten uit als een loods, maar vanbinnen was het gebouw een en al licht en energie. De ontwerpers hadden licht geïnstalleerd en kinetische sculpturen opgehangen aan het plafond, maar de oorspronkelijke vloer was gehandhaafd. Bezoekers konden rolschaatsen huren als ze om de actie heen wilden zwieren, in plaats van stilzitten. Een zwarte vrouw van ruim één meter tachtig met lang krulhaar en een grote roze boa zeilde door de ruimte en ging helemaal op in haar eigen wereld. Lydia bewonderde haar stijl. Punk was echt weer terug, en hoe! Ze telde zes hanenkammen en meer piercings dan ze vingers en tenen had. Er waren tattoos in overvloed en één jongen had zijn gezicht zelfs als een Maori-krijger laten tatoeëren. Lydia huiverde bij de gedachte aan de pijn die dat gedaan moest hebben.

De openingsband speelde toen ze binnenkwamen, vijf jongens in versleten spijkerbroeken en t-shirts. Goed waren ze niet, maar het geluid was wel hard. Een groep trouwe fans juichte hen toe en stond enthousiast voor het podium te dansen.

'Kom op, laten we Georgia Rae gaan zoeken.' Lydia trok Jack achter zich aan terwijl ze op het podium af liep.

Ongevoelig voor de harde, krijsende geluiden zat Georgia zich op een geluidsbox op te maken. Georgia Rae was een manusje van alles. Ze was gespecialiseerd in haren en make-up (ze had een eigen salon), maar kon ook heel goed zingen. Ze had in allerlei bandjes gezongen en zelfs een rol in een musical gespeeld. Georgia liet haar spiegeltje zakken toen ze Lydia ontdekte en begon te gillen. Ze droeg een zwarte bodystocking waarin haar rondingen goed uitkwamen en haar kapsel zat net zo als dat van Marilyn Monroe in *Some Like it Hot*, behalve dan dat de kleur niet blond maar fluorescerend blauw was.

'Lydia! Je bent zo knap dat alle mannen naar je fluiten!' Na tien jaar in New York was Georgia's accent nog net zo sterk zuidelijk als toen ze in de stad kwam wonen. Daar was ze trots op.

44

Ze sprong van de geluidsbox af, omhelsde Lydia enthousiast en keek vragend achter haar naar Jack.

'Jij ziet er ook super uit,' schreeuwde Lydia over de muziek heen. 'Ben je een Bond-meisje?'

Georgia lachte en gaf haar een por. 'Stel me eens voor!' zei ze.

'Dit is mijn vriend Jack.'

Georgia stak haar hand uit en zij en Jack gaven elkaar plechtig een hand. Lydia beet op haar lip en probeerde er niet over na te denken wat er zou gebeuren als haar beste vriendin en haar vriendje niet met elkaar op konden schieten. Verdeelde loyaliteit was nooit prettig. En ze wist niet voor wie ze in dat geval zou kiezen. Ze kende Georgia al heel lang, maar wat ze met Jack had was heel speciaal.

'Ik heb veel over je gehoord. Ik kijk ernaar uit je te horen zingen,' schreeuwde Jack.

Georgia trok haar wenkbrauwen op naar Lydia, alsof ze wilde zeggen: 'Wauw, hij heeft nog manieren ook.'

Lydia probeerde niet zelfvoldaan te kijken, maar dat was moeilijk.

'Bedankt. Ik ben blij dat je kon komen.' Georgia glimlachte flirtend. 'O, Lydia, er is iemand die je moet ontmoeten voor je reportage.'

'Er is iets wat je daarover moet weten...' Lydia moest haar het nieuws over Glenda vertellen.

Georgia had Glenda nooit ontmoet, maar ze had wel het portret in wording gezien. 'Dat is vreselijk! Weten ze wat er is gebeurd?'

'De politie is het aan het onderzoeken.' Lydia hoopte dat Georgia Romero's naam niet zou noemen. Ze wilde niet dat Jack argwaan kreeg wat betreft hem. Als Jack wist hoe goed ze de rechercheur maanden geleden had leren kennen, werd hij misschien jaloers. Ze zei tegen zichzelf dat Romero niets voor haar betekende en dat ze alleen maar contact met hem moest blijven houden in verband met Glenda's zaak.

'Ga je nu kappen met de hele reportage? Dat zou doodzonde zijn.' Georgia was een van Lydia's grootste fans en had uren model gestaan voor haar, voor andere reportages.

'Nee. Maar ik had gehoopt met elk model te kunnen blijven werken...' Lydia slikte moeizaam. Ze herinnerde zich hoe Glenda's opgezwollen lichaam uit de rivier was opgedregd en moest er weer aan denken hoe zinloos haar dood was geweest.

De vrouw die er zo geweldig uitzag met haar verenboa kwam weer langszeilen.

Georgia zwaaide enthousiast naar haar. 'Candi! Hier!'

De vrouw glimlachte en haar witte tanden glansden in het licht van de discobal toen ze naar hen toe gleed. Pas toen ze vlakbij kwam realiseerde Lydia zich dat het een als vrouw verklede man was. Ze werd verraden door haar adamsappel.

'Dit is mijn vriendin Lydia, de fotografe over wie ik je heb verteld.'

Lydia schudde de hand van de vrouw voorzichtig, meed daarbij haar extreem lange kunstnagels, en staarde haar beduusd aan. Candi was het soort model van wie een fotograaf alleen maar kon dromen. Ze kon zich al helemaal voorstellen hoe haar gezicht er bijgelicht en ingelijst uitzag. 'Zou ik je mogen fotograferen?'

'O, schat. Ik voel me gevleid,' zei Candi giechelend.

'Ik meen het serieus. Ik zou je graag portretteren. Betalen kan ik je niet...'

Candi wuifde met haar hand alsof ze wilde zeggen dat dat onbelangrijk was en haalde een kaartje uit haar zak. 'Bel me maar, dan spreken we iets af.'

Lydia nam het kaartje aan en keek toe terwijl Candi de menigte weer in zeilde. 'Ze is geweldig,' zei ze. Toen wendde ze zich weer tot Georgia en omhelsde haar stevig. 'Je bent briljant. Bedankt dat je me aan haar hebt voorgesteld.'

'Graag gedaan, joh.' Georgia glimlachte en keek alsof ze erg ingenomen was met zichzelf.

Jack trok het kaartje uit Lydia's hand en bestudeerde het glimlachend. 'Candi Stick, *she-male*?'

'*She-male*? Laat eens kijken.' Lydia pakte het kaartje terug om het te bekijken. Het was een sexy foto van Candi die met een stel krankzinnige borsten voor de camera pronkte. Eronder stond een nummer voor geïnteresseerden, om te bellen voor een afspraakje. 'Betekent dat dat ze wel tieten hebben, maar hun penis niet hebben laten verwijderen?'

'Ik denk het,' zei Georgia schouderophalend. 'Je zult het leuk vinden om met Candi te werken. Ik knip haar al jaren. Ze is heel elegant, een echte covergirl.'

'Een hoer met een hart van goud,' mompelde Jack.

Lydia stopte Candi's kaartje weg en wilde dat Jack niet zo negatief was. Ze kon geen man gebruiken die haar niet steunde bij haar fotografie. Ze was liever alleen dan dat ze gekleineerd werd.

'Je bent toch wel voorzichtig, hè?' zei Jack en hij glimlachte weer charmant. 'Ik zou niet willen dat je iets overkwam.'

Hij kuste haar en ze voelde haar ergernis wegsmelten. Jack was alleen maar bezorgd, zei ze tegen zichzelf.

De band kwam tot een verpletterende finale en sprong in een stagedive van het podium in de menigte fans. Gelukkig waren die daarop voorbereid en ze vingen de bandleden met gemak op.

'Ik moet op,' zei Georgia vrolijk.

'Succes,' riep Lydia haar toe. Het was raar om nu opeens met normaal stemvolume te kunnen praten. Als de muziek straks weer begon, stonden ze allemaal weer te schreeuwen.

Georgia ging ervandoor om de bandleden te verzamelen.

47

'Laten we iets te drinken gaan halen,' zei Jack.

Ze liepen naar de bar, een voormalige snackbar. Op de donkere, houten toonbank zaten zo veel krassen, dat hij eruitzag alsof er een miljoen rolschaatsen overheen waren gegaan. De vrouw achter de toonbank had een grote ring in haar neus en felgroen haar. Ze serveerde in sneltreinvaart bier, popcorn en snoep. De rij werd nooit lang en de hoeveelheid geld in haar fooienpot groeide snel.

Ze gingen langs de kant staan om hun bier op te drinken. Jack zag Robert, een jongen die hij kende uit zijn appartementencomplex. Nadat hij hem aan Lydia had voorgesteld, raakten ze verzeild in een lange discussie over huurstijgingen, kapotte liften en onregelmatige vuilnisophaaldiensten. Het gesprek verveelde Lydia en ze dwaalde af met haar gedachten. Ondertussen keek ze naar het publiek. De hal begon vol te lopen en warm te worden. De meeste fans droegen een zwart T-shirt met een spijkerbroek, slechts enkele van hen hadden interessante kleren aan. Er was een vrouw met een turquoise baljurk met motorlaarzen en een andere vrouw droeg een topje van pauwenveren.

Lydia overwoog om voor te stellen dat ze rolschaatsen zouden huren, maar ze had in geen jaren op rolschaatsen gestaan. Ze zou waarschijnlijk stuntelig overkomen en vallen, en dat was niet de indruk die ze op Jack wilde maken. Ze keek jaloers toe hoe een paar vrouwen moeiteloos over de baan gleden, handig andere mensen ontwijkend. Ze stelde zich voor hoe geweldig het moest voelen om zo snel te gaan en toch alles onder controle te hebben. Eindelijk betrad Georgia's band het podium.

'Wij zijn de Pileated Woodpeckers en we gaan de boel hier op z'n kop zetten!' schreeuwde Georgia in de microfoon.

De band begon vol vuur aan het eerste nummer. De drummer drumde erop los en het geluid van de gitaren en de bas versmolt tot één luid kabaal. Lydia vroeg zich af of de vorige band misschien toch best goed was geweest, maar dat de geluidsinstallatie gewoon waardeloos was. Er stond ineens geen hond meer voor het podium en Lydia wilde niet dat Georgia het gevoel zou krijgen dat niemand van de muziek genoot. 'Laten we gaan dansen,' stelde ze vrolijk voor.

'Hierop? Maar waar is het ritme?' klaagde Jack.

'Dat maken we zelf wel.' Ze pakte Jacks hand stevig vast. 'Sorry, Robert.' Ze sleepte Jack de dansvloer op. Ze swingden even op de muziek, maar daarna begonnen ze elkaar diep in de ogen te kijken. 'Ik moet je wel even laten weten dat de bereidheid om jezelf voor schut te zetten, mijn test voor een langdurige relatie is,' schreeuwde Lydia in zijn oor.

'Betekent dat dat ik in de toekomst aan karaoke moet doen?'

'O, nee. Alleen de vogeltjesdans op de bruiloft van een neef of nicht.'

'Dan kun je op me rekenen.' Jack boog voorover en kuste Lydia.

Hij kon erg lekker zoenen en ze beantwoordde zijn zoen enthousiast. Toen ze zich eindelijk van elkaar losmaakten om adem te halen, keek Jack haar peinzend aan.

'Hoeveel songs moeten we nog blijven?'

'Hoezo? Moet je morgen vroeg op soms?'

'Nee, maar ik denk dat ik er vanavond vroeg in duik.' Hij schonk haar een verleidelijke glimlach.

Omdat Lydia wist dat Georgia het haar zou vergeven als ze alle details te horen zou krijgen, vertrokken zij en Jack na zes nummers.

# 6

'Die man is niet moe te krijgen! Hij heeft tot drie uur 's nachts rondgereden om vrouwen op te pikken.' Leo's stem was vol afkeer en de donkere wallen onder zijn ogen vielen nog meer op dan normaal.

Lydia glimlachte. Omdat ze Al graag zelf had geschaduwd, had ze nu geen medelijden met Leo.

'Heb je nog goede opnamen gemaakt?' De D'Angelo's waren niet zulke geweldige fotografen, maar meestal lukte het hun wel de plaatjes te schieten die ze nodig hadden. Lydia's eigen foto's vertoonden meer lef, coolere details, subtielere invalshoeken en meer diepte, maar op de accuratesse van de D'Angelo's viel niets aan te merken. En de cliënten maakte het niet uit dat het niet mooi was: die wilden alleen resultaten.

'Ik weet het niet. Kun je ze voor me op de computer zetten? Ik ben echt toe aan nog een espresso.'

'Natuurlijk.'

Leo overhandigde Lydia de camera. Hij had zelfs niet de moeite genomen om zijn e-mail te checken.

'Maar neem ook een espresso voor mij mee.'

Leo zwaaide toen hij de deur uit liep, hij leek er niet mee te zitten dat hij koffie voor haar moest halen. Zij had ook een lange nacht achter de rug, en als hij niet wilde dat ze boven de computer in slaap viel, kon hij haar maar beter van flink wat cafeïne voorzien.

De vijftig opnamen op Leo's camera waren grote bestanden en het duurde even om ze op de computer te zetten. De pc's op kantoor waren al een paar jaar oud en het leek wel alsof computers tegenwoordig al antiek waren zodra ze de drempel van de winkel over waren. Ze had vrienden die altijd wachtten op nog meer snufjes voor ze elektronica kochten en dus nooit aan een leuke computer of camera kwamen. Maar naar Lydia's mening had wachten zowel in de liefde als in de elektronica een averechts effect.

Lydia's eerste liefde was celluloid. Ze had het geen enkel probleem gevonden om daarbij te blijven en zich nooit in te laten met digitale fotografie, maar ze moest toegeven dat die het werk veel gemakkelijker maakte. Je had meteen resultaat en je hoefde niet te wachten tot een fotolaboratorium zijn werk had gedaan. Ze had veel over software moeten leren sinds ze voor de D'Angelo's was gaan werken en als het haar lukte om een mooi plaatje te krijgen, vond ze photoshoppen bijna even bevredigend als in de doka werken.

Eindelijk gaf een pop-up op het scherm aan dat de taak was voltooid. Lydia was benieuwd naar wat Al in zijn schild had gevoerd op zijn jacht diep in de nacht. Ze gooide snel vijfenveertig van de vijftig opnamen weg, omdat het foto's van het dashboard waren of omdat ze onscherp of te donker waren. De resterende opnamen waren deels hetzelfde, zodat er maar twee bruikbare overbleven. Geen van beide was erg opwindend. Eén foto was vermoedelijk van Al die vanuit zijn auto met een prostituee op straat praatte. Zijn gezicht bevond zich in de schaduw en was niet herkenbaar. Ze zette de foto apart om later in Photoshop te bewerken. De andere foto liet een vage Al zien, in een stevige omhelzing met een hoer in zijn kastanjebruine suv. Het kenteken was leesbaar, maar misschien zou hij voor de rechtbank aanvoeren dat iemand zijn auto had geleend. De oogst was teleurstellend en Lydia was ervan overtuigd dat zij het er beter van af zou hebben gebracht.

Leo kwam een paar minuten later terug met de koffie en een zak koffiebroodjes 'Hoe zagen ze eruit?'

Lydia nam een grote slok van haar espresso voor ze antwoord gaf. 'Er is er één waar ik misschien wat van zou kunnen maken, zodat we zijn gezicht kunnen zien...'

Leo schudde vol weerzin zijn hoofd. 'Het was daar zo godvergeten donker. Ik had de helft van de tijd moeite om die kerel te vinden door de zoeker.'

Dat verklaarde waarom er zo veel opnamen van het dashboard tussen hadden gezeten. 'Jammer dat prostituees hun beroep niet op goedverlichte plekken uitoefenen.'

Leo nam een enorme hap van een koffiebroodje en kauwde er lang op. 'Mama raakt echt van streek als we hier een puinhoop van maken. Maar ik moet er echt niet aan denken om hem nog een nacht te volgen. Bovendien heb ik vanavond een andere afspraak.'

Ze had al eerder gedacht dat Leo iets had met iemand, maar nu was ze ervan overtuigd. Zijn werk ging eigenlijk altijd voor en het was heel wat dat deze nieuwe vrouw ervoor had gezorgd dat hij andere prioriteiten stelde. 'Waarom laat je het mij niet proberen?' vroeg Lydia terloops en ze nam nog een slok koffie. Haar bloed begon sneller te stromen door de cafeïne en dat gaf haar moed.

Leo fronste zijn voorhoofd en antwoordde: 'Dat hebben we al besproken. Het is te gevaarlijk.'

'Ik ben daar al geweest om prostituees te fotograferen voor

een reportage die ik maak, en heb er nog nooit problemen gehad. Waarom zou dit anders zijn?'

'Omdat dit geen kwestie is van een mooi plaatje schieten. Je achtervolgt iemand en probeert hem op heterdaad te betrappen.' Leo propte de rest van zijn koffiebroodje in zijn mond. 'Weet je wie de gewelddadigste mensen zijn met wie ik ooit te maken heb gehad? Zeker niet criminelen. Geen sprake van! Nee, de schuldige partij in echtscheidingszaken. Ze denken dat als ze je camera kapotmaken – of nog erger, je vermoorden – ze overal vanaf zijn. Ze zijn knettergek.'

Lydia zweeg en liet hem zijn verhaal afmaken.

Leo trommelde met zijn vingers op het bureau. 'Bovendien heb je niet eens een auto. Was je van plan er op je fiets langs te rijden en uit de losse pols plaatjes te schieten?'

Leo en Frankie waren er duidelijk op tegen dat ze actiever werd binnen het bedrijf. Ze vroeg zich af hoelang ze er nog mee door kon gaan om alleen secretaresse en sloofje te zijn. Ze wist dat ze hun werk ook kon doen, maar ze wilden haar de kans niet geven.

'Laat het me maar weten als je van gedachten verandert. Ik zou het graag proberen,' zei ze. Ze had besloten dat het het beste was om er niet tegen in te gaan, maar zich zo beheerst mogelijk op te stellen nu ze zich zo seksistisch gedroegen.

Leo snoof. 'Nu is Frankie aan de beurt.' Hij klonk haast vrolijk bij de gedachte dat zijn broer achter hun seksueel uitgehongerde, aangetrouwde neef aan moest zitten.

Om zich minder als een afgestompte loonslaaf te voelen en meer als een kunstenaar, toetste Lydia Candi's nummer in om te proberen een fotosessie met de mooie transseksueel te regelen. Er werd opgenomen door een beantwoordingsdienst. Lydia liet een berichtje achter of Candi haar zo gauw mogelijk terug wilde bellen. De uitdrukkingsloze stem aan de andere kant van de lijn nam waarschijnlijk aan dat ze een begerige klant was.

In zekere zin was ze dat ook, alleen wilde ze Candi fotograferen en niet met haar naar bed.

Candi belde een paar uur later terug en klonk alsof ze gevleid was dat Lydia haar wilde portretteren. 'Zou je morgenochtend kunnen komen?'

Dat was een woensdag en eigenlijk moest Lydia dan werken, maar ze kon geen weerstand bieden aan de mogelijkheid om Candi al zo snel op de gevoelige plaat vast te leggen. Bovendien voelde ze op dat moment niet bijster veel loyaliteit jegens de D'Angelo's. Ze zou zich wel ziek melden en dan verscheen ze later op haar werk. 'Afgesproken,' zei ze.

Toen ze van haar werk onderweg was naar huis, merkte Lydia dat ze weer naar de rivier liep. Ze had het gevoel dat ze nu eindelijk begreep waarom motten tegen lampen aan vlogen tot ze doodgingen: een beetje gevaar was verslavend. Ze werd naar het water toe getrokken en hoopte dat ze op een of andere manier een antwoord zou vinden onder het golvende oppervlak ervan. Een groep mannen hing bierdrinkend in de schaduw en verborg zich voor de politie. De mannen leken niet gevaarlijk en wilden waarschijnlijk alleen maar lol trappen.

Overdag kon je gemakkelijk over de naalden en gebruikte condooms heen kijken en vergeten dat de hoeren en drugsdealers 's avonds de straten in bezit namen. Het zag eruit als een braakliggend industrieterrein dat aan een druk bevaren rivier grensde. Toeristen kwamen voorbij op boten van de Circle Line en forenzen snelden langs op de veerboot naar de binnenstad of naar Wall Street. Ze ging op een bankje zitten en probeerde na te denken.

Glenda was dood. Hoe waren haar laatste momenten geweest? Was ze bij een vreemde in de auto gestapt, of bij een klant die ze al vaker had gehad? Was hij een seriemoordenaar?

Lydia dacht aan Susa en de drie kleine kinderen. Wat moest ze doen? Het opgeven? De politie haar werk laten doen? Of moest ze proberen informatie te verzamelen en kijken wat ze verder nog kon onthullen? Ze kon niet tot een besluit komen. Ze vond het vreselijk om iets op te geven, maar ze wist gewoon niet goed hoe ze verder moest met deze zaak. Niemand van haar vrienden of kennissen kende Glenda, dus van hen moest ze het ook niet hebben.

Ze begon honger te krijgen en stond op om naar huis te lopen. Net toen ze bij Wythe was, kwam er een zwarte SUV aan gescheurd en ze schrok op. Toen hij langs haar zoefde, kon ze het kenteken duidelijk lezen. Er stond GATOR op.

# 7

'Kom maar boven, schat,' zei Candi Stick door de intercom. Zelfs door die krakende luidspreker klonk haar stem nog jolig.

De glazen deur van het gebouw zoemde en Lydia duwde hem open. De vloer van de hal was van marmer en de muren waren geschilderd in een lichte perzikkleur. In de praktische spiegelwand naast de lift zag Lydia dat ze er in deze kleren zowel intelligent als sexy uitzag. Ze leek net Audrey Hepburn in *Funny Face*. Ze had een strakke zwarte broek aan, ballerina's en een strak rood T-shirt dat op een of andere manier niet vloekte bij haar haren. Ze had de bus genomen om er, ondanks de oplopende buitentemperatuur, kalm en op haar gemak uit te zien. In haar zwarte koerierstas zaten haar camera, statief, extra filmrolletjes en een notitieboekje.

De lift gaf een discreet pinggeluidje en Lydia stapte erin. Prostitutie moest behoorlijk lucratief zijn. De prijzen waarmee voor deze luxe appartementen werd geadverteerd, waren buitensporig hoog. Candi woonde op de bovenste verdieping en had vast uitzicht over Manhattan.

De hal was schoon en eenvoudig, maar Lydia vroeg zich af hoelang de goedkope constructie mee zou gaan. Ze zetten de gebouwen tegenwoordig zo snel neer, dat het haar niet zou verbazen als ze iets essentieels waren vergeten, zoals het loodgieterswerk. Lydia drukte op de zoemer van 5L en wachtte. De deur ging open en Candi verscheen in de deuropening in een sierlijke roze jurk met fuchsiakleurige veren om de hals en de polsen.

'Schat! Wat leuk om je te zien!'

Ze gaven elkaar voorzichtig luchtzoenen om Candi's pikante roze lipstick niet te verpesten. Lydia ving een vleugje van een duur parfum op. Ze zat duidelijk in het verkeerde vak.

Nadat Lydia de afspraak voor de fotoshoot had gemaakt, had ze erover gepiekerd of Candi's schoonheid alleen met haar stijl te maken had. Misschien had het duister van de nachtclub haar tekortkomingen verborgen. Ze was dan ook opgelucht om te zien dat Candi, van haar felroze teennagels tot haar perfect gekapte haar, niet teleurstelde in het harde daglicht.

'Kom binnen. Ik heb net een pot groene thee met jasmijn gezet. Ze zeggen dat die tjokvol antioxidanten zit en ik kan vandaag wel een flinke ontgiftingskuur gebruiken.'

Lydia liep achter Candi aan het appartement in. De temperatuur was hier een koele zestien graden en de hitte van de stad leek ver weg. Ze was een beetje verbouwereerd door de aanwezigheid van zo veel glamour. Alles in Candi's appartement leek zorgvuldig uitgekozen vanwege de unieke stijl of omdat het duur was. De bank was een imitatie Lodewijk xv in rood fluweel. Hij zag er in Lydia's ongeoefende ogen in elk geval niet uit alsof hij echt was. Als hij echt oud was geweest, had ze het zonde gevonden om erop te gaan zitten. De schilderijen aan de muren waren wel echt, sommige waren van bekende hedendaagse kunstenaars, en het tapijt zag eruit als een oriëntaals familiestuk.

Candi volgde Lydia's blik toen die op een Afrikaans beeld boven de haard bleef rusten. 'Hou je van beelden?'

'Die vind ik mooi.' Het donkere houten beeld zat gehurkt met zijn armen gebogen voor zich en had een fronsend dodenmaskergezicht. Ze kon de beitelsporen op zijn gezicht zien en zich de handen voorstellen die hem hadden gemaakt.

'Die heb ik op een van mijn reizen gekocht. Ik ben veel in Afrika en Azië geweest.' Candi glimlachte alsof ze in haar hoofd over zee naar een ander continent was gereisd. 'Ik heb zelfs over een carrière in de diplomatie gedacht.'

Lydia kon niet voorkomen dat haar mond openviel. Een hoer die aspiraties had om bij een buitenlandse dienst te gaan werken? Bij Candi stond je voor verrassingen.

Candi lachte om Lydia's gezichtsuitdrukking. 'Ik ben afgestudeerd in internationale betrekkingen.'

'Maar waarom...' begon Lydia. Ze voelde zich vreselijk hypocriet. Ze was ermee begonnen prostituees en de prostitutie te fotograferen en te proberen te begrijpen, maar hoe meer ze groef, hoe meer ze ontdekte dat haar veronderstellingen er ver naast zaten.

'Er was geen ruimte voor iemand zoals ik bij Buitenlandse Zaken. Dat is een meedogenloze wereld en ik voelde me een vrouw die gevangenzat in een mannenlichaam. Dan zou ik nooit een geslachtsverandering hebben kunnen ondergaan. Het was een kwestie van ermee stoppen of zelfmoord plegen.'

Lydia had in Washington wel eens tijdens de spits in de metro gezeten. Het leek wel alsof iedereen daar ambtenaar was: ze droegen allemaal een beige regenjas over een pak. Candi Stick moest zich daar een pauw tussen de duiven hebben gevoeld. 'Maar je kunt toch vast wel andere dingen doen?' Normaal was Lydia geweldig goed in brainstormen, maar nu wist ze helemaal niets te bedenken.

'Natuurlijk. Een rockster zijn, maar ik kan niet zingen. Actrice zijn, maar ik kan niet acteren.' Candi gooide haar haren over haar schouder.

De wereld leek ineens heel klein en akelig. Candi was zo mooi en zo slim, maar de wereld had haar buitengesloten. Ze had zo veel te bieden gehad, maar in plaats daarvan zat ze nu gedwongen in de seksbusiness. Ze was gelukkig slim genoeg om niet aan de drugs te raken en ze investeerde haar geld in onroerend goed en mooie spullen. Ze zag eruit alsof ze een aardig appeltje voor de dorst had vergaard, voor wanneer ze ermee stopte.

'Ik denk dat je een geweldig model bent. Ik heb denk ik geluk gehad dat niemand je nog heeft ontdekt.'

Candi glimlachte en keek op haar kleine gouden horloge. 'Over een uur heb ik een afspraak. Kunnen we tegen die tijd een foto af hebben?'

Lydia had een hekel aan werken onder tijdsdruk. Dan werd ze zo zenuwachtig dat ze altijd iets doms vergat, zoals de dop van de lens halen of de f-stop weer goed instellen nadat ze de belichting had veranderd. Maar voor een paar foto's van Candi, met haar gezicht dat het werk van een fotograaf gemakkelijk maakte, was ze bereid alles te doen. 'Natuurlijk, geen probleem. Ik hoop dat het je niet uitmaakt dat ik alles klaarzet terwijl we praten.'

'Geen enkel probleem.' Candi ging op de fluwelen sofa zitten en keek vervolgens op. 'Vind je het vervelend als ik hier zit?'

'Nee, dat is prima.' Op een heldere dag zou het licht hier door de grote ramen te fel zijn geweest. Gelukkig was het een beetje heiig. Lydia probeerde voor haar portretten zoveel mogelijk met natuurlijk licht te werken, maar soms was er niet voldoende licht voor een goede opname, of er was juist te veel licht en dan zag het model er te bleek uit. 'Is dit wat je graag wilt dragen?'

'Dit oude geval?' Candi wees naar haar jurk met de veren. 'Ik wilde eigenlijk iets aantrekken wat meer gekleed staat.'

'Alleen als je dat echt wilt. Ik vind dit er wel leuk uitzien.'

Candi haalde haar schouders op. 'Jij bent de fotograaf.'

Lydia glimlachte. Ze wilde dat al haar modellen zo inschikkelijk waren. Ze nam snel een paar foto's, keek, dacht na, stelde alles opnieuw in, veranderde haar standpunt en maakte nog een paar foto's. Candi begon er een beetje dromerig en in gedachten verzonken uit te zien. Dat was bij een ander model misschien mooi geweest, maar Lydia gaf er de voorkeur aan als Candi's ogen scherp en alert keken. Ze liet haar camera zakken en probeerde te verzinnen hoe ze haar model weer bij de les kreeg. Ineens herinnerde ze zich het andere doel van haar bezoek. 'Ik vroeg me af of jij Glenda misschien ook hebt gekend, de vrouw die bij de rivier is vermoord.'

Candi grijnsde. 'Omdat ik ook een hoer ben?'

Lydia herinnerde zich de vele keren dat iemand haar had gevraagd of ze die en die kende, die fotograaf was in New York. Het klonk misschien gek in zo'n grote stad, maar vaak kende ze die persoon nog ook. New York was een eigenaardig samenraapsel van groepen en wijken, een soort mengelmoes van dorpjes die gecomprimeerd waren tot een enorme stad. 'Ik weet niet... De wereld is soms klein.'

Met haar ene hand schikte Candi subtiel de veren aan haar pols. Haar nagels waren goud gelakt met zwarte strepen. Het had iemand waarschijnlijk uren gekost om ze zo te krijgen. 'Ik kende haar, ja.'

Lydia merkte dat Candi niet zou gaan praten als ze dacht dat Lydia de details alleen uit nieuwsgierigheid wilde weten. 'Ik was met een portret van Glenda bezig. Ze belde me de dag dat ze verdween en vroeg me om hulp. Ik voel me schuldig dat ik de telefoon niet heb beantwoord.'

Candi keek haar argwanend aan. 'Ze belde alleen als ze geld wilde lenen. Ik heb de dag ervoor ook een telefoontje van haar genegeerd.'

Dat was eigenaardig. Misschien was ze dan toch niet op zoek geweest naar een privédetective, en had ze alleen behoefte gehad aan een vriend of vriendin. 'Denk je dat haar pooier of dealer haar heeft vermoord?'

Candi schudde haar hoofd. 'Die hadden levend allebei meer aan haar dan dood. Ik betwijfel of Gator een van zijn meisjes zou vermoorden. Hij zou ze misschien in elkaar slaan, maar een meisje vermoorden zou hetzelfde zijn als wanneer een boer een gezonde koe doodt.'

Lydia knikte. Candi's ogen stonden nu weer scherp en dus maakte ze snel een paar foto's.

'Aan de andere kant is Gator, naar ik aanneem, gestoord. En gestoorde mensen zijn niet rationeel. Hij wil dat de meisjes zo bang zijn dat ze hem niet durven verlaten. En hij wil dat ze denken dat het gevaarlijk voor hen is om hem te verlaten en een andere pooier te nemen. Hij zou Glenda vermoord kunnen hebben om de rest angst aan te jagen, maar iedereen is het erover eens dat een moord bij de rivier slecht is voor ieders zaken. Niemand wil naar een plek waar je vermoord kunt worden.'

Lydia liet haar camera zakken. 'Wat weet je over Glenda?'

'Glenda... zat er voor haar leven aan vast. Ze was een hoer in hart en nieren. Ze zou misschien even zijn gestopt als ze een vriend had gehad die haar rekeningen betaalde, maar ze zou er altijd weer mee zijn begonnen.'

Lydia dacht met verdriet aan de drie kinderen in de socialewoningbouwflat. 'Was er een concurrerende pooier die vrouwen bij de rivier probeerde te ronselen?'

'Ik heb geruchten gehoord over een vent die Sammy the Sauce heet. Hij werkte wat meer in de richting van de marinewerf en er werd op straat gezegd dat hij zijn gebied naar het noorden wilde uitbreiden. Hij kan misschien een paar meisjes hebben vermoord, zodat ze zich onveilig zouden voelen bij Gator en naar hem toe zouden komen voor bescherming.'

Lydia vroeg zich af hoe ze een van die mannen zonder achternaam moest vinden. Ze nam aan dat ze het opzettelijk moeilijk maakten om gevonden te worden. Zo konden ze niet gearresteerd worden.

'Je bent wel heel nieuwsgierig naar haar dood, of niet?' zei Candi.

'Ik heb Glenda's lichaam gevonden,' vertelde Lydia haar.

Candi huiverde. Ze had de details waarschijnlijk wel gelezen en wist dat Glenda een waterlijk was geweest. 'Ik ken Glenda al jaren. Toen ik begon heb ik kort bij de rivier gewerkt en toen kwam ik er zelf achter dat het echt gevaarlijk is. Glenda heeft me indertijd geholpen, en dat had ze niet hoeven doen.'

Candi keek glimlachend naar Lydia's ongelovige gezicht. Het was moeilijk je voor te stellen dat Glenda iemand anders hielp dan zichzelf.

'Ze had haar leven toen nog wat beter op orde. Dus toen ik uiteindelijk naar een huis vluchtte, was ik vastbesloten op een dag terug te komen en alle vrouwen die er werken te helpen.'

Candi had een strijdlustige blik in haar ogen, waarmee ze Lydia voor zich innam. Die stelde haar camera opnieuw scherp en nam snel een paar foto's van Candi met het raam op de achtergrond. De veren hadden een warme gloed om de randen, die haar intrigeerde.

'Ik heb een non-profitorganisatie opgezet met een sociaal werker en een arts. We hebben een bus gekocht en zoveel avonden per week als we ons kunnen veroorloven, gaan we naar plekken waar prostituees zijn. We bieden professionele hulpverlening en verstrekken condooms, we geven informatie over alfabetiseringsprogramma's, afkicken en woonruimte, en de meiden kunnen zich bij ons op seksueel overdraagbare aandoeningen laten onderzoeken.'

Lydia liet verbaasd haar camera zakken. Ze had meteen gevoeld dat Candi een krachtige en interessante persoonlijkheid was, maar ze had geen idee dat ze zo veel goeds deed. Ze had zich er door haar werk in de seksindustrie niet onder laten krijgen. 'Dus daarom zag je Glenda regelmatig.'

'Ja. Ze kwam vaak langs. Glenda probeerde altijd alles te krijgen wat ze kon. We hebben haar ook wel eens geld geleend, tot we zeiden dat het genoeg was. En nu spijt het me dat ik zo hard was.'

Lydia dacht aan haar fotosessies met Glenda. Toen Glenda over haar dromen voor de toekomst had verteld, was er iets zachts over haar gekomen. 'Ondanks alles mocht ik haar echt,' begon Lydia. 'Ze had iets speciaals.' Ze had een eigenaardige charme en een schoonheid gehad, die Lydia moeilijk kon beschrijven. Glenda had onder andere omstandigheden zo'n ander leven kunnen leiden, en dat was echt zonde.

'Ze was net een kameleon. Ze wist me altijd van mijn stuk te brengen. Ik kon nooit hoogte van haar krijgen.'

Lydia keek naar haar camera en realiseerde zich ineens dat ze helemaal vergat om foto's te maken. Hun discussie leek veel belangrijker. 'Neem je ook vrijwilligers aan op de bus?'

Candi zuchtte en nu zag Lydia wel dat de doorwaakte nachten hun sporen in haar gezicht hadden achtergelaten.

'We nemen iedereen aan die bereid is condooms uit te delen, bloedmonsters te etiketteren en mensen te helpen bij het invullen van formulieren. Maar we maken zelden gebruik van mannen, omdat de vrouwen daar nerveus van worden. We geven de voorkeur aan voormalige sekswerkers, omdat die tenminste weten waar ze het over hebben.'

'Ik ben nooit sekswerker geweest, maar de volgende keer dat jullie eropuit gaan, zou ik graag als vrijwilliger meegaan.'

Candi trok haar wenkbrauw op.

'Ik heb me gedrukt voor Glenda's telefoontje en ik voel me gewoon verantwoordelijk, snap je?' En schuldig.

Candi knikte. 'Die meisjes hebben iemand nodig die op hen past. We nemen je wel mee, als je wilt vanavond al. Maar wel voorzichtig zijn, meisje. Oké?'

Als iemand wist hoe gevaarlijk het op straat was, dan een travestiethoer wel. Lydia beloofde dat ze heel voorzichtig zou zijn.

# 8

Lydia wist niet wat de andere vrijwilligers op de bus zouden dragen, dus nam ze angstvallig haar kledingverzameling door. Ze wilde er niet te conservatief uitzien, maar ook niet te sexy. Uiteindelijk koos ze voor kleren die gewoon lekker zaten. Ze trok een spijkerrokje tevoorschijn, een zwart bloesje met korte mouwen en platte schoenen.

Zoals haar was opgedragen, liep ze naar de hoek van Bedford en Metropolitan Avenue. Ze had haar camera voor de zekerheid meegenomen en speelde ermee in haar tas, alsof hij een soort talisman was. Ze had Jack verteld waar ze naartoe ging. Omdat ze geen ruzie wilde over of het wel veilig was, had ze een bericht op zijn mobieltje achtergelaten terwijl hij aan het werk was. Ze had hem natuurlijk ook op kantoor kunnen bellen en met hem praten, maar ze had de gemakkelijkste weg gekozen.

De met regenboogkleurige strepen beschilderde schoolbus die langzaam Metropolitan Avenue in reed, was totaal niet wat Lydia had verwacht. Hij paste eerder bij Burning Man of bij een concert van de Grateful Dead. Ze vermoedde dat ze de bus goedkoop hadden kunnen krijgen – arme non-profitorganisaties konden niet te kieskeurig zijn. De deuren zwaaiden open. Lydia liep erop af en voelde een golf van hitte uit het voertuig komen. Er was duidelijk geen airconditioning in de bus.

De chauffeur, een vrouw van in de zeventig met een slordige knot die boven op haar hoofd werd gehouden door iets wat eruitzag als een digitale thermometer, keek van haar hoge positie op Lydia neer. 'Lydia?'

Toen Lydia knikte gebaarde de vrouw ongeduldig dat ze in moest stappen.

'Stap in, meid. Ik ben dokter Iris Whitfield.'

Dokter Whitfield droeg een werkbroek, een wit T-shirt en klompen. Lydia was opgelucht dat ze niet te netjes gekleed was. Ze klom de bus in en probeerde de hitte te negeren. Ze was blij te zien dat het interieur was ontdaan van de rijen zwarte stoelen die ze zich uit haar jeugd herinnerde. Voorin waren twee zitjes met comfortabele banken, bekleed met rode stof. Het achterste gedeelte, waarschijnlijk een onderzoeksruimte, was afgescheiden door een gordijn. Er hingen gebloemde gordijnen voor de ramen en het resultaat was iets tussen een wachtkamer van een arts en een kinderdagopvang in. Het geheel gaf een huiselijk en comfortabel gevoel – een plek waar een op straat werkend meisje even kon bijkomen.

Candi Stick was geconcentreerd in gesprek met een blondine van in de veertig met een serieus gezicht en een Afrikaans-Amerikaanse vrouw van in de twintig. Ze glimlachte toen ze Lydia zag en gebaarde dat ze moest komen. Lydia liep naar haar toe en greep zich onderweg vast aan de banken. De schokdempers van de bus waren slecht en de dokter was voortdurend aan het remmen en gas geven. Hotsend en botsend reden ze over gaten in het wegdek. Na nog een flink gat plofte Lydia buiten adem in een stoel naast Candi neer.

'Sorry, meiden!' riep dokter Whitfield vrolijk uit.

'We staan toch het grootste deel van de avond stil?' vroeg Lydia.

Candi lachte. Ze zag er elegant uit in een eenvoudige zwarte hemdjurk met slechts een paar grove gouden sieraden. 'Iris is de enige van ons die vastbesloten was om haar busrijbewijs te halen, dus we zijn afhankelijk van haar om ons naar de rivier toe te rijden. Daarna kan ze gewoon arts zijn. En daar is ze veel beter in.'

De blonde vrouw glimlachte. 'Ik ben Sarah, de sociaal werkster. Bedankt dat je gekomen bent om ons te helpen.'

Lydia schudde haar hand. Ze kwam zowel zakelijk als vriendelijk over, en Lydia was ervan overtuigd dat ze daardoor een goede hulpverleenster was. 'Ik heb er zin in.'

Candi kwam er opnieuw tussen. 'En dit is Lakisha. Ze zit op het City College en loopt stage bij ons. Ze bestudeert de seksbusiness en ik ben een van haar scriptiebegeleiders.'

Lakisha glimlachte verlegen naar Candi en keek alsof ze haar adoreerde. Ze knikte naar Lydia, maar leek er niet echt blij mee te zijn dat ze hulp kreeg op de bus. Misschien vond ze het wel prettig om de enige vrijwilliger te zijn en dacht ze dat Lydia haar het gras voor de voeten zou wegmaaien.

'We gaan nu naar Kent. We parkeren altijd bij het Grand Street Park. Iedereen weet ons daar te vinden.'

Na heel wat schakelen, steken en vrolijke verontschuldigingen van voor uit de bus stond de bus dan eindelijk keurig naast de stoeprand in Grand Street. Lydia ging vroeger altijd graag naar het park, maar nu vond ze het moeilijk om er te zijn. In gedachten bleef ze Glenda's lichaam zien dat net onder het wateroppervlak dreef. Het park voelde niet langer als een kalme, veilige haven.

Zodra de bus geparkeerd was, sprongen alle vrouwen op en gingen druk in de weer. Iris begon in kasten te rommelen, Sarah sorteerde papieren op klemborden, Lakisha zette een grote pot koffie klaar en Candi ging telefoneren.

'Kan ik ergens mee helpen?' vroeg Lydia aan niemand in het bijzonder. Ze wilde niet gaan zitten niksen.

Iris gebaarde dat ze moest komen. 'Kom maar naar achteren om me te helpen met het uitzoeken van mijn instrumenten. Het lukt me nooit om ze aan het eind van de avond netjes op te bergen. Dan zijn we altijd helemaal op.'

Lydia sorteerde gehoorzaam verzegelde zakken met buisjes om urinemonsters te nemen en buisjes voor bloed en ze haalde de snoeren van een bloeddrukmeter uit de knoop.

Na een paar minuten kwam Sarah naar hun gedeelte van de bus. 'Mag ik Lydia lenen om me met het papierwerk te helpen?'

'Natuurlijk, meid. Ik ben nu klaar voor de klanten.'

Lydia liep achter Sarah aan naar het voorste stuk van de bus. Daar zat een trillende puber. Het was een mooi meisje, met een volmaakt ovaal gezicht en strak naar achteren getrokken zwart haar. Maar haar katachtige, donkere ogen zagen er al vlak en doods uit. Ze was misschien pas zestien, maar zat duidelijk al lang in het straatleven.

'Dit is Josefina,' zei Sarah vriendelijk. 'We gaan haar helpen een aanvraag in te dienen voor begeleid wonen en ik ga wat rondbellen naar opvangtehuizen om te horen of ze nog een bed hebben.'

Josefina's blik vloog snel in de richting van de straat. Lydia wist niet of ze een vluchtroute zocht of bang was voor iemand die zich buiten ophield.

'Ik heb het nog niet besloten.' Josefina's stem was vlak en levenloos, alsof ze al lang geleden haar hoop op een gelukkig leven had opgegeven.

Sarah glimlachte. 'Het kan nooit kwaad om een aanvraag in te dienen. Ik hoop dat je het niet erg vindt als dokter Whitfield wat bloed en urine afneemt? We willen er zeker van zijn dat je gezond bent.'

Josefina schudde haar hoofd. 'Ik heb vreselijke jeuk... daarbeneden,' zei ze.

Dat was kennelijk het symptoom dat haar naar de bus had gebracht. Jeuk 'daarbeneden' stond zonder twijfel de zaken in de weg. Lydia begreep ineens hoezeer de gezondheidszorg die de bus bood voor deze vrouwen een echte reddingsboei was. Hoe moesten ze er anders achter komen dat ze op straat een ziekte hadden opgelopen? Lydia was er niet van overtuigd dat Josefina haar leven als tippelaarster echt op wilde geven, maar ze besloot haar papieren zo goed mogelijk in te vullen.

Ze waren net aan het uitknobbelen wat ze in moesten vullen bij haar adres, volledige naam en salaris, toen Iris verscheen en Josefina's naam riep.

Zodra Josefina achter het gordijn was verdwenen, begonnen de klanten binnen te stromen. Ze werden aangetrokken door de koffiepot die Lakisha tot de rand toe gevuld hield, en door de donuts op een schaal die ze telkens weer bijvulde, maar ze voelden zich duidelijk ook thuis bij de vrouwen die in de bus werkten. Ze stortten hun ellende uit bij Candi en Sarah, klaagden over mannen in de gevangenis die ze niet konden bezoeken, kinderen die ze door uithuisplaatsing waren kwijtgeraakt en hun slechte werkomstandigheden. En een voor een gingen ze naar achteren voor een onderzoekje door Iris, zogenaamd om een blaar of een verrekte spier te laten bekijken, maar in werkelijkheid om hun bloed en urine te laten testen om zich ervan te verzekeren dat ze niet ziek waren.

Lydia ving nog een glimp op van Josefina toen die een paar donuts naar binnen schrokte, maar voor ze haar kon helpen haar aanvraag voor woonruimte af te ronden, was ze al verdwenen. Lydia liet de aanvraag aan Sarah zien. 'We kregen niet de kans om hem helemaal in te vullen,' klaagde ze.

'Dat gebeurt vaak,' zei Sarah vrolijk. 'We bewaren hem gewoon tot de volgende keer dat ze langskomt.'

Lydia bewonderde de vrouwen om het feit dat ze opgewekt bleven. Zelf vond ze het ongelooflijk ontmoedigend dat Josefina, zodra ze haar medicijnen had gekregen, de straat weer op was gegaan.

In de overvolle zithoek vol lycra en glittertjes probeerde Lydia erachter te komen wie wie was. Iedereen moest bij aankomst tekenen en na een tijdje ontdekte ze dat de kleine tengere vrouw, van wie het gezicht in één grote glimlach veranderde als ze het over haar man en twee kinderen had, Anna heette. Big Wanda was even breed als ze lang was. Haar huid was diepgoud van kleur en zat onder de acnelittekens. Ze droeg haar haren strak naar achteren in een lange paardenstaart die tot halverwege haar rug kwam. Princess was een slanke vrouw van in de twintig die stoer gekleed was in een strakke spijkerbroek en Timberlandlaarzen. Ze had fijne, klassiek mooie gelaatstrekken, die alleen werden ontsierd door een lang, wit litteken boven een van haar wenkbrauwen. Cilla was een vrouw met rondingen en een brede, platte neus die eruitzag alsof hij een paar keer gebroken was geweest. Ze had een heleboel vlechtjes en haar spijkerbroek was groot en slobberig.

Alle vrouwen leken goed bevriend te zijn met elkaar. Candi en Big Wanda, Sarah en Princess en alle anderen praatten honderduit. Je zag niet meer wie er hoer was en wie vrijwilliger. Als iedereen sloffen met konijntjes had gedragen, had Lydia gedacht dat ze in een studentenhuis verzeild was geraakt. Midden in de gesprekken wist Iris de vrouwen achter het gordijn te lokken voor hun onderzoeken, en zonder de sfeer te verpesten liet Sarah hen een aanvraag indienen voor voedselsteun, huisvesting en alfabetiseringsprogramma's. Maar het gesprek kwam, niet onverwacht, op de moord op Glenda.

'Ik zeg dat het een ex was. Dat is toch altijd zo?' zei Big Wanda.

'Ja, ja, maar iedereen weet...' begon Cilla en daarna stopte ze.

'Dat ze met Gator was?' maakte Princess haar zin af. 'Natuurlijk. Maar iedereen wist dat ze ook voor zichzelf werkte. Ze deed alles voor drugs.'

'Ze heeft dit niet verdiend,' zei Anna, terwijl ze zachtjes aan haar mouw plukte. 'Dat heeft niemand.'

Ze knikten allemaal instemmend. Geen enkele vrouw had dit verdiend. Maar dat betekende niet dat het niet telkens opnieuw gebeurde. Deze vrouwen hadden duidelijk dagelijks met geweld te maken.

Lydia was bang dat ze hun allemaal angst aan zou jagen door iets te zeggen, en dat ze daardoor zouden dichtklappen, maar ten slotte kon ze zichzelf niet meer inhouden. 'Was Glenda bang voor iets of iemand?' vroeg ze.

Big Wanda lachte een diepe keellach, maar het was geen vrolijke lach. 'Alleen dat ze haar volgende shot zou missen.'

'Ze hield van haar kinderen,' zei Anna. Misschien zei ze het hardop om zichzelf ervan te overtuigen, of misschien geloofde ze het ook echt.

Lydia vermoedde dat het feit dat Glenda haar kinderen bij haar moeder had achtergelaten, aangaf dat ze wel een zeker verantwoordelijkheidsgevoel had gehad.

'Ze zou niet hebben gewild dat hun iets overkwam.' Anna keek zenuwachtig om zich heen, alsof ze bang was iets verkeerds te zeggen of werd afgeluisterd.

Toen Lydia opstond om Anna's koffiekopje nog een keer te vullen, schoof Anna's mouw omhoog en werd een kleine tatoeage van een hoefijzer zichtbaar. Lydia snakte naar adem. 'Dat hoefijzer! Glenda had er ook zo een.'

Anna trok snel haar mouw weer naar beneden om de tatoeage te bedekken en keek gegeneerd. Er daalde een stilte neer over de vrouwen in de bus.

Ineens realiseerde Lydia zich dat ze het wel wat subtieler had kunnen aanpakken. Ze had Anna en de andere meiden angst aangejaagd met haar overdreven reactie, en nu staarden ze haar allemaal aan. 'Het spijt me. Ik ben alleen nieuwsgierig naar wat die tatoeage betekent. Betekent die geluk?'

'Nou dat heeft-ie haar niet opgeleverd.' Big Wanda knakte met haar knokkels.

De rest van de vrouwen keek de andere kant op. Lydia opende haar mond om het op een andere manier te vragen, toen er een zwarte suv aan de overkant van de straat stopte.

'Verdomme! Wat doet híj nou hier?' riep Big Wanda uit, terwijl de vrouwen zich bij het raam verzamelden.

'Ons in de gaten houden,' zei Anna. Haar gezicht was bleek geworden.

'Stuur Cilla maar naar buiten,' zei Big Wanda. 'Op zijn nichtje blijft hij nooit lang boos.'

'Als hij weet dat ik hier ben, wordt hij gek,' zei Cilla, die zelf ook een beetje bang keek. Maar onder druk van de vrouwen in de bus ging ze ten slotte naar buiten, naar zijn suv.

'Wie is dat?' fluisterde Lydia tegen Sarah. Ondertussen tuurde ze uit het raam.

'Gator,' zei Sarah hoofdschuddend. 'Hij "staat het ons toe" om zijn meisjes gratis gezondheidszorg te geven, maar hij houdt nauwlettend in de gaten dat we ze niet helpen een beter leven te krijgen.'

'Is hij de pooier van alle meisjes?'

'Nee. Sommigen horen bij Sammy the Sauce, maar Gator bezit eigenlijk de rest.'

'Bezit? Kunnen ze dan niet bij hem weg als ze dat willen?'

Sarah schudde haar hoofd. 'Hij bindt ze emotioneel aan zich en neemt ze in dienst als ze nog heel jong zijn. Hij mishandelt ze als ze van plan zijn hun heil elders te zoeken. Hij heeft ze er allemaal van overtuigd dat hij ze vermoordt als ze stoppen met de prostitutie.'

'Weet je of hij ze brandmerkt?' vroeg Lydia.

'De hoefijzertatoeage?' Sarah had haar met Anna horen praten. 'Dat weet ik niet, maar ik acht hem ertoe in staat.'

Lydia keek aandachtig naar de suv, waar Cilla door een kier in het raam met Gator praatte. Hij werd steeds meer een verdachte. Hij was gemeen, dominant en gewelddadig en beschouwde de vrouwen als zijn bezit. Misschien had Glenda genoeg gekregen van de prostitutie en had Gator haar vermoord toen hij erachter kwam dat ze zou vertrekken. Hij had gezegd dat hij het zou doen, dus vergezocht was het niet. Ze was vastbesloten meer over Gator te ontdekken.

# 9

'En hier is de fantastische Ruby!' Een anonieme stem galmde van achter het gordijn en brak door het geklets aan de bar van de Bank heen.

Het publiek werd stil toen er tromgeroffel klonk. Lydia maakte haar blik los van Jack om naar het podium te kijken. Er kwam rook uit een rookmachine en Lydia's vriendin Ruby stapte, gekleed als Carmen Miranda, het podium op. Ze droeg een enorme hoed die eruitzag als een fruitschaal.

Het was de wekelijkse burleske-avond van de Bank, een trendy galerie annex kroeg, met een enorme waterval achter de bar. Trendsetters hadden het strippen ontdekt, maar ze hielden er alleen van als het zorgvuldig was vermomd als kunst met een grote dosis ironie. Vrouwen in alle vormen en maten, met tatoeages en piercings – en zelfs af en toe een man – zetten een kunstzinnig programma in elkaar, dat niet altijd over schoonheid, maar zogenaamd over opvattingen ging. Het eindigde er steevast mee dat de performers hun kleren uittrokken bij het gejoel en gefluit van het publiek, maar dat maakte deel uit van de ironie.

Ruby danste over het podium. Ze was een getalenteerd modern danser, maar had kortgeleden het strippen ontdekt. Na drie of vier e-mails waarin ze haar nieuwe act aanprees, was Lydia nu naar de Bank gekomen om haar vriendin te steunen. Ze floot en schreeuwde, terwijl Ruby elk stuk fruit uitdagend van haar hoed haalde en in de menigte gooide. Ruby pelde een banaan en liet hem, tot groot genoegen van het publiek, tussen haar rode lippen naar binnen en weer naar buiten glijden. Maar toen ze haar topje met ruches uitdeed en haar borsten in haar handen hield, werd Lydia stil. Ineens had ze moeite met het toenemende dolle enthousiasme van de toeschouwers. Ze keek naar de fluitende Jack en vroeg zich af of het strippen hem opwond.

Waarin verschilde burleske eigenlijk van gewoon strippen? De bedoeling die erachter zat? De plek waar het plaatsvond? De betaling? Lydia had geen idee. Ze wist wel dat strippen vaak tot prostitutie leidde als vrouwen met hogere verdiensten werden gelokt. En dat een hoer zei dat ze het voor de lol deed, betekende nog niet dat het minder gevaarlijk of vernederend was voor vrouwen om hun lichaam te verkopen. Lydia had de onweerstaanbare neiging het podium op te springen en Ruby mee te sleuren voordat ze al haar kleren uit had getrokken. Voordat ze op een of andere manier het glibberige pad op zou gaan. Ruby hoefde haar kleren niet uit te trekken om zich mooi of begeerd te voelen. Iemand had haar gehersenspoeld waardoor ze nu dacht dat het bevrijdend was.

Eindelijk was de voorstelling voorbij en viel het doek. 'Applaus voor de fantastische Ruby!' zei de galmende stem.

Het publiek begon te juichen. Lydia klapte voor haar vriendin en vroeg zich af hoelang ze nog moest blijven.

Na Ruby's optreden kwam er een andere vrouw het podium op. Ze was verkleed als spin en deed net alsof ze haar prooi, een levensgrote mannenpop, verslond. Het publiek genoot van de act, vooral toen ze haar kleren begon uit te trekken. De mensen floten en stampten, maar Lydia besteedde er geen aandacht meer aan en draaide het podium haar rug toe om haar drankje te koesteren. De gezichten van de toeschouwers waren voor haar in groteske karikaturen veranderd, als Romeinen die de gladiatoren toejuichten.

Een kwartier later kwam Ruby naar de bar toe. Ze had zich omgekleed en droeg nu een spijkerbroek en een blouse met ruches. Ze barstte van zelfvertrouwen, waardoor ze er heel mooi uitzag, ook al was haar make-up erg overdreven omdat ze zich niet had afgeschminkt. Lydia voelde zich rot, omdat ze de show van Ruby belachelijk vond. Ze sprong op, omhelsde Ruby enthousiast en stelde haar voor aan Jack.

'Geweldige performance!' zei Jack, en hij hield Ruby's hand net iets te lang vast. 'Ik ben altijd al helemaal weg geweest van Carmen.'

'Echt?' zei Ruby. 'Ik ook.'

Ze lachten samen en Ruby bestelde een biertje.

Lydia keek naar hen beiden en ergerde zich enorm. Nu moest ze haar vraag stellen. 'Is het niet een beetje vernederend om te strippen?'

'O, Lydia,' zei Ruby lachend. 'Ik kies er toch zelf voor. Het is leuk. Het is bevrijdend en geeft me een kick.'

'Een berg beklimmen geeft je een kick. Benoemd worden tot hoofd van een bedrijf geeft je een kick. Hoe kan het dan dat mannen er geen kick van krijgen om hun kleren uit te trekken?'

Jack schraapte zijn keel en Ruby schoof heen en weer op haar stoel. Jack legde betuttelend zijn arm om Lydia's schouder. 'Vind je niet dat je je een beetje puriteins gedraagt?'

'Wie weet. Of misschien heb ik alleen vrouwen leren kennen die hun lichaam verkopen en het risico lopen om ziek of het slachtoffer van geweld te worden omdat ze geen keus hebben. Misschien krijg ik het gevoel dat de ironie een beetje een kwestie is van de middelvinger naar hen opsteken. We hebben zo veel op hen voor en in plaats van dat te gebruiken om de maatschappij te verbeteren, trekken we onze kleren uit om een barpubliek te prikkelen. Lijkt dat je niet verkeerd?'

'Maar Lydia, het is míjn keuze om het te doen,' protesteerde Ruby. 'Strippen is gewoon heel leuk. Vrouwen die zich nog nooit sexy hebben gevoeld, simpelweg omdat hun soort figuur niet in de mode is, hebben nu de kans om zich een seksbom te voelen. Zij zijn nu aan de beurt om Marilyn Monroe te zijn. Dat geeft een kick.'

Marilyn Monroe was eenzaam en depressief aan een overdosis drugs gestorven. Lydia vond het een beetje deprimerend om haar leven te kopiëren. Ze wilde geen spelbreker zijn, maar het leek haar dat de feministische beweging meer opgeleverd had moeten hebben dan dat studentes verpauperde en uitgebuite sekswerkers nadeden.

Lydia nam een slok van haar drankje. Ze wist dat de anderen haar mening niet deelden, maar ze was nog niet klaar. 'En waarin is burleske nou zo anders dan striptease?'

'Het is niet alleen een kwestie van je kleren uittrekken of een lapdance doen. De show vertelt een verhaal met een begin, een midden en een eind. Het is ironisch, onnozel en mooi tegelijk. Heb je niet gekeken dan?'

'Ik weet zeker dat een feministische theoreticus een proefschrift zou kunnen schrijven over die andere performer die de spin-eet-man-act deed. Dat was angstaanjagend,' zei Jack lachend, terwijl hij deed alsof hij ervan moest huiveren.

Lydia fronste haar wenkbrauwen. Als je in aanmerking nam dat er een hele industrie was voor mannen die wilden worden vernederd en geslagen met seksuele voorwerpen, vond ze het idee nou niet bepaald origineel. Ze ergerde zich ook aan het feit dat Jack hier echt als een man op reageerde. Hij zou aan haar kant moeten staan. Ze verwachtte niet dat hij het over alles met haar eens zou zijn, maar ze kon wel wat morele steun gebruiken.

Ruby werd weggeroepen door vrienden aan een ander tafeltje en ze zwaaide afwezig naar hen toen ze wegliep. Lydia zou morgen waarschijnlijk haar excuses moeten aanbieden, omdat ze de show had afgekraakt. Ze had Ruby geen rotgevoel willen bezorgen. Ze had alleen de vervelende verwarring in haar hoofd over de hoeren die ze had ontmoet op een rijtje willen zetten.

Ineens voelde de lucht binnen muf en benauwd. De show zou zo weer beginnen, maar Lydia had er geen behoefte aan om meer te zien. 'Ik wil eigenlijk wel weg. En jij?' vroeg ze, terwijl ze opstond.

'Vanwaar die haast?' zei Jack klagend. 'Ik wilde net nog een biertje bestellen.'

'Ik heb frisse lucht nodig,' zei Lydia. Ze pakte haar tas en zonder te kijken of hij haar wel achterna kwam, liep ze de deur uit. Ze wist dat het bot van haar was, maar ze móést naar buiten.

Buiten was de lucht weliswaar warm, maar heerlijk fris. Ze liet haar longen vol zuurstof stromen en voelde haar hoofd leeg worden. Leunend tegen de muur wachtte ze op Jack. Ze was boos, maar ze zou niet weggaan zonder hem. Ze zou hem de kans geven om te zeggen dat het hem speet dat hij niet naar haar redenering had geluisterd.

Aan het eind van de straat zag ze twee vrouwen op hoge hakken over de stoep waggelen. Een donkere suv ging langzamer rijden naast hen en de bestuurder keurde hen. Hij gaf gas en reed richting Lydia. Daarna verminderde hij weer snelheid, tot hij voor Lydia stilstond. Ze grijnsde. De chauffeur dacht dat ze een hoer was. Ze was niet bepaald uitdagend gekleed en ze liep zeker te niet paraderen, maar ze was een vrouw alleen aan de donkere kant van de straat. De chauffeur had dus de conclusie getrokken dat ze te koop was. Dit scenario speelde zich over de hele wereld telkens weer opnieuw af.

Lydia vroeg zich af wat ze zou doen als de chauffeur haar aansprak. Lachen? Schreeuwen? Het alarmnummer bellen? Ze kreeg de kans niet, omdat de deur van de Bank openging en Jack naar buiten kwam. Hij sloeg zijn arm om haar middel en de auto schoot snel weg. De chauffeur van de suv had gezien dat een andere man haar had 'veroverd' en dat ze niet beschikbaar was. Ze voelde zich zowel opgelucht als boos.

Achter de suv zag ze een blauwe sedan met een slakkengangetje rijden en ze was verbaasd een glimp op te vangen van Frankie D'Angelo achter het stuur. Wat deed híj daar? En toen drong het tot haar door. Frankie volgde de ontrouwe echtgenoot. Patricia's man, Al Savarese, had haar zojuist gekeurd – híj was de man in de donkere suv geweest.

# 10

Met vijfendertig graden zonder airconditioning in de file op de Long Island Expressway, daar zou iedereen knorrig van worden, redeneerde Lydia. Zij en Jack hadden voortdurend op elkaar zitten vitten sinds ze in zijn auto waren gestapt voor een weekendje lekker uitwaaien aan het strand in het huisje van zijn vrienden. Ze was nog steeds een beetje kwaad op hem dat hij de vorige avond, toen Ruby haar performance deed, niet achter haar had gestaan. Maar bij daglicht leek haar reactie op het strippen overtrokken.

Ze waren van plan geweest die zaterdagochtend vroeg te vertrekken, om de verkeersdrukte en de ergste hitte te mijden, maar op een of andere manier waren ze maar langzaam op gang gekomen. Jack moest nog een paar boodschappen doen en wijn voor zijn gastheren kopen. Lydia moest inpakken en besluiten wat ze in vredesnaam mee moest nemen. Ze dacht dat effectenmakelaars wat conservatiever waren dan kunstenaars in Williamsburg en wilde er niet te exotisch uitzien. Aan de andere kant wilde ze ook weer niet als een kakker overkomen. Bovendien had ze helemaal niet van dat soort kleren, dus koos ze voor eenvoudige, simpele lijnen. Ze had een mooi geel zomerjurkje, dat rond haar nek sloot en discreet tot op de knie viel. Ze pakte haar spijkerrokje in en een paar katoenen blouses waarvan ze dacht dat die ermee door konden en waar geen zichtbare gaten in zaten.

Lydia was geen grote fan van het strand. Hoewel ze het een goed idee vond om even de stad uit te gaan en af te koelen, had ze een hekel aan zand en ze had geen zin om in zee te gaan zwemmen. Ze had *Jaws* gezien op een leeftijd dat ze er erg gevoelig voor was en vond het verontrustend om steeds het water af te moeten speuren naar vinnen. Ze vermoedde bovendien dat de New Yorkse riolen in zee loosden en voelde zich dus altijd vies na het zwemmen.

Toch keek ze ernaar uit om even te ontsnappen aan Williamsburg, dat drukkend heet en broeierig was in de zomer, en er een paar dagen helemaal uit te zijn. Zomer in de stad betekende een kakofonie van geluiden – van de ijscoman, harde salsamuziek, autoalarmen, claxons en geschreeuw. Er hing ook een mengeling van afschuwelijke geuren. Vuilnis begon al te stinken zodra het een pand had verlaten. Alles was overrijp. En met de metro gaan betekende ondergedompeld worden in de sterke lichaamsgeuren van anderen.

Een snelle blik op Jack onthulde dat de hitte en het verkeer invloed hadden op zijn stemming. Hoewel ze vrolijke muziek aan hadden op de iPod, vloekte hij stilletjes en ondernam zinloze pogingen om van rijbaan te veranderen. Het was duidelijk dat niemand snel ergens zou komen. Lydia's voorstel om te stoppen om iets te eten was abrupt van de hand gewezen. Ze was verzonken in stilzwijgen en had het halfuur daarna uit het raam gekeken, wensend dat ze er al waren.

Onverklaarbaar en even plotseling als het verkeer vast was komen te zitten, begon het na de ingang van een winkelcentrum weer sneller te rijden. Gingen al die mensen winkelen? Op een warme zomerdag taartjes eten in het winkelcentrum, en film kijken met de airconditioning aan klonk ook veel aanlokkelijker dan vastzitten in de file op de Long Island Expressway.

'Vertel me eens wat over je vrienden bij wie we gaan logeren. Ken je ze van je studie?'

Jack knikte. 'Chad en ik ontmoetten elkaar toen we eerstejaars waren. Hij werkt ook in de financiële wereld – alleen bij een ander bedrijf. En Adam en ik zijn via Chad bevriend geraakt.'

Lydia had er bewondering voor hoe Jack zijn leven als kunstenaar met zijn werk in balans wist te brengen. Het moest moeilijk zijn om de hele dag om te gaan met mensen die een kunstzinnig beroep maar niets vonden. Soms vroeg ze zich af hoe Jack het voor elkaar kreeg. Ze dacht dat zijzelf er waarschijnlijk gestoord van zou worden. Het was al lastig genoeg om tijd te vinden om te fotograferen naast haar werk bij de D'Angelo's en zij had lang niet zo'n drukke of verantwoordelijke baan als Jack. 'En zijn hun vriendinnen er ook?' Ze maakte zich niet zo druk om de mannen, maar over de vrouwen zat ze wel een beetje in. Zij zou waarschijnlijk met hen moeten optrekken, en het weekend had alles in zich om net zo te worden als haar ergste herinneringen aan de middelbare school. Populaire meisjes hielden vaak niet van slimme meisjes.

Jack haalde zijn schouders op. 'Waarschijnlijk wel. Ik heb de laatste vriendinnen nog niet ontmoet.'

Dat betekende dat Chad en Adam de ene vriendin na de andere afwerkten. Geen goed nieuws. Het zou prettig zijn geweest als een van hen getrouwd was of in elk geval een langdurige relatie had. Lydia probeerde er onbevooroordeeld tegenover te staan, maar ze begon zich echt af te vragen hoe de groep zou zijn.

Nadat ze uiterst verwarrende wegaanduidingen door een paar schilderachtige dorpjes in Hampton hadden gevolgd, stopten ze ten slotte voor een 'strandhuis'. Het zag eruit als een normaal huis in een buitenwijk en leek ver van het strand te liggen. Er stonden een BMW en een Mercedes voor geparkeerd.

Transpirerend en warm tilden Lydia en Jack hun tassen en de boodschappen uit de auto. De zee had Lydia nog nooit zo lekker geleken. Ze snakte ernaar haar bikini aan te trekken en vijf graden af te koelen.

Het was stil in het huis. Ze gingen door de niet afgesloten voordeur naar binnen.

'Hallo!' riep Jack.

'Misschien zijn ze naar het strand,' zei Lydia.

Jack stormde zonder te luisteren naar boven. Lydia ging de keuken in en begon de levensmiddelen en de wijn op te bergen. Een paar minuten later hoorde ze stemmen. Jack kwam de keuken binnen, gevolgd door een lange, knappe vent met blond stekeltjeshaar.

'Lydia, dit is Adam.'

'Hoi, leuk je te ontmoeten.'

'Insgelijks,' zei Adam, terwijl hij haar hand niet te slap en niet te hard drukte en haar precies lang genoeg aankeek om haar op haar gemak te stellen. Een diplomatieke jongen. 'We zijn net siësta aan het houden. Het is gisteren laat geworden in de disco.'

'Hufters. Konden jullie niet op ons wachten?' zei Jack grinnikend.

'Jullie hadden gisteren al moeten komen,' zei Adam. 'Dit is zo'n geweldige plek.'

'Het ziet er super uit,' zei Lydia. 'Bedankt dat we hier mogen logeren.'

'Geen probleem. De meiden zijn zo beneden.'

'Ik wil naar het strand om mijn nieuwe plank uit te testen,' zei Jack. 'Zijn jullie al naar de zee geweest?'

'Nee, het was al donker toen we hier aankwamen. Ik zal jullie even laten zien waar jullie slapen.'

Adam ging hen voor door een gang naar een kleine slaapkamer aan de achterkant van het huis. Het was er netjes en schoon en Lydia voelde zich met de seconde beheerster en rustiger worden.

'Kleed je maar om, dan gaan we naar het strand,' zei Adam geeuwend en hij verdween.

Lydia gaf Jack een dikke zoen. 'Sorry dat ik zo kribbig was.'

'Is het hier niet geweldig?' zei Jack enthousiast. 'Ik sta te popelen om de zee in te gaan.'

Lydia trok haar bikini in jarenvijftigstijl aan – een bruin-wit gestreept broekje met een haltertopje. Ze knoopte een sarong met een bruin dessin om haar middel en vulde snel een strandtas: zonnebrandcrème, *Lady Chatterley's Lover*, een hoed en een badlaken. Daarna deed ze sandalen aan.

Toen ze de keuken binnenkwamen, had iedereen zich daar al verzameld. Lydia maakte snel kennis met Sarah, een lange, slanke en heel bruine blondine, Carrie, een kleine brunette met een rond figuur, en Chad, een knappe, stevige jongen die eruitzag alsof hij van Hawaï of de Filipijnen kwam. Iedereen was vriendelijk en Lydia ontspande snel. Onderweg naar het strand, dat ongeveer vier straten verderop lag, hoorde ze dat Carrie werkzaam was in de marketing en Sarah als managementassistente.

Op het strand sprongen de jongens allemaal met hun surfplanken het water in. De meiden gingen zonnebaden en praten.

'Hoelang ken jij Jack al?' vroeg Carrie.

'Pas zes weken.'

'Wauw. Chad heeft het altijd over hem. Hij was op de universiteit best een rokkenjager.'

Dat verbaasde Lydia niet, maar ze vroeg zich af waar het gesprek eigenlijk om draaide. Ze kon niet besluiten of dat was om haar een slecht of een goed gevoel te geven over haar vriend. 'Hoelang ken jij Chad al?' pareerde ze.

'Zes maanden, maar nog geen ring,' zei Carrie vrolijk, maar ze kreeg wel een wat wanhopige blik in haar ogen.

Carrie was waarschijnlijk zo'n vrouw die dolgraag wilde trouwen. Lydia zou er geen bezwaar tegen hebben om zelf op een dag te trouwen, maar ze had al lang geleden vastgesteld dat ze geen man nodig had om haar gelukkig te maken. 'Hebben jullie het al over trouwen gehad?'

'O, nee. Maar ik heb heel wat toespelingen gemaakt,' zei Carrie en ze controleerde of ze al bruin werd, door haar microscopisch kleine zwarte bikini een stukje opzij te schuiven.

'Ik denk dat Adam mij binnenkort een aanzoek doet,' zei Sarah, terwijl ze haar vingernagels bestudeerde.

'Echt?' riep Carrie uit. 'Hoe weet je dat?'

'Volgens mij heeft hij laatst een van mijn ringen gepakt om die te laten opmeten. Ik deed net alsof ik het niet merkte.'

Lydia hoopte voor Sarah dat het waar was, maar ze zag heel wat andere verklaringen voor een ontbrekende ring. Hij kon ook ergens achter zijn gevallen en zijn zoekgeraakt.

Trouwen was in haar ogen iets waar je met elkaar over praatte. Het huwelijk was een kwestie van partnerschap, geen sprookje. Te veel vrouwen lieten zich verleiden door de pracht en praal van een bruiloft, in plaats van het huwelijk als een uitdaging te zien. Ze focusten zich op de ring, de jurk en de bruiloft, maar dachten er niet over na wie de afwas moest doen, het geld moest verdienen of de kinderen moest opvoeden.

Dagdroomde Lydia over het huwelijk? Natuurlijk, maar daarna stapte ze eroverheen. Het zou leuk zijn om op iemand te kunnen bouwen. Het was, corrigeerde ze zichzelf, leuk om een vriend te hebben om op te kunnen steunen. Maar ze hoefde niet zo halsoverkop ergens in te duiken waar zij en Jack nog niet aan toe waren, om na een paar jaar alweer te scheiden.

Jack kwam het water uit en schreeuwde over het strand: 'Kom erin, het water is heerlijk!'

Sarah en Carrie schudden hun hoofd, maar Lydia stond dankbaar op en liep naar het water toe. Ze kon nog steeds wel wat verkoeling gebruiken.

Later die avond, verzadigd met kreeft en wijn, legde Lydia haar hoofd tegen Jacks schouder en luisterde naar het gesprek om haar heen. Het was prettig om de stad uit te zijn en de geluiden van een zomeravond op het platteland te horen. Ze kon de zee ruiken, gecombineerd met de scherpe geur van gemaaid gras. Ze waren na het eten naar buiten gegaan om naar de sterren te kijken, en Lydia was verbaasd geweest hoeveel er aan de hemel stonden. Ze was gewend geraakt aan de hemel boven de stad, waar vaak alleen de maan zichtbaar was en met een beetje geluk het sterrenbeeld Orion.

Ze voelde zich enorm opgelucht en daardoor ontspande haar lichaam. Ze had Jacks vrienden ontmoet en ze leken haar te mogen. Jack had Georgia Rae ontmoet en ze konden met elkaar opschieten. Hun relatie functioneerde goed. Misschien, heel misschien, zou het allemaal wel loslopen.

# 11

'Ik ben de cliënt en ik wil resultaten!' Mama D'Angelo was op maandagochtend meteen haar beklag komen doen, omdat ze meende dat ze niet alles deden wat in hun macht lag om Patricia te helpen. De verslagen van Frankie en Leo en de onscherpe en onderbelichte foto's konden haar niet sussen.

'Maar Mama,' jammerde Leo. 'Ik heb hem uren gevolgd. Het is moeilijk om in het donker goede foto's te maken.'

Frankie sloeg koppig zijn armen over elkaar. 'Ik doe het ook niet meer.'

De broers werden weer twee jongetjes van twee. Achter haar computerscherm rolde Lydia discreet met haar ogen.

'Wat moet ik Rose dan vertellen? Patricia heeft bewijsmateriaal nodig, geen arrogante houding!' Mama keek overdag te veel talkshows op televisie. Het was grappig om haar psychologentaal met een Italiaans accent te horen uitslaan.

Lydia haalde diep adem. Ze zag haar kans schoon. Als ze terug wilde naar de rivieroever om te ontdekken wat er aan de hand was, moest ze nu in actie komen. 'Ik weet zeker dat ik een paar goede foto's voor haar zou kunnen maken,' zei ze. 'Ik heb al eerder nachtfotografie gedaan.'

Leo en Frankie draaiden zich om en staarden haar aan. Lydia was ongehoorzaam en richtte zich tot een hogere macht, wat in hun ogen niet aanvaardbaar was.

'We hebben toch gezegd dat het te gevaarlijk is –'

Mama onderbrak Leo door een keer met haar hand te zwaaien. Ze boog zich voorover naar Lydia. Ze rook vandaag wel heel erg uit haar mond naar knoflook. 'Jij bent een goede fotografe, maar de rivieroever is niet veilig voor een meisje alleen.'

Lydia herinnerde zich het kaartje van Emmanuel de taxichauffeur, dat ze had bewaard. Hij had beloofd direct voor haar klaar te staan als privéchauffeur in dit soort gevallen. Ze trok het kaartje uit het zijvak van haar tas en zwaaide ermee. 'En als ik iemand inhuur om me te rijden en daar 's avonds samen met mij rond te hangen? Als er iets gebeurt, kan hij de sterke man uithangen.'

'Wie? Je vriend?'

Mama had Jack een keer ontmoet en was erg onder de indruk geweest. Hij had voor zijn werk zijn pak met stropdas aangehad. Mama had hem zo gevleid, dat het vreselijk gênant was. Ze had met haar ogen naar Lydia gerold en haar in haar arm geknepen. Lydia had half verwacht dat ze Jack zou gaan vragen wat zijn bedoelingen met haar waren. 'Nee. Hij is een taxichauffeur die graag detective zou willen zijn. Hij is door de wol geverfd en zal ervoor zorgen dat ik nooit alleen ben.' Ze nam tenminste aan dat dat zo was. Ze was er bovendien van overtuigd dat ze goed voor zichzelf kon zorgen. Dat was haar de afgelopen achtentwintig jaar ook prima gelukt.

Leo keek haar fronsend aan, maar Mama klapte blij in haar handen.

'Dat klinkt perfect!'

'Mama, wij komen toch ook niet naar het restaurant toe om de bordenwassers de opdracht te geven de boekhouding te gaan doen...' begon Leo en hij sperde zijn neusgaten open.

'Maar ik ben de cliënt, Leo,' zei Mama lief, terwijl ze over zijn hand aaide. Ze was duidelijk vergeten dat ze het gratis deden voor haar, of op zijn minst alleen in ruil voor lasagne en cannoli. 'En ik eis genoegdoening. Ik denk dat Lydia het geweldig goed zal doen en dat ze veilig is bij die meneer die haar helpt.'

Nu de zaak binnen handbereik lag werd Lydia ineens nerveus. 'Ik moet alleen even kijken hoeveel hij rekent. Het zal wel niet veel zijn hoor, want hij wil zo graag mensen schaduwen. En ik zou ook regelmatig iemand kunnen bellen om te laten weten dat alles goed is.'

Omdat Mama enthousiast knikte, pakte Lydia haar mobieltje om Emmanuel te bellen voordat Leo kon protesteren. Hij was beschikbaar, gretig en bereid het voor een hongerloontje te doen.

Toen Leo hoorde hoe goedkoop het zou zijn, zwichtte hij aarzelend. Het was tenslotte geen opdracht voor een betalende cliënt, maar voor familie. Toch zat hij nog steeds vol adviezen. 'Stap niet uit de auto. Laat hem niet zien dat je hem volgt. Leg alleen maar vast waar hij naartoe gaat en probeer zoveel mogelijk foto's te schieten.'

'Begrepen.' Lydia wist dat ze nu moest glimlachen en knikken. De D'Angelo's voelden zich ongemakkelijk en ze moest hun het gevoel geven dat alles goed zou gaan. Maar ze zag niet waarom zij het er slechter van af zou brengen dan de broers. Die hadden alleen wat donkere opnamen weten te maken die elke echtscheidingsadvocaat in een paar seconden van tafel zou vegen.

Moeilijker was dat ze Jack over haar nieuwe zaak moest vertellen. Ze waren weer gelukkig samen, nadat ze het op een bevredigende manier hadden bijgelegd in het strandhuis. Ze hadden het nooit echt over Lydia's onbehaaglijke gevoel bij het strippen gehad of over zijn enthousiasme daarvoor, en Lydia had geprobeerd haar misnoegen van zich af te schudden. Ze had het leuk gehad met zijn vrienden en kreeg het gevoel dat hij zich erg inspande om haar het gevoel te geven dat ze erbij hoorde. Ze zouden het nooit over alles eens zijn, dus was het het beste als ze het uit haar hoofd zette. Ze besloot hem zo te overstelpen met haar enthousiasme voor het nieuwe project, dat hij alleen nog maar blij voor haar kon zijn.

Ze belde hem op kantoor. Nadat ze dat één keer had gezien, kon ze zich zijn kleine werkplek op de dertiende verdieping van het makelaarskantoor exact voorstellen. Hij had een foto van een prachtige waterval opgehangen op de grijze wand naast zijn computer en jammer genoeg was dat ook het enige uitzicht dat hij voorlopig zou zien. Lydia hoopte dat hij bleef vasthouden aan zijn prioriteiten en niet te veel ambitie vertoonde op zijn werk. Als hij de lange werkdagen en de gulle bonussen in de effectenmakelaardij eenmaal bereidwillig had aanvaard en onderdirecteur probeerde te worden, zou zijn artistieke carrière waarschijnlijk in het slop raken.

'Het lukt me niet om vanavond iets met je te gaan drinken, maar je raadt nooit waarom!'

'Je hebt een ander afspraakje?' vroeg Jack droog.

Op de achtergrond hoorde ze mensen praten. Ze vroeg zich af of zijn collega's meeluisterden. Ze hoopte niet dat Jack indruk op hen probeerde te maken. 'Nee, gek. Ik moet iemand volgen voor de D'Angelo's!' Zelfs in haar eigen oren klonk haar stem kunstmatig vrolijk.

'Vanavond?'

'Die vent pikt prostituees op van de straat en zijn vrouw wil bewijs, zodat ze hem aan de kant kan zetten. Ik ga hem volgen en foto's maken.' Ze kon Jack aan de andere kant van de lijn horen ademen. Vermoedelijk dacht hij na over de beste manier om zijn twijfels te uiten zonder haar uitgelaten stemming te verpesten.

'Dat klinkt... onveilig.'

'Ik weet wat je denkt. Maar ik huur een taxichauffeur in om me de hele avond rond te rijden en ik blijf in de auto. Het is helemaal perfect voor mijn nieuwe serie.'

Jack zat waarschijnlijk vol vragen, maar wist niet waar hij moest beginnen. 'Tot hoe laat?'

Ze probeerde zich voor te stellen hoelang Al het zou kunnen volhouden. Ze had geen idee hoe oud hij was en of hij viagra nam. 'Ik weet het niet zeker. Leo was vannacht tot een uur of drie op stap.'

'Dit klinkt niet goed...'

'Nou,' zei Lydia, en ze probeerde verzoenend te klinken, 'als je wilt, kan ik je regelmatig bellen om te laten weten dat alles goed is.'

'Dat zou fijn zijn.' Hij klonk opgelucht. 'Ik zou het vreselijk vinden als je iets overkwam, schat. En ik zou je graag aanbieden om mee te gaan, maar –'

'Maar je moet morgen werken, dat weet ik,' zei ze. 'Dat is prima. Ik red me wel.' Ze kon het niet nalaten om het af te kloppen.

# 12

Een schaduwing voorbereiden leek een beetje op het voorbereiden van een expeditie naar het oerwoud of naar de Noordpool. Dorst, honger, een volle blaas en het te koud of te warm krijgen konden er allemaal voor zorgen dat een detective het bijltje er voortijdig bij neergooide en de opdracht in gevaar brengen. Ook lege batterijen van haar mobieltje of camera waren een potentieel probleem dat ze moest zien te voorkomen. Lydia begon een grote tas te vullen met allerlei essentiële zaken. Ze deed een concessie aan haar gevoel voor mode en trok lekker zittende kleren uit haar kast: een bruine broek met grote zakken, een katoenen blouse en comfortabele, zwarte hoge Converse-gympen.

Emmanuel stopte om exact zes uur voor haar flat. Ze schoof snel op de achterbank en greep de tas met haar camera, notitieboekje, snacks en water vast.

Emmanuel draaide zich om en schonk haar een grote grijns. 'Waar als eerste naartoe, Ms. Fletcher?'

Lydia grijnsde terug, ook al wist ze dat ze totaal niet op Angela Lansbury leek. Ze was zelf ook opgewonden. Eindelijk ging ze iemand volgen en dat voelde als onbekend terrein. 'We moeten eerst naar Als huis in Jackson Heights. De D'Angelo's zeiden dat hij altijd eerst naar huis gaat uit zijn werk en daar de auto pakt om op strooptocht te gaan.'

Emmanuel reed het verkeer in. 'Man, o man. Die moet gek zijn. Seks met hoeren terwijl hij getrouwd is... Mijn vriendin zou me vermoorden als ze me betrapte op vreemdgaan.'

Lydia vroeg zich af hoe Emmanuels vriendin was en wat zij van het schaduwen vond. 'Sommige mensen houden ervan om de grenzen op te zoeken. En als iedereen zich aan de wet hield, zouden wij niet veel werk hebben.'

'Klopt, klopt.' Emmanuel wachtte even voor een rood licht, maar toen er geen verkeer aankwam, reed hij gewoon door.

Lydia greep zich vast aan het portier en begon toch wat aan Emmanuels rijvaardigheid te twijfelen. Maar het was nu te laat om de plannen te veranderen. 'Hé, je rijdt toch wel voorzichtig, hè? We kunnen het ons niet veroorloven dat ze ons aanhouden om ons te bekeuren. Dat zou veel te veel de aandacht trekken.'

Emmanuel grinnikte in de achteruitkijkspiegel naar haar. 'Ik dacht dat detectives steeds de wet overtraden.'

'Alleen detectives die de bak in draaien.' Ze grijnsde en deed even haar ogen dicht toen hij vlak voor een hard rijdende vuilniswagen langs Meserole Street in reed.

Kort daarna kwamen ze met piepende banden tot stilstand achter een lange rij auto's die allemaal stonden te wachten tot ze de snelweg op konden. Op de BQE, de kronkelende snelweg die Brooklyn met Queens verbond, stonden ze zoals gewoonlijk bumper aan bumper. Ze was een beetje opgelucht dat ze stilstonden, maar ook bezorgd dat ze Als vertrek zouden missen.

'Als ik naar de gevangenis moet, word ik het land uit gestuurd,' zei Emmanuel hoofdschuddend. 'Een vriend van me is met minder dan een ons hasj gepakt en zit nu voorgoed weer in Kingston. Dan zijn ze gauw klaar met je.'

Lydia had gehoord dat illegale immigranten hardhandig werden aangepakt. Zelfs jonge mensen die al van kinds af aan in de Verenigde Staten hadden gewoond, werden teruggestuurd naar het land van herkomst als ze de wet overtraden. Het was radicaal, maar de overheid trad zelden gematigd op. Het land was blij om grote criminelen te zien gaan, maar het was toch absurd om hardwerkende mensen wegens kleine vergrijpen het land uit te schoppen.

Ze viste in haar tas tot ze haar notitieboekje had gevonden. Ze sloeg het open op de eerste pagina en begon aantekeningen te maken. Ze schreef: 'Om zes uur 's middags opgehaald.' Ze zou de tijd van aankomst noteren als ze bij Als huis waren. Naderhand zou ze haar aantekeningen uittypen en aan Mama's nicht Rose geven, samen met de foto's die ze had gemaakt. Ze hoopte dat het verslag Patricia een helder beeld zou geven van de activiteiten van haar man en dat het voldoende bewijsmateriaal zou zijn om aan de rechtbank te overleggen.

Al woonde in een buitenwijk van Queens met kleine jarenvijftighuizen. De buurt was veranderd toen er in de loop van de jaren immigranten waren komen wonen en de groep kinderen die aan het basketballen was op de oprit van een van de huizen, leek een afspiegeling te zijn van de bevolking van de Verenigde Staten.

'Het is nummer 15437,' zei Lydia en ze boog zich voorover. 'Als je het ziet, rij dan langzaam voorbij. Dan zoeken we een plekje waarvandaan we het huis veilig in de gaten kunnen houden.'

Eindelijk had ze dan het juiste adres ontdekt. Terwijl ze er langzaam langsreden, nam Lydia het kleine witte huis met het kantachtige lijstwerk en de brede oprit aandachtig op. De tuin zag er een beetje leeg uit, zonder de verzameling speelgoed en fietsen die de buren hadden. Al en Patricia Savarese leken allebei niet dol op tuinieren te zijn. De struiken stonden er treurig bij, alsof ze al lang geen water hadden gehad, en in het gras zaten grote kale plekken. De bij elkaar passende Ford Explorer SUV's van de Savareses stonden op de oprit, de ene was kastanjebruin en de andere donkergroen. Het was duidelijk niet zo dat ze geen geld hadden om een tuinman in te huren, dus kon het ze kennelijk echt niets schelen.

'Goed. Hij is nog niet vertrokken.'

'Waar moet ik parkeren?' vroeg Emmanuel, terwijl hij langzaam verder reed.

'Rij maar naar het eind van de straat en keer daar om. We parkeren aan de overkant, een stukje verderop, voor dat huis zonder auto.'

Emmanuel keek om zich heen alsof hij zenuwachtig was. Ook al bevonden ze zich binnen de grenzen van de stad, de buitenwijken hadden dat effect soms op mensen. In haar eigen straat in een auto rondhangen zou geen probleem zijn, maar in de buitenwijken had je soms buurtwachten. Die adviseerden bewoners de politie te bellen als ze verdachte mensen zagen, vooral gekleurde mensen met dreadlocks die een huis in de gaten hielden.

Ze keerden en gingen voor een klein bakstenen huis aan de overkant van de straat staan. Er stond een TE KOOP-bord in de tuin en het huis zag er leeg uit.

'Perfect,' zei Lydia tevreden. 'Als iemand ernaar vraagt, dan zeg ik dat ik op de makelaar wacht die me het huis zal laten zien.' Ze haalde haar camera tevoorschijn, zette hem aan en wachtte.

'Wat gaan we nu doen?' Emmanuel schoof heen en weer op zijn stoel en draaide zich om, zodat hij haar aan kon kijken.

'We wachten tot Al naar buiten komt.' Ze stond te popelen om hem te betrappen en daarna triomfantelijk met de foto's in het gezicht van de D'Angelo's te zwaaien. Zij waren er niet in geslaagd om er ook maar één te maken, maar zij zou verbazingwekkende shots van de overspelige echtgenoot maken.

Emmanuel zette zijn stoel wat achterover en maakte het zich gemakkelijk. Hij zette de radio op een reggaezender. Maar Lydia bleef rechtop zitten, alert op elke beweging. De D'Angelo's hadden aangegeven dat Al een gewoontedier was en dat hij het huis bijna elke dag op hetzelfde tijdstip verliet.

Na twintig minuten naar Als huis te hebben gestaard, begon Lydia een beetje moe te worden. Ze keek voor de dertigste keer op haar mobieltje om te zien hoe laat het was en vroeg zich af of hij uitgerekend deze avond niet naar de stad zou gaan. Misschien was hij er zelfs achter gekomen dat hij werd achtervolgd en had hij besloten zijn gewoontes te veranderen. Al die moeite doen en dan geen enkele foto kunnen maken, dat zou een afknapper zijn.

Eindelijk zag ze een man het huis uit komen. Hij was van gemiddelde lengte en had donker haar en een dikke buik. De man droeg een wit T-shirt en een spijkerbroek. Hij keek niet eens hun kant op, maar sprong zo in de kastanjebruine SUV.

'Daar is-ie!' Lydia tikte tegen de stoel.

Emmanuel ging rechtop zitten en zette zijn stoel overeind. Terwijl de SUV achteruit de oprit af reed en hen in de straat tegemoet kwam, startte hij snel de auto. Lydia dook automatisch weg, maar ving toch een glimp op van Als gezicht toen hij langsreed. Als puber had hij erge acne gehad. Daaraan had hij littekens overgehouden en zijn wenkbrauwen waren aan elkaar gegroeid.

Lydia ging weer rechtop zitten en voelde zich een beetje onnozel. Al wist niet wie ze was en waarom zou hij haar herkennen? 'Keer maar om en volg hem dan. Maar rij er niet te dicht op.'

'Begrepen,' zei Emmanuel, terwijl hij snel wegreed, omkeerde en achter Al aan scheurde.

Eerst dacht Lydia dat ze hem kwijt waren, maar toen zag ze iets kastanjebruins rechts afslaan. Net als de meeste New Yorkers reed Al snel en gaf geen richting aan. Hij zou moeilijk te volgen zijn. 'Daar gaat-ie. Daar naar rechts,' wees ze.

Emmanuel sloeg af, gaf een beetje gas en had de suv bijna ingehaald.

Lydia voelde een golf van paniek opkomen. 'Afstand houden! Afstand houden! Hij mag ons niet zien.'

Emmanuel ging langzamer rijden en liet een andere zwarte taxi tussen zijn auto en die van Al invoegen. Lydia leunde naar achteren en ontspande even. Ze herinnerde zichzelf eraan dat de ene zwarte taxi veel op de andere leek. Ze waren bijna allemaal donker van kleur en het leken altijd Lincolns te zijn. Als Al achteromkeek, zou hij denken dat ze gewoon een zwarte taxi waren die achter hem reed. Hopelijk zou hij hen niet in verband brengen met de auto die bij hem in de straat geparkeerd had gestaan.

Al nam secundaire wegen naar Greenpoint om een file te omzeilen. Op sommige binnenwegen, die zich tussen rijen kleine houten huizen en tussen loodsen door slingerden, was bijna geen verkeer. Hij ging sneller rijden, maar ze moesten hem hier verder voor hen laten rijden, zodat hij hen niet zou opmerken.

Emmanuel zette zijn achteruitkijkspiegel goed. 'O-o,' fluisterde hij.

'Wat is er aan de hand?'

'We worden gevolgd.'

'Wat?' Lydia draaide zich om en rekte haar hals. Ze zag een paar auto's achter hen rijden, maar niets alarmerends.

'Er zit al sinds Queens een rode Volkswagen kever achter ons aan.'

Lydia ontdekte de kever, die zigzaggend door het verkeer achter hen reed. Ze fronste haar voorhoofd. 'Waarom zou iemand ons volgen?'

# 13

De rode Volkswagen zag er heel onschuldig uit, maar dat maakte Lydia op een of andere manier nog achterdochtiger. Een zwarte Cadillac riep beelden op van gangsters met zonnebrillen, die uit de raampjes schoten. Dan had ze de expeditie misschien afgeblazen. Een rode Volkswagen was niet het soort auto waar gevaarlijke huurmoordenaars een voorkeur voor hadden, maar eerder blonde studentes van de Universiteit van Dayton. Het was het soort auto waarvan je je kon voorstellen dat iemand er voor de grap honderd clowns in probeerde te proppen. Een blije auto.

Misschien volgden zij Al ook wel en ze vroeg zich af wie er verder nog in hem geïnteresseerd zou kunnen zijn. Een ander familielid van Patricia dat achterdochtig was geworden? Een vijand van hem die ook foto's wilde maken? Een jaloerse maîtresse? En toen herinnerde ze zich hoe beschermend de D'Angelo's zich hadden opgesteld. Ze hadden gedacht dat ze de opdracht niet aankon. Hun moeder had erop gestaan dat ze haar een kans zouden geven, maar ze hadden tot het laatste moment geaarzeld. Misschien hadden ze besloten haar te volgen om haar te beschermen.

Ze had geroerd moeten zijn bij de gedachte aan de bezorgdheid van de D'Angelo's, maar ze was juist geïrriteerd. Ze vond het niet prettig dat ze alleen omdat ze een vrouw was bij voorbaat kritiek op haar hadden, en dat haar handelen extra scherp in de gaten werd gehouden. Ze had een cursus zelfverdediging gedaan bij een echte harde bikkel die Martina heette, en ze wist dat als puntje bij paaltje kwam, ze waarschijnlijk iemands knieschijven kapot kon maken. Bovendien was ze intelligent genoeg om de politie te bellen als een situatie gevaarlijk werd. Ze had tenslotte een rechercheur in het telefoonboek van haar mobieltje staan.

Lydia keerde zich om en keek naar de auto. Die nam wat afstand, alsof hij haar boosheid voelde. Ze kon niet zien wie er achter het stuur zat, Leo of Frankie.

'Hij mindert vaart.' Emmanuel klonk een beetje gespannen.

Lydia keek weer voor zich uit. Al stopte langs de kant van de weg in Greenpoint bij een uitgestorven, overwoekerd terrein, waar een aantal schaars geklede dames zich in de schemering aanbood. 'Wat je ook doet, bots niet achter op hem,' waarschuwde ze.

Emmanuel ging snel langzamer rijden.

'Rij er gewoon zachtjes langs. We stoppen een stukje verderop en hopelijk verdenkt hij ons er niet van dat we hem volgen.'

Emmanuel snoof, maar passeerde Al langzaam. Nu ze niet meer aan de kever dacht, stelde Lydia haar camera in en nam snel een paar foto's van Als auto en de vrouwen die ernaartoe liepen. Twee ervan – de een van top tot teen in strakke stonewashed spijkerkleding gehuld en de ander in een roodleren jurk die weinig aan de verbeelding overliet – kwamen in de buurt van Als suv. Het licht was nog redelijk en door de zoeker kon ze hun opzichtige make-up zien.

Emmanuel stopte een stuk verderop, naast een klein flatgebouw met een trap met kapotte spijlen en afbladderend schilderwerk. Lydia hoopte dat niemand hun daar vragen zou stellen. Ze dacht dat ze er wel een beetje verdacht uitzagen, maar ze hoopte dat Al zo op de hoeren gefixeerd was dat hij niet op een zwarte taxi lette. En zeker niet op een taxi die hem al de hele weg vanaf Queens volgde. Waarschijnlijk vermoedde hij niet dat zijn vrouw hem liet schaduwen.

Lydia draaide zich om, knielde op de achterbank en maakte snel tien foto's van Al en de hoeren. Die waren vast niet voldoende om te bewijzen dat hij ontrouw was, maar hij zou zich daardoor schuldig genoeg voelen om zijn vrouw alles te geven waar ze om vroeg. Ze bekeek de opnamen snel op het display, om zich ervan te vergewissen dat ze scherp waren. Uit de foto's viel niet veel op te maken. Ze nam aan dat Al tegen de rechter kon zeggen dat hij verdwaald was en gewoon de weg vroeg. Ze hoopte dat ze een foto kon maken van een hoer die bij hem in de auto stapte. Toen ze de camera liet zakken en wachtte tot ze tot actie overgingen, merkte ze tot haar opluchting dat de rode Volkswagen nergens meer te zien was. Misschien was het toch een verdwaalde studente geweest.

De dames waren kennelijk te lelijk of te duur voor Al, want een paar minuten later reed hij alleen weg. De hoer in de spijkerkleding stak haar middelvinger naar hem op. Lydia nam het haar niet kwalijk. Ze dook snel naar beneden toen Al langsscheurde.

Emmanuel zette de versnelling in z'n vooruit en zou achter hem aan gesjeesd zijn, als Lydia niet 'langzaam, langzaam!' had geschreeuwd. Emmanuel wachtte even en reed vervolgens ontspannen weg. Met een beetje geluk leek het alsof hij zojuist een telefoontje van de centrale had gekregen en nu op weg ging om een klant op te pikken.

Al reed in een onregelmatig tempo: hij ging langzamer rijden als er dames alleen stonden en sneller als het te druk werd op de weg. Maar het feit dat hij zich alleen bewust was van zijn prooi en ongevoelig was voor het getoeter van andere auto's maakte het mogelijk hem straffeloos te volgen. Zodra ze in Williamsburg waren, kon Lydia gemakkelijker raden waar hij naartoe ging. Ze kon Emmanuel zelfs kortere routes voorstellen, zodat ze Al van de andere kant weer tegenkwamen, in plaats van dat ze hem steeds op de hielen zaten. De hoeren stonden meestal bij de brug en de rivier, dus Emmanuel keerde en wachtte tot Al langs zou rijden. Toen dat gebeurde reden ze weer achter hem aan. Ditmaal leken ze zelf echter achtervolgd te worden door een suv.

'Wie is dat?' vroeg Emmanuel en hij keek in de achteruitkijkspiegel.

'Dat weet ik niet,' antwoordde Lydia. Ze vroeg zich af of dit opnieuw verbeelding van haar was, of dat de rode Volkswagen in de gaten had gekregen dat hij was opgemerkt en om een andere auto had gevraagd. Ze was te onervaren in de wereld van achtervolgen en schaduwen om de kneepjes van het vak te kennen. Ze hoopte dat ze een paar foto's van de donkere suv achter hen kon nemen. Voor ze de D'Angelo's met hun moederkloekgedrag confronteerde, wilde ze bewijzen hebben dat zij haar inderdaad volgden. En anders zou ze erachter komen dat iemand anders haar volgde.

'Hij mindert weer vaart,' zei Emmanuel en hij ging zelf ook meteen langzamer rijden.

Hij had haar strategie snel opgepikt, en Lydia was blij dat hij haar reed. Ze kwamen langs de regenboogbus van Candi en Lydia onderdrukte de neiging om naar haar nieuwe vrienden te zwaaien. Het leek alsof ze al een paar klanten hadden.

Er stonden drie vrouwen op de hoek van Kent Street en North Fourth Street. Ze zagen er allemaal uit als latino's. Aan hun kleren kon je op grote afstand al zien dat ze hoeren waren: een rood minuscuul rokje, een strakke broek met luipaardprint en schoenen met stilettohakken en een zwartleren jurk. Al stuurde naar rechts en ging naast de vrouwen op de hoek staan. De kleinste, in het rode minirokje, liep heupwiegend op Al af, toen Emmanuel en Lydia onopvallend langsreden. Lydia nam ondertussen foto's en hoopte dat ze een beetje goed waren. Het haar van de vrouw viel voor haar gezicht, dus kon Lydia niet zien hoe ze eruitzag.

'Stop maar om de hoek, dan kan hij ons niet zien,' fluisterde ze tegen Emmanuel. 'Ik denk dat hij beet heeft.'

Emmanuel gaf richting aan en sloeg links af. Ze konden Als auto nog steeds zien, maar ze zag niet voldoende om een goede foto te maken. Gelukkig wist Al snel tot een keuze te komen en reed hij ervandoor met de kleine vrouw in het rode minirokje. De straathoek was zelfs voor hem een beetje te druk om seks te hebben.

'Ze gaan!' riep Lydia uit.

Emmanuel maakte een snelle, niet toegestane manoeuvre, die Al beslist op hun aanwezigheid attent gemaakt zou hebben als hij op hen had gelet. Maar hij leek gelukkig zo in beslag genomen te worden door zijn libido, dat hij zich er niet van bewust was. Hij sloeg links af een zijstraat in en ging daarna opnieuw linksaf Berry Street in. Ze reden weer naar het noorden, naar Greenpoint. Lydia was zo druk met het volgen van Al dat ze een paar straten vergat te kijken naar de suv die hen schaduwde. Toen ze weer in de achteruitkijkspiegel keek, wist ze niet zeker of hij hen nog steeds volgde of niet. Het begon donker te worden en de straten werden alleen verlicht door koplampen en af en toe een straatlantaarn.

Ongeveer negen straten verder was Al kennelijk tot de slotsom gekomen dat het hier uitgestorven genoeg was, en hij zette zijn auto in een zijstraat neer, vlak bij de plek waar een nieuw flatgebouw verrees. Lydia veronderstelde dat de uitoefening van zijn hobby over een paar jaar lastiger zou worden, als alle flats klaar en bewoond waren. Hoewel ze niet echt uitkeek naar de overbevolking van de buurt, was dat een neveneffect waar ze blij van werd.

'Moet ik pal achter hem gaan staan?' vroeg Emmanuel toen hij vaart minderde.

'Nee, daar zal hij alleen maar van schrikken. Hij is op zoek naar een stil plekje om van bil te gaan. Ga maar om de hoek staan, ik loop wel terug.'

Emmanuel deed wat hem gevraagd werd en stopte rustig en bekwaam. Hij draaide zich om in de chauffeursstoel om naar Lydia te kijken terwijl ze haar camera aanzette. Ze was van plan die boven op haar tas te zetten, verborgen onder de flap. Dan stak ze gewoon haar hand in haar tas en maakte zonder dat het al te erg opviel een foto.

'En als hij je opmerkt?'

Daar was Lydia ook bang voor. 'Ik hoop dat het eruitziet alsof ik gewoon een ommetje maak.'

'Maar stel dat hij ziet dat je foto's maakt?' Emmanuel klonk echt bezorgd. Hij nam het bodyguardgedeelte van zijn werk heel serieus.

'Ik ren gewoon zo snel als ik kan terug naar de auto,' verzekerde ze hem. 'En ik zwaai wel als je me moet komen redden.'

Het antwoord leek hem te bevredigen. 'Oké. Zwaai maar als je hulp nodig hebt. Ik hou je in de gaten.'

Ze wilde hem het gevoel geven dat ze hem als collega op prijs stelde. 'Bedankt, Emmanuel. Je hebt het tot dusver geweldig gedaan. Ik waardeer het echt dat je met me mee bent gekomen.'

Hij gaf haar een dikke grijns. 'Vind je het gek? Dit is zo cool.'

Lydia glimlachte toen ze het autoportier opende en uitstapte. Het was echt de juiste zet geweest om iemand in te huren die dolgraag detective wilde worden.

Ze schrok van de vochtigheid en de hitte buiten na de koelte in de auto. Het duurde een minuut voordat ze weer normaal kon ademhalen.

Ze keek nonchalant om zich heen om de straat af te zoeken naar de suv, maar ze zag hem nergens. Er waren vrachtwagens, auto's en suv's met andere kleuren, maar geen enkele auto leek op de auto die haar eerder had gevolgd. Tevreden viste ze in haar zak naar een stukje papier en deed net alsof ze dat onder het lopen bestudeerde. Ze hoopte dat ze eruitzag als iemand die naar een adres zocht. Lydia stak de straat over en liep nu aan de overkant van waar Als auto stond. Ze stopte ter hoogte van zijn auto, bestudeerde haar papiertje en ging met haar andere hand haar tas in om op het knopje van de camera te drukken. Die stond vanwege het donker op een lange sluitertijd, en ze gebruikte geen flits om Al niet op haar aanwezigheid te attenderen. Om een scherpe foto te krijgen moest ze stil blijven staan. Ze probeerde niet rechtstreeks naar de auto te kijken, maar vanuit haar ooghoek zag ze dat die ritmisch heen en weer ging.

Lydia liep een klein stukje verder, stak de straat over en liep vervolgens terug naar Als auto. Ze had haar tas op haar buik geschoven en stopte herhaaldelijk om een paar foto's te nemen, terwijl ze net deed alsof ze het papiertje bestudeerde. De auto stond naast een klein gebouw. Lydia liep eropaf en klopte op de deur, in de hoop dat de bewoners niet thuis waren. Als de deur werd opengedaan, zou ze naar iemand vragen van wie ze wist dat die er niet woonde. Ze deed een stapje achteruit om het adres te bestuderen en nam nog twee foto's van de auto, terwijl ze net deed alsof ze de straat in zich opnam.

Ze vond dat ze te veel opviel zo dicht bij de auto, dus liep ze bij Als auto vandaan en ook weg van Emmanuel, om nog een keer rond te lopen. Ze stond te treuzelen bij een klein steegje toen ze ineens het gevoel kreeg dat iemand haar in de gaten hield. Ze verstijfde en voelde het zweet over haar onderrug lopen. Ze keerde zich langzaam om en vroeg zich af of Emmanuel haar wel zou zien als ze nu zwaaide. En op dat moment kwam er een zwart-wit katje het steegje uit trippelen. Lydia blies de adem uit die ze had ingehouden. Het was maar een poes.

Het poesje kwam naar Lydia toe en miauwde. Ze glimlachte en de spanning in haar schouders nam af. Het was een klein en vriendelijk beestje en het draaide om haar benen heen alsof zij zijn enige vriend op de wereld was.

'Je hebt vast honger, hè?' Ze reikte naar beneden en aaide het poesje. Het beestje begon te spinnen en gaf kopjes tegen haar hand. Zijn zwarte vacht voelde zacht aan en zag er glanzend uit. En zijn buik en vier pootjes zagen eruit alsof ze in wit glazuur gedoopt waren.

Toen ze opgroeide had ze nooit een kat of hond gehad, omdat haar vader er allergisch voor was geweest. En toen ze volwassen was, leken dieren haar altijd een blok aan je been als je naar een ander appartement wilde verhuizen of op reis wilde. Ze hield van dieren, maar had er nooit behoefte aan gehad om haar leefruimte met een dier te delen. Ze had honderden kledingstukken in haar appartement, die haar allemaal dierbaar waren. Ze zou het vreselijk vinden als een kat iets onvervangbaars kapot zou maken.

Ze aaide de kat nog een keer en liep verder. Maar het beestje wilde haar niet laten gaan. Hoopvol miauwend bleef het naast haar trippelen. Ze was bang dat het geluid de aandacht op haar aanwezigheid zou vestigen, waardoor haar ware identiteit aan het licht zou komen.

'Ga naar huis,' fluisterde ze naar het poesje.

Het trok zich daar niets van aan en drukte zich tegen haar

been aan. Het beestje had geen halsband om en zag er erg mager uit.

'Ik moet gaan, sorry.'

Lydia besloot de straat over te steken, in de hoop dat het katje terug zou gaan naar de plek waar het woonde. Ze wilde net de straat op lopen, toen het beest ineens een eigenaardig piepend gemiauw liet horen en vlak voor haar benen onder een geparkeerde auto sprong. Ze stopte om te kijken wat er mis was met de kat, toen een suv uit het niets aan kwam denderen en haar op een paar centimeter na miste.

# 14

Lydia kromp ineen, sprong terug op de stoep en probeerde weg te komen bij het voertuig. De suv stopte niet, maar reed door, de straat uit. Ze bleef gehurkt achter de auto's zitten en nam haar verwondingen op. Ze had haar scheenbeen waarschijnlijk gekneusd toen ze over de stoeprand was gevallen en haar handpalmen brandden omdat ze over het beton waren geschaafd. Inwendig kookte ze van woede. Had de chauffeur van de suv haar niet gezien? Of had hij het juist op haar gemunt?

Als ze zonder te kijken iets verder de straat op was gestapt, was ze dood geweest. Ze dacht niet dat het een ongeluk was. Het leek de suv die haar eerder al had gevolgd. Maar als dat zo was, wie wilde haar dan doden? Ze wist dat de D'Angelo's geen reden hadden om haar omver te rijden, dus moest het iemand zijn die wrok tegenover haar koesterde. Ze vroeg zich af of het Gator zou kunnen zijn. Hij reed in een zwarte suv en had misschien gehoord dat ze vragen over hem stelde.

Een paar minuten later stond ze langzaam op en keek of de kust veilig was. De kat die haar zo vriendelijk had gewaarschuwd, kwam nu weer onder de auto vandaan en wreef zich opnieuw tegen haar aan. Het leek wel of het beestje vroeg hoe ze zich voelde.

'Bedankt dat je zo alert was,' fluisterde Lydia en ze aaide het beest achter zijn oortjes.

Het poesje miauwde zachtjes en zag er hongerig uit. Ze vroeg zich af hoe het op straat in Williamsburg overleefde. Dat was vast moeilijk voor een klein poesje. Ze had het gevoel dat ze het beestje iets schuldig was omdat het haar had gewaarschuwd dat er een auto aankwam. Ze tilde de kat op en hij ontspande in haar armen. Ze besloot dat ze hem naar het asiel zou brengen. Daar was hij veilig en zou hij goed te eten krijgen. Ze zouden iemand zoeken die graag een kat wilde hebben.

'Brave poes, lieve poes,' zei ze tegen het katje, terwijl ze terugliep naar Emmanuels auto. Ze hinkte een beetje en was nog steeds boos.

Toen ze de auto in schoof keek Emmanuel haar verbaasd aan. 'Wat is dat?'

'Een barmhartige Samaritaan,' zei ze tegen hem. 'Ik werd bijna overreden door een suv, maar de poes waarschuwde me. Zag je die auto, net?'

Emmanuel schudde zijn hoofd. 'Ik denk dat ik de volgende keer met je meega. Vanuit de auto kon ik niets zien. Het is veel te gevaarlijk.'

'Als er een volgende keer komt,' zei Lydia. Jammer genoeg begon ze het met de D'Angelo's eens te worden. Schaduwen was gevaarlijk. Haar knie deed pijn en ze was moe van de spanning van het wachten en van haar pogingen om goede foto's te schieten. Het was laat.

'Zijn de foto's gelukt?'

Lydia was Al en zijn nieuwe vriendin even helemaal vergeten. Ze zaten waarschijnlijk nog steeds in Als auto. 'Dat weet ik niet. Dat moet ik controleren als ik weer thuis ben.'

Ze was ook helemaal vergeten om Jack te bellen en zich bij hem te melden. Op haar mobieltje dat op de achterbank lag, waren twee berichten binnengekomen. Hij was vast bezorgd. Ze luisterde de berichten niet af, maar belde Jack meteen.

'Waar zit je?' Hij klonk eerder bezorgd dan boos.

'Op Wythe Avenue, niet ver van huis.'

'Hoe is het gegaan?'

'Prima. Maar ik ben kapot.' Haar bijna-doodervaring met de suv kon ze over de telefoon moeilijk uitleggen. Ze was er nog steeds overstuur van.

'Wil je dat ik naar je toe kom?'

Ineens wilde ze dat heel graag. Ze wilde de beelden van goedkope seks en geweld, die maar bleven opkomen in haar hoofd, verjagen. Ze wilde dat iemand haar wonden verzorgde en haar stevig vasthield. 'Als het niet te veel moeite is.' Zelfs in haar eigen oren klonk het pathetisch. Ze schraapte haar keel en probeerde het opnieuw. 'Ik schijn de eigenaresse van een katje te zijn geworden en ik heb geen eten of een kattenbak.'

'Een katje?' Jack klonk van zijn stuk gebracht.

Maar Lydia was dat ook. 'Ik breng hem morgen wel naar het asiel, maar ik moet hem vannacht onderdak geven.'

'Ik breng wel wat eten. Je kunt zelf een kattenbak maken van een kartonnen doos en wat in stukken gescheurde kranten.'

Wat was het prettig om zo'n praktische vriend te hebben. Zelf wist ze niets over katten, behalve dat ze heel onafhankelijk waren en niet uitgelaten hoefden te worden. 'Bedankt. Dan zie ik je zo bij mij thuis.'

Emmanuel zette haar af bij haar flat.

Ze telde het geld uit dat hij die avond had verdiend. 'Je hebt het geweldig gedaan. Nogmaals bedankt voor al je hulp.'

Hij nam het geld aan en keek er even naar. 'Weet je, ik zou het ook voor niets hebben gedaan.'

Lydia glimlachte. 'Ik denk dat we vanavond allebei ons geld wel verdiend hebben.' Ze wenste hem goedenacht en nam het poesje zorgvuldig in haar armen.

Ze liep via de bekraste deur haar grote appartementengebouw binnen en was verbaasd hoe kalm de kat was. Hij keek nieuwsgierig om zich heen, maar leek bereid te zijn overal met haar naartoe te gaan. Ze voelde zich vereerd dat een ander levend wezen haar zo volledig vertrouwde. Misschien had zijn instinct, dat hem tot dusverre in leven had gehouden, hem geleerd wie hij kon vertrouwen en wie niet.

Lydia vroeg zich af of ze op haar tenen langs de deur van haar huurbaas moest sluipen. Ze kon zich de regels voor dieren in haar flat niet herinneren, maar wist dat haar buurvrouw een kat had. Ze hoopte dat ze niet in de problemen zou komen doordat ze inbreuk maakte op haar huurcontract. Het laatste wat ze kon gebruiken, was op straat gezet worden. Haar flat zag er niet geweldig uit, maar hij was goedkoop, gerieflijk en gezellig. Ze had al eeuwen geleden willen verhuizen, maar nooit iets beters kunnen vinden dat ook betaalbaar was.

Ze liep naar binnen en zette de kat in haar woonkamer neer. Haar kleren hingen langs twee muren en vormden zo een inloopkast. Ze werden alleen door gordijnen beschermd. De kat keek rond en snoof.

Lydia knielde voor hem neer. 'Mijn kleren zijn heel belangrijk voor me. Of je mijn leven nu hebt gered of niet, als je aan mijn kleren krabt, gooi ik je weer op straat. Begrepen?'

De kat antwoordde niet, maar begon rustig door het appartement te lopen en aan alle tere dingen te snuffelen. Hij leek het te hebben begrepen. 'Je hebt waarschijnlijk honger. Het eten en de kattenbak komen eraan. Ik hoop dat je het zo lang kunt volhouden.'

Tevreden dat de kat zich vermaakte met het verkennen van haar huis, ging Lydia naar de badkamer om haar schrammen te verzorgen. In het kastje boven de wasbak stond een oud flesje ontsmettingsmiddel en er lag een tube antibiotische zalf. Ze zocht onder de wasbak naar een zak met wattenbolletjes en begon vervolgens haar handen en knieën te desinfecteren. Het probleem met ontvelde knieën was dat het er zo kinderachtig uitzag. Haar wonden voelden nog erger dan ze eruitzagen.

Ze deed een katoenen zomerjurkje aan dat tot op haar knie kwam en ging de keuken in. Ze had een ansichtkaart gekregen van haar ouders, die nog steeds ongelezen op het aanrecht lag. Op de voorkant stond een foto van een gigantische aardappel die er enorm nep uitzag. Een tekstje aan de achterkant roemde de grote schoonheid van Idaho en het formaat van de aardappelen daar. Haar vader had er iets bij gekrabbeld over dat ze nu naar de geboorteplek gingen. Hij schreef wel vaker raadselachtige teksten voor haar op de ansichtkaarten. Die mocht zij dan ontcijferen. Maar ze had nu geen tijd om erover na te denken wat hij bedoelde, want de bel ging. Jack stond beneden.

'Ik ben zo terug,' zei ze tegen haar nieuwe huisgenoot, die zich op de bank had geïnstalleerd en zijn snorharen poetste. Ze vond het prettig om tegen iemand te kunnen praten, maar ze herinnerde zichzelf eraan dat ze er niet te veel aan moest wennen.

Ze ging naar beneden om Jack binnen te laten. Hij droeg een grote zak kattenvoer en een kartonnen doos.

Ze gaf hem een enthousiaste omhelzing en kuste hem. 'Je bent geweldig!'

'Ze hadden geen kleine zakken voer.'

'Dat is prima, joh. Ik geef wat overblijft gewoon ook aan het asiel. Ik denk niet dat dit poesje er moeite mee zal hebben om een nieuw baasje te vinden. Het is zo'n schatje.'

Jack liep de flat binnen en begroette het poesje ernstig. Het beestje rook aan zijn vingers en liet zich aaien. Dat ging alleen niet met hetzelfde enthousiasme als waarmee het Lydia begroette, stelde ze met een eigenaardig genoegen vast. Ze herinnerde zichzelf eraan dat ze zich niet aan de kat moest hechten. Ze haalde een ontbijtkommetje uit de kast, strooide het eten erin en zette het op de vloer. De kat liep ernaartoe en at het hongerig op, alsof hij lange tijd geen behoorlijk maaltje had gehad. Hij was maar een tijdelijke bezoeker, maar het gaf haar een goed gevoel om voor hem te zorgen. Het was een goed idee geweest om hem van de straat te redden.

Jack haalde kranten uit haar oudpapierbak en verscheurde ze voor in de doos voor de poes. Het beest inspecteerde zijn nieuwe onderkomen plechtig voor hij erin ging en deed daarna snel zijn behoefte. Lydia verbaasde zich over zijn efficiëntie, terwijl ze een enorme geeuw onderdrukte.

'Hoe is het vanavond gegaan?' vroeg Jack.

Hij had haar geen schuldgevoel bezorgd omdat ze hem niet had gebeld, maar nu voelde ze wel een beetje wroeging. 'Ik heb nog geen tijd gehad om mijn foto's te bekijken,' zei ze. Ze zou hem niets vertellen over de suv die haar bijna had overreden. Ze wilde niet dat hij ongerust zou zijn nu het gevaar al geweken was.

Lydia trok haar jurk uit en stapte in bed. Jack deed al zijn kleren uit, behalve zijn boxershort, en ging naast haar liggen.

Hij pakte een van haar geschaafde handpalmen vast en drukte er een zoen op. 'Hoe is dit gebeurd?'

'O, ik ben gestruikeld en gevallen toen ik door het donker sloop. Dom van me, hè?'

'Heb je er iets op gedaan?'

'Ja. Ik hoop dat het straks niet meer zo bijt. Het doet net zo'n pijn als wanneer je je aan papier snijdt. Ik wil er niet over piepen, maar het doet wel zeer.'

Jack kuste haar teder. 'Ben je moe?'

Lydia glimlachte uitdagend naar hem en vergat haar verwondingen. 'Niet te moe voor wat jij van plan bent.' En dat was ze ook niet.

Doordat ze vergeten waren de wekker te zetten, versliepen ze zich de volgende ochtend. Het was bewolkt buiten, waardoor ze ook niet wakker waren geworden door de zon. Jack had geen extra kleren in haar flat liggen, dus moest hij naar huis lopen om zich om te kleden voor hij naar zijn werk ging. De ochtend vroeg om kleren voor een warme, vochtige dag. Lydia trok naar haar werk een rood recht rokje en een sexy folkloreblouse aan. Ze had een paar geweldige zwarte enkelsandalen weten te vinden, die fantastisch bij haar outfit pasten. Ze deed wat felrode lipstick op en bewonderde zichzelf in de spiegel. Regelmatig seks hebben gaf je een heel vrouwelijk gevoel, stelde ze vast.

Ze snakte ernaar om op kantoor haar foto's van Al op de computer te kunnen zetten. Hopelijk had de lange sluitertijd resultaat opgeleverd. Als ze de flitser gebruikt had, zou ze haar aanwezigheid verraden hebben, maar een lange belichting was lastig omdat één beweging de hele opname onscherp kon maken. Ze kon echter niet naar kantoor zonder een grote kop koffie en wat te eten. Het dichtstbijzijnde café, een hippiekroeg met een slechte bediening en onregelmatige openingstijden, was gelukkig open. De vrouw achter de bar had rood haar en blauwe ogen, maar droeg dreadlocks tot op haar middel en een neusring waarmee ze eruitzag als een stier. Ze bewoog zich even langzaam als de rest van de bediening, dus Lydia vroeg maar niet om een cappuccino of iets anders wat bereid moest worden. Ze vroeg om een grote kop koffie met melk en wees naar een zwartebessenmuffin waarvan ze hoopte dat die er nog niet te lang stond. Met haar buit in haar handen sprintte ze naar Lorimer Street en de D'Angelo's.

Leo en Frankie zaten al op haar te wachten. In plaats van boos te zijn omdat ze zo laat binnenkwam, leken ze eigenaardig genoeg opgelucht haar te zien.

'Lydia!' riep Frankie uit en hij kwam naar haar toe en omhelsde haar – met koffie, zwartebessenmuffin en al.

Lydia morste haar koffie bijna over zijn rug. 'Sorry dat ik zo laat ben, maar na vannacht heb ik me verslapen...' zei ze verbaasd toen hij haar eindelijk losliet. Ze had gemopper verwacht, geen omhelzing.

'Hoe is het afgelopen nacht gegaan?' vroeg Frankie. 'Je was toch niet alleen?'

'O, nee.' Lydia ging zitten met haar koffie. Ze haalde het papier van haar muffin af en tussen de happen door vertelde ze een aangepaste versie van de gebeurtenissen van de avond daarvoor. 'Ik dacht een paar keer dat ik werd gevolgd. Jullie waren me toch niet aan het controleren, hè?'

Leo glimlachte even. Hij zou haar verdenkingen niet bevestigen of ontkennen. 'Hoe zag de vrouw eruit die bij hem in de auto stapte?'

'Ze was klein, een latino denk ik, en ze droeg een rood minirokje. Ik kan mijn camera wel even aansluiten op de computer, dan kunnen jullie het zelf zien.'

Leo en Frankie keken elkaar even aan. 'Ik denk dat dat goed zou zijn. De politie zou wel eens geïnteresseerd kunnen zijn in wat je hebt.'

'Hoezo?'

'Heb je het nieuws dan nog niet gezien?' vroeg Leo ernstig.

In hun haast om de deur uit te komen hadden Jack en zij die ochtend de televisie of radio niet aangezet. En het hippiecafé vlak bij haar huis had geen kranten, alleen tijdschriften. Ze pepte zichzelf op met een grote slok koffie. 'Wat is er gebeurd?'

Frankie schudde zijn hoofd. 'Er is gisteravond weer een prostituee vermoord bij de rivier.'

# 15

Nog een vrouw dood aan de rivieroever in Brooklyn; Lydia kon een huivering niet onderdrukken. Ze vroeg zich af of er een of andere zieke seriemoordenaar aan het werk was die prostituees vermoordde. Ze kon er geen touw aan vastknopen. 'Weten ze wie het is?'

'Ze heet Anna Cortez.'

Lydia herinnerde zich de kleine vrouw in de regenboogbus. Ze had iets vriendelijks over zich gehad dat de andere vrouwen had aangetrokken. Ze herinnerde zich dat Anna ook foto's van haar kinderen had laten zien. Lydia schrok, maar wilde zeker weten dat zij het echt was. 'Hoe hebben ze haar beschreven?'

'Net als jij daarnet – als een kleine latino met een rood minirokje.'

Het was dus de prostituee die Al gisteravond had opgepikt. Lydia had geen duidelijke foto van haar gezicht kunnen maken. 'En Al? Is hij in orde?'

Frankie knikte. 'We hebben Rose gebeld. Ze heeft bij Patricia nagevraagd of Al goed thuis is gekomen.' Hij nam een grote slok koffie en veegde zijn gezicht met een zakdoek af. 'Rose wilde weten hoe het stond met de foto's, en we hebben haar verteld dat we na gisteravond de stekker uit de operatie trekken. Het wordt te gevaarlijk.'

Lydia vroeg zich af hoeveel de familie echt over Al wist. Hij loog tegen zijn vrouw, leek een onverzadigbare geslachtsdrift te hebben en zich aangetrokken te voelen tot gevaar, gezien de kans dat hij een vreselijke ziekte opliep bij de straathoertjes die hij regelmatig oppikte. Zou hij ook een gewelddadige psychopaat kunnen zijn? Het was niet onwaarschijnlijk dat hij seksueel contact met Glenda had gehad. En dat had hij zeker met Anna gehad op de avond dat ze was vermoord. Het was erg verdacht. Lydia vroeg zich af wat er was gebeurd nadat ze zich geschrokken naar huis had gehaast, toen ze bijna door een SUV omver was gereden.

Bij daglicht had ze besloten dat ze het incident met de SUV de avond ervoor waarschijnlijk had opgeblazen. Er waren duizenden SUV's in de wijk. Het zou ook een woedende vriend van Anna kunnen zijn geweest, of haar pooier. Of misschien een paar jongens die aan het joyriden waren. Het feit dat het voertuig Lydia bijna had geraakt, betekende nog niet dat het opzettelijk was gebeurd. Maar de moord op Anna plaatste de SUV nu weer terug in de rubriek 'sinister en verdacht'. De chauffeur had zich raar gedragen en haar niet ontweken of vaart geminderd nadat hij haar bijna had aangereden. Ze had geluk gehad dat de kat er was geweest, anders had ze platgereden op straat gelegen.

Ze vroeg zich af of het haar was gelukt om opvallende kenmerken te fotograferen van de SUV die haar was gevolgd. Er was maar één manier om daar achter te komen. Ze begon de foto's op de computer te zetten. Terwijl ze wachtte, belde ze het plaatselijke dierenasiel op. Na zijn heldendaad was ze vastbesloten een goed thuis voor de kat te zoeken.

'Hij is toch niet wild, hè?' informeerde de dierenarts.

'Nee, hij is heel lief. Mist iemand misschien een zwart-witte kat?'

'We hebben geen berichten binnengekregen, maar ik zal er even achteraan gaan. Waarom breng je hem niet, zodat we hem kunnen onderzoeken? Laten we zeggen om vijf uur?'

Lydia vroeg zich af of ze wel zo vroeg kon vertrekken om de kat op te halen om op tijd op de afspraak te zijn. Ze zou kunnen zeggen dat ze erge hoofdpijn had nadat ze de avond daarvoor achter Al aan had gezeten, en dat ze gestrest was omdat ze bijna getuige was geweest van een moord. Dan zouden de D'Angelo's haar moeten laten gaan. 'Natuurlijk, vijf uur is prima.'

Lydia keek op en was blij te zien dat haar foto's op de computer stonden. Op dit soort momenten was ze dolblij met de digitale revolutie. Het was heel bevredigend dat je direct resultaat had, ook al hadden de foto's niet dezelfde warme kwaliteit als afdrukken van filmrolletjes. Ze nam haar foto's snel door. Ze had er driehonderd genomen, dus moesten er veel mislukte gewist worden. Een paar foto's waren visueel aantrekkelijk, al hadden ze geen informatieve waarde, en ze kon het niet nalaten om die in een map te stoppen met haar naam. Die zou ze later nog eens bekijken en misschien gebruiken voor een toekomstige reportage.

De foto's van Al en Anna waren beter dan die van Leo, maar nog steeds niet geweldig, merkte ze toen ze erdoorheen bladerde. Anna en de andere vrouwen op straat waren goed herkenbaar, wat goed nieuws was voor de politie. Haar pogingen met de lange sluitertijd hadden veel donkere, vage foto's opgeleverd, maar ze had één perfecte foto van Als gezicht weten te maken. Hij werd verlicht door een straatlantaarn in een innige omhelzing met Anna. Bingo. Als Patricia de zaak zou doorzetten, had ze hem te pakken.

Ze vond ook een opname die ze vanuit de auto had genomen van de donkere suv die hen had gevolgd. Ze zoomde in Photoshop op de foto in, maar kon de nummerplaat net niet helemaal lezen. Een paar letters wist ze te ontcijferen, een X en een Y, maar de rest was helaas onleesbaar. Ze vroeg zich af of de suv van Gator zou kunnen zijn. Hij had een persoonlijke kentekenplaat, maar die had hij gemakkelijk kunnen verwisselen, of misschien had hij in een andere auto gereden. Ontzettend jammer dat ze geen bewijs had.

Ze wilde dat Romero haar zou vertellen wat er aan de hand was. Ze zou hem de foto's aanbieden en kijken of hij in ruil daarvoor misschien een klein beetje informatie wilde geven. Ze wilde dat Glenda nog leefde. Zij zou de perfecte persoon zijn geweest om vragen te stellen over de geruchten die op straat rondgingen. Maar ze was helaas overleden en misschien was haar dood zelfs wel het gevolg van haar loslippigheid. Ze probeerde iemand anders te bedenken met wie ze kon praten, en het gezicht van Candi Stick kwam bij haar op. Candi was een prostituee en hoewel ze in principe heel andere cliënten had dan de prostituees bij de rivier, wist ze wat daar speelde. Bovendien wilde Lydia dolgraag met haar portret beginnen.

Ze bestudeerde de foto's opnieuw. Hier en daar ving ze een glimp op van Anna's gezicht. Ze herinnerde zich dat Anna echt een fris gezicht had gehad. Ze zag er niet afgeleefd en vermoeid uit, zoals Glenda. Lydia vroeg zich af of Anna misschien minder lang op straat had gewerkt dan Glenda, of dat ze simpelweg niet was bezweken voor de verleiding van drugs en alcohol om haar te helpen haar werk aan te kunnen.

Ze herinnerde zich dat Romero het over een moordenaar in Brooklyn had gehad die een tijd geleden actief was geweest. Ze opende haar zoekmachine en typte 'Brooklyn moordenaar prostituees' in. Na een paar minuten door artikelen heen zoeken, had ze gevonden wat ze zocht. Vincent Johnson, een dakloze crackverslaafde, had een aantal jaren geleden vijf prostituees in Williamsburg gewurgd. Was het mogelijk dat hij de recente misdrijven ook gepleegd had? Ze vroeg zich af of hij nog steeds in de gevangenis zat of dat hij alweer vrij rondliep. Ze moest bij Romero natrekken hoe het zat.

De stapel papierwerk op Lydia's bureau schreeuwde om aandacht. Ze dook erin en probeerde ruimte te maken, zodat de D'Angelo's er weer meer bij konden leggen. Een paar uur later kwam ze weer boven water en stelde vast dat het bijna halfvijf was. Ze zou zich naar huis moeten haasten om de kat te halen als ze op tijd voor de afspraak bij het asiel wilde zijn. De D'Angelo's waren al weggegaan, dus Lydia sloot af.

Ze was bijna halverwege haar huis, toen ze zich bedacht dat ze niets had om de kat in te vervoeren. Hij had zich goed gedragen in de auto, maar ze wist niet wat hij van fietsen vond. Ze zou hem in de kartonnen doos kunnen doen, maar die kon ze moeilijk dragen op de fiets.

De kat kwam naar de deur rennen om haar te begroeten en draaide om haar benen heen. Lydia krabde hem achter zijn oren op het plekje dat hij lekker vond en werd beloond met luid gespin. Ze was blij dat het zo'n leuke kat was.

'Sorry dat ik geen dierenbezitter ben. Er zijn mensen die van huisdieren houden. Daar behoor ik niet toe, maar ik zal ervoor zorgen dat je een goed baasje krijgt.'

Het was haar de laatste tijd opgevallen dat steeds meer mensen in Williamsburg kleine honden in draagdoeken en tuigjes droegen die leken op de draagdoeken en tuigjes voor baby's. Lydia liep naar haar kast om te kijken of ze iets had wat geschikt was voor een poes. Ze bezat een paar lange sjaals, maar ze was bang dat de kat eruit zou vallen. Ze vond een canvas koerierstas die ze soms voor fotoshoots gebruikte. De kat wilde er misschien niet in blijven zitten, maar hij kon haar door het dikke materiaal heen tenminste niet krabben.

Het kostte een paar pogingen om de kat ervan te overtuigen erin te klimmen, maar met een paar duwtjes en krabjes achter de oren was hij als was in haar handen en had ze hem exact waar ze hem wilde hebben. De kat keek toe terwijl ze de gespen vastmaakte, maar bleef kalm doordat ze hem aaide en tegen hem praatte.

'Stil maar. We gaan alleen maar bij de dierenarts op bezoek.' Ze vertelde hem niet dat het een enkele reis was, omdat ze het gevoel had dat hij alles begreep.

Ze hing de riem van de tas schuin voor haar buik en ging rechtop staan. Hij was verrassend zwaar voor een kat die vel over been was. Het was echt een extra training als ze met hem op de rug naar de dierenarts fietste. Ze hoopte dat ze niet helemaal bezweet aan zou komen. Ze liep naar beneden en maakte haar fiets los van het NIET PARKEREN-bord. Ze had nog maar een paar minuten om er te komen. Terwijl ze aan haar vrachtje dacht, begon ze langzaam te fietsen en ze maakte steeds meer vaart. Gealarmeerd door de snelheid mauwde de kat een paar keer en krabde aan de tas.

'Stil maar, stil maar,' zei Lydia telkens weer tegen hem. Ze kon hem niet aaien, want ze moest haar handen aan het stuur houden, maar hij kalmeerde uiteindelijk toch. Ze ging weer sneller fietsen, maar kwam evengoed te laat.

Bij het asiel keek de receptioniste fronsend naar haar toen ze binnenkwam. Ze had zwartgeverfd haar dat haar helemaal niet flatteerde. De frons op haar gezicht maakte het er ook niet beter op.

'Sorry dat ik te laat ben, maar ik had niets om de kat in te vervoeren.' Lydia liet de tas zien, waar het kopje van de kat uit gluurde.

De receptioniste was duidelijk een echte dierenliefhebster, want ze smolt toen ze hem zag. 'Wat een schatje. Hoe heet hij?'

'Dat weet ik niet. Ik heb hem gisteravond op straat gevonden.'

De receptioniste stak haar vingers uit en liet de kat eraan ruiken. 'Maar je houdt hem dus?'

'Dat kan niet.'

De receptioniste keek haar weer fronsend aan. Lydia voelde zich al schuldig genoeg.

'Je mag geen dieren hebben van de huisbaas?'

'Dat is het niet...' begon Lydia. Ze had geen idee wat de regels in haar flat waren, maar ze vroeg zich af of ze er gewoon over zou liegen.

De telefoon ging en de receptioniste knikte koeltjes naar haar. Al haar vriendelijkheid was weer verdwenen. 'Dokter Weiner komt zo bij u.'

Lydia maakte zich stilletjes uit de voeten om de tijdschriften in de wachtkamer te gaan bekijken. Jammer genoeg zat er geen enkel roddelblaadje tussen. Ze gingen allemaal over hoe fijn het was om een huisdier te hebben. Katten-, honden- en hamsterogen keken smekend van de pagina's en bezorgden haar een nog ongemakkelijker gevoel. De naamloze kat in haar tas keek haar verwachtingsvol aan.

Eindelijk kwam dokter Weiner, een blonde Poolse vrouw, binnen. 'Mevrouw McKenzie? U hebt een kat?'

'Ik heb hem op de fiets meegenomen.' Lydia hield hem omhoog, zodat dokter Weiner hem kon zien.

'Dat is een opmerkelijke kat. De meeste katten zouden dat niet goedvinden.'

Lydia voelde zich zo trots als een pauw. Ze stelde zich voor dat ouders zich net zo voelden als hun kind werd geprezen. Maar ze onderdrukte het gevoel; het was haar kat niet.

'Kom maar binnen, dan gaan we eens even naar hem kijken.'

De kat was ontspannen en nieuwsgierig naar de dierenarts en haar onderzoekskamer. Hij sprong uit Lydia's tas toen ze hem openmaakte en snoof aan de tafel. De dierenarts ging met haar handen over hem heen, een snel onderzoek, vermomd als aai-sessie. De kat spon en wreef terug.

'Hij is wat mager.'

'Ik heb hem gisteren op straat gevonden. Ik weet niet of hij een baasje heeft.'

'Gezien zijn conditie betwijfel ik dat, maar hij heeft duidelijk wel eens bij iemand gewoond, want hij houdt van mensen.'

Lydia knikte. 'Zal ik aanplakbiljetten met zijn foto gaan op-hangen?'

'Dat zou kunnen, maar dierenbezitters die hun kat hier in de buurt kwijtraken, nemen meestal wel contact met ons op. We hebben niets gehoord van iemand die een zwart-witte kat mist. Je kunt hem gerust houden.'

'Maar ik kán hem niet houden! Ik wilde juist een plekje in het asiel voor hem vinden.'

De dierenarts sloeg haar armen over elkaar en keek nu veel minder vriendelijk. Lydia wilde niet uit schuldgevoel een huis-dier aangepraat krijgen. Ze had een goede daad verricht door de kat te redden, nu wilde ze dat iemand anders hem overnam.

'Er is in ons asiel geen plaats. Het staat je vrij hem naar het stadsasiel te brengen, maar ik zou zeggen dat hij op straat bete-re kansen heeft. Volwassen katten houden het in het stadsasiel nog geen week vol.'

'Wat bedoelt u?'

'Mensen willen graag jonge poesjes. En in het stadsasiel laten ze katten die niet snel een baasje vinden meestal inslapen. Ze hebben weinig plek.'

Lydia wilde de kat beschermen. Hij had tenslotte wel haar le-ven gered. Ze wilde hem niet als dank ter dood veroordelen.

'Misschien ga ik wel aanplakbiljetten ophangen om te kijken of iemand hem wil hebben. Het is zo'n leuk beest.'

'Dat is een geweldig idee. Ik zal hem zijn inentingen geven en je zou een afspraak kunnen maken om hem te laten steriliseren.'

De dierenarts begon aan het pijnlijke gedeelte, maar de kat klaagde alleen een beetje. Hij was blij dat hij weer in de tas mocht. Lydia betaalde de rekening en schrok van de hoge prijs. Maar het was vast gemakkelijker om een gezin voor hem te vinden als hij kortgeleden was ingeënt, redeneerde ze. Bovendien was ze het beestje iets verschuldigd, omdat hij haar beschermengel was geweest.

Toen ze weer bij haar fiets stond, keek ze op haar mobieltje hoe laat het was. Ze had nog geen kans gehad om Romero te bellen en nu zou ze hem misschien te pakken krijgen terwijl hij nog op het bureau was. Ze wilde hem de foto's e-mailen en kijken of hij bereidwilliger was om informatie over Anna Cortez te delen dan over Glenda. Ze ging met haar fiets in de schaduw van het gebouw staan en probeerde daarbij rondslingerend glas te ontwijken.

Romero klonk niet bijster enthousiast dat ze belde, maar hij nam tenminste op. Zodra hij dat deed, liet de kat een eigenaardig gejank horen. Misschien was dat een verlate reactie op al die injecties.

'Je hebt toch geen kat, hè?'

Lydia vergat soms dat Romero haar flat heel goed kende, omdat hij er een paar keer was geweest nadat ze was beroofd en gestalkt. Hij had haar gezien toen ze in de lappenmand zat en bang was voor haar eigen schaduw. Ze had haar zelfvertrouwen teruggekregen en werd liever niet herinnerd aan het gevoel kwetsbaar te zijn in haar eigen huis. 'Ik heb hem gisteravond gered en het asiel wilde hem niet hebben.'

'Dan denk ik dat je nu een kat hebt,' zei hij lachend.

'Het is maar tijdelijk. Ik probeer iemand te vinden die hem wil hebben,' protesteerde Lydia.

'Uh-huh.'

Ze deed haar mond open om te zeggen dat de kat niet haar huisdier was, maar ze besloot Romero voor deze ene keer niet tegen te spreken. Dat had toch geen zin. Ze herinnerde zich ineens waarom ze belde. 'Denk je dat deze moordenaar dezelfde zou kunnen zijn als de man die de Brooklyn Strangler werd genoemd?'

'Vincent Johnson? Nee. We dachten als eerste aan hem, maar hij zit nog steeds in de bak. Hij zit levenslang in Clinton.'

Lydia moest het even verwerken. Ze vroeg zich af of de moordenaar een na-aper was die de zaak-Johnson goed kende, maar ze vermoedde dat de politie dat ook onderzocht. 'Wist je dat Glenda en Anna allebei voor Gator werkten?'

'Wat weet jij over Anna Cortez?' Romero's stem klonk scherp en door de telefoon kon ze hem bijna zijn voorhoofd voelen fronsen.

'Ik heb haar pasgeleden ontmoet en vervolgens zag ik haar gisteravond met de laatste klant die ze voor haar dood had. Of haar voorlaatste klant.'

Romero vloekte. 'Ik zei toch dat je daar uit de buurt moest blijven! Dit is geen spelletje.'

Lydia glimlachte zelfvoldaan. Ze was blij dat hij haar gezicht niet kon zien. 'Ik ben ernaartoe gestuurd voor mijn werk. Een overspelige echtgenoot gaat daar steeds naartoe, en ik moest hem schaduwen om hem op heterdaad te betrappen.'

'Naam?'

Ze vroeg zich af hoeveel problemen ze zou krijgen als ze zijn vragen niet beantwoordde, maar besloot het erop te wagen. 'Als je me eerst iets geeft...'

'Je hebt dit op film, neem ik aan.'

'Digitaal.'

Romero was niet blij met haar, maar dat kon Lydia niets schelen. Ze wilde weten wat er aan de hand was. Iemand vermoordde vrouwen die ze kende, en ze wilde dat er een eind aan kwam.

'En heb je het slachtoffer op de foto staan?'

'In haar prachtige lycrapakje.'

'Hoe laat?'

'Om ongeveer tien uur. Nu moet je mij iets vertellen.'

Romero was even stil. Lydia wist dat hij er een hekel aan had om ook maar iets prijs te geven, maar dat maakte haar niet uit. Ze wilde weten wat er met Glenda was gebeurd.

'Beide slachtoffers zijn latino's. Ze zijn door wurging om het leven gekomen. Glenda werd in het water gegooid, maar Anna werd achtergelaten op de kant. Dus ja, we onderzoeken de mogelijkheid dat de dader van beide misdrijven dezelfde persoon is.'

Lydia was blij dat haar voorgevoel klopte. Ondanks haar angstaanjagende ervaring met de suv stond ze te popelen om er weer op uit te gaan en antwoorden te vinden. Als de D'Angelo's haar onderzoek niet betaalden, ging ze gewoon op eigen houtje achter informatie aan. 'Ik zal je de foto's sturen die ik heb.'

'En wie is die vent eigenlijk?'

'Onze cliënt wil dat het vertrouwelijk blijft.'

'Maar hij zou de moordenaar kunnen zijn.'

Lydia zei niets. De D'Angelo's zouden furieus zijn als de politie onderzoek naar Al en Patricia zou gaan doen.

'Heb je ook foto's van zijn auto?'

Lydia nam de foto's even door in haar hoofd. 'Ja.'

'Dan kan ik hem via het kenteken traceren.'

Ze zuchtte. De D'Angelo's zouden woedend zijn, maar ze kon in alle eerlijkheid vertellen dat ze Als identiteit niet aan de politie had onthuld. 'Dat zou waarschijnlijk het beste zijn. Als die vent erachter komt dat we hem volgen, kan dat de rechtszaak van zijn vrouw ruïneren.'

'Stuur me die foto's meteen.'

'Laat je het me weten als je iets vindt? Het zou, eh, kunnen helpen bij de echtscheidingszaak van onze cliënt.'

'Aan m'n nooit niet.' Romero hing op.

Lydia keek fronsend naar het mobieltje in haar hand en vroeg zich af waarom ze eigenlijk de moeite nam. De moord op Anna zou met die op Glenda in verband worden gebracht. Of niet. De politie kreeg met heel veel moorden te maken en zou deze misschien onoplosbaar verklaren. Als ze wilde dat Glenda gerechtigheid kreeg, dan moest ze waarschijnlijk zelf op zoek naar informatie.

# 16

Lydia lag in Jacks warme omhelzing toen de telefoon ging. Normaal zette ze voordat ze naar bed ging haar mobieltje uit, maar de laatste tijd was ze een beetje verstrooid. Door scheurende suv's, vermoorde prostituees en een nieuwe huisgenoot met puntoren was ze uit haar normale routine. De telefoon ging opnieuw. Ze deed één oog open en keek recht in een paar gele ogen, op slechts een paar centimeter bij haar eigen ogen vandaan. 'Neem jij de telefoon niet op?' vroeg ze.

De kat haar staarde vanaf het kussen aan. Kennelijk was de vraag te onnozel om op te antwoorden. Jack bewoog zich en liet haar los. Ze gleed onder zijn arm vandaan, wurmde zich onder het dekbed uit en liep snel langs de kat naar haar mobieltje. Het was niet gemakkelijk, maar ze wilde het pakken voordat Jack wakker werd van het geluid. Ze stond naakt in de keuken naar het display te kijken. Er stond: PRIVÉNUMMER. Het was midden in de nacht. Waarschijnlijk was het gewoon iemand die een verkeerd nummer had ingetoetst, maar ze besloot op te nemen om er sneller van af te zijn.

'Hallo?'

'Ha, ben jij Lydia McKenzie?'

Dat was echt een stem van de straat, uit Brooklyn. De stem herinnerde haar aan Glenda en haar opvliegende karakter. Glenda was een gevoelige en weerloze vrouw, maar op het eerste gezicht zou je dat nooit gedacht hebben. Haar agressie had dat verhuld. Ze blufte alsof ze een mes tegen haar been gebonden had en niet bang was om het te gebruiken.

'Ja, met Lydia.' Ze voelde zich stijf en netjes, omdat ze zonder accent sprak, maar ze dacht niet dat de beller het leuk zou vinden als ze op dezelfde manier terugpraatte.

'Je moet naar onze tent toe komen. We hebben een voorstel voor je.'

'Jullie tent?'

'Ja. Het clubhuis, South Second Street 210. In het souterrain.'

Dat was maar een paar straten verderop, maar in het donker leek het kilometers. 'Sorry, maar ik lag in bed...'

'Wij zijn de bende van het Gouden Hoefijzer.'

Lydia vroeg zich af wat een bendelid in vredesnaam met haar moest. Daarna herinnerde ze het zich: de hoefijzertatoeage. Glenda. De andere vrouwen in de bus. 'Met wie spreek ik?'

'Big Wanda.'

Lydia herinnerde zich een lange donkere vrouw die moppen tapte. Ze was bang, maar niet zo bang als wanneer het een vreemde zou zijn. 'Willen jullie me nu spreken? Het is best laat...' begon ze, denkend aan de naakte man in haar bed. Ze was nieuwsgierig, maar zou zich er prettiger bij voelen als ze hen overdag zou ontmoeten.

'Kom over een kwartier. Het is een kwestie van leven of dood.'

Lydia bleef een paar minuten met haar mobieltje in haar hand staan. Een kwestie van leven of dood had Big Wanda gezegd. De laatste keer dat ze een noodkreet had genegeerd, was het geëindigd met Glenda's dood. Ze wilde niet nog iemands dood op haar geweten hebben. Maar het laatste wat ze ging doen was in haar eentje naar een middernachtelijk afspraakje gaan. Ze was niet gek. Ze porde Jack wakker.

'Wat?' zei hij verward met dikke stem.

'Je moet met me mee,' zei Lydia en ze legde uit dat ze een telefoontje had gehad.

'Je bent gek. Waarom kan dit niet tot morgen wachten?'

'Ze zei dat het een kwestie van leven of dood was. En ik kan niet alleen gaan.' Onder de waakzame blik van de kat stond Lydia haar kleren al aan te trekken in het halfdonker. Hij leek het niet eens te zijn met haar outfit, en ze kon hem geen ongelijk geven. De helft van de kleren had ze van de vloer geplukt en de rest op gevoel willekeurig uit haar kast getrokken. Ze zag er waarschijnlijk vreselijk uit.

Jack zwaaide langzaam met een zucht zijn benen uit bed. 'Ik kom met je mee, maar het moet niet te lang duren.'

Lydia hoopte oprecht dat het inderdaad maar kort zou duren. Ze was zelf ook moe, maar de adrenaline pompte nu al door haar lijf. Ze keek toe terwijl Jack zijn kleren aantrok. Lydia kwam in de verleiding hem weer in bed te trekken en het helemaal te laten zitten. Zelfs verfomfaaid en slaapdronken zag Jack er nog goed uit. Het was niet eerlijk.

Buiten stoof er een meter van hen af een rat over de stoep, en ze greep Jack bij de arm.

Hij lachte. 'Die woog nog geen tweeënhalve kilo.'

Ze rolde met haar ogen, maar was nog steeds zenuwachtig. Het verkeerslicht op South Second had een storing en het rode licht maakte een sissend geluid en sprong aan en uit. Het zag er overal donker en angstaanjagend uit en Lydia was blij dat ze niet alleen was. Toch vroeg ze zich af waar ze mee bezig was. Het was dom om je in een onbekende situatie te begeven, alleen omdat die je intrigeerde. Er was geen reden om aan te nemen dat het wel veilig zou zijn omdat degene die haar opbelde een vrouw was geweest, of omdat zijzelf een man bij zich had. Meidenbendes waren naar verluidt even gewelddadig als jongensbendes, en soms zelfs wreder. Het kon allemaal doorgestoken kaart zijn om haar uit te schakelen, zodat ze de zaak niet kon onderzoeken.

'Waar zit die club trouwens?' vroeg Jack. Hij klonk geïrriteerd.

'Op nummer 210,' antwoordde Lydia. De huisnummers waren in het donker niet allemaal leesbaar, dus zocht ze naar een duidelijke souterrainclub. 'Als het er te vreemd uitziet, gaan we niet naar binnen. Dan gaan we weer naar huis, oké?'

De straat zag er verzorgd uit. De bordessen waren schoon en versierd voor Pasen. Het trottoir was geveegd en opgeruimd en het vuilnis was in stevige zakken buiten gezet, zodat de vuilophaaldienst die de volgende dag kon meenemen.

Ineens kwam er een schim het donker uit stappen, een dikke vrouw, helemaal in het zwart gekleed. Het was Big Wanda.

'Wie is dat?'

'Mijn vriend Jack.'

'We dachten dat je alleen zou komen.'

'Hij wil graag zeker weten dat ik veilig ben.'

Big Wanda leek even na te denken over haar antwoord, voordat ze met haar hoofd wenkte. 'Kom maar mee.' Ze draaide zich om en liep een trap af onder een van de bordessen.

Lydia volgde haar ongerust, met Jacks warme hand op haar rug. De stenen treden waren smal en Lydia moest langzaam lopen om niet te vallen. Big Wanda was ze snel afgedaald en stond ongeduldig te wachten in de donkere gang beneden. Eén peertje boven hun hoofd verlichtte het sterke en ernstige gezicht van hun gastvrouw. De hal was betimmerd met een lambrisering van nepmahonie en op de vloer lag linoleum met een tegelprint.

Big Wanda draaide zich om en liep met naar binnen gekeerde voeten als een sumoworstelaar de gang door. Ineens liep ze een deuropening in. Lydia deed een stap naar voren en gluurde naar binnen. De club was een donkere, sjofele, kleine en vuile ruimte met tafeltjes, een volledig uitgeruste bar en achterin een biljarttafel. Alle lampen waren rood en de muren waren behangen met tafereeltjes uit Puerto Rico. Er zaten twintig vrouwen aan de tafeltjes en aan de bar. Ze draaiden zich om en staarden haar aan. Een paar van hen herkende ze van de bus, maar de meesten niet. Het was intimiderend, om het zachtjes uit te drukken.

'Dit is de bende van het Gouden Hoefijzer,' mompelde de dikke vrouw. 'En dit is Lydia McKenzie. En Jack.'

Jack knipperde met zijn ogen toen hij het vertrek rondkeek. Hij zag er groot en verfomfaaid uit. Je zag dat hij net uit bed kwam. Een van de vrouwen begon te fluiten.

'Rustig. Hij is haar vriend,' snauwde Big Wanda.

'Bied ze in elk geval een drankje aan, Big Wanda,' schreeuwde iemand achter uit de ruimte.

Big Wanda bloosde en wendde zich tot Lydia. 'Wil je een cola, of zoiets?'

'Ja, graag.' Lydia wilde het niet opdrinken, maar ze dacht dat het goed was om iets in haar handen te hebben. En in het ergste geval kon ze het glas nog als wapen gebruiken.

'Jack?'

Jack schudde zijn hoofd. Hij leek niet nerveus, alleen op zijn hoede.

Big Wanda gebaarde naar het meisje achter de bar, een puber in een laag uitgesneden blouse. De puber schonk het drankje in en gaf het aan Princess, de opvallend mooie vrouw die Lydia zich van de bus herinnerde. Princess gleed van haar barkruk af en kwam op haar af. Ze was stoer gekleed in een leren jasje en Timberland-laarzen.

'Waarom gaan we niet zitten?' Princess wees naar een nabij-gelegen tafeltje.

Lydia ging op een stoel zitten met Jack naast zich. Princess nam tegenover hen plaats en zette de cola voor Lydia neer. Haar mouw viel terug en onthulde een tatoeage van een hoefijzer op haar pols.

Lydia vermoedde dat alle vrouwen dezelfde tatoeage als Anna en Glenda hadden. 'Glenda was dus lid van jullie bende?'

Princess wisselde een paar blikken met Wanda. 'Had ze je dat verteld?'

Lydia schudde haar hoofd.

Princess knikte. 'We hebben van Candi gehoord dat je slim bent. Er loopt een moordenaar rond die onze meisjes ver-moordt, en we willen dat ze hem stoppen.'

'Jullie meisjes?'

'Anna was ook een van ons.'

Lydia knikte. Ze begon zich af te vragen of de dood van Anna en Glenda te maken had met hun lidmaatschap van de bende. Als het om een afrekening tussen rivaliserende bendes ging, was het logisch dat ze de meest weerloze leden pakten. Prosti-tuees zouden in de auto van elke potentiële klant stappen, ze werkten op eenzame plekken bij de rivier en konden gemakke-lijk geïsoleerd en aangevallen worden.

'We willen dat het stopt. En we willen dat de moordenaar wordt gevonden en bestraft.'

'Vertel het haar, Princess!' zei een oudere vrouw luid van ach-ter de bar.

Princess gaf een soeverein knikje in de richting van de oude-re vrouw.

Lydia had er geen behoefte aan om erachter te komen hoe ge-welddadig deze bende was. Ze had zelfs liever helemaal niet van het bestaan ervan geweten. De vrouwen in de club waren van allerlei leeftijden en hadden allerlei posturen, maar ze zagen er allemaal uit alsof ze boos genoeg waren om iemand te vermoorden. Jack raakte zachtjes haar rug aan, alsof hij haar eraan wilde herinneren dat ze niet alleen was.

'De politie heeft me gevraagd me er niet mee te bemoeien. Ze zeiden dat ze ermee bezig zijn.'

Princess snoof. 'Alsof die zich iets van ons aantrekken. Die zorgen er alleen voor dat blanke mensen niet beroofd worden. Als iemand van onze meisjes doodgaat, doen ze net alsof het allemaal eigen schuld, dikke bult is. Dat is niet rechtvaardig.'

Princess had gelijk. 'Als ik voor jou onderzoek zou moeten doen,' zei Lydia tegen haar, 'zou ik niet geïnteresseerd zijn in wraak. Dan zou ik ervoor zorgen dat de verdachte werd overgedragen aan de politie, zodat die het verder zou kunnen afhandelen.'

Princess en Big Wanda wisselden blikken uit. Er werd wat gemompeld door een paar vrouwen in de club, totdat Princess haar hand opstak en om stilte vroeg.

'We begrijpen het. Daar zullen we je niet bij betrekken. En we zullen je helpen alles te ontdekken wat je moet weten.'

'Ik moet met Anna's familie praten. Glenda belde me op voordat ze stierf. Ze was ergens bang voor. Ik vroeg me af of Anna ook bang was. Misschien heeft ze haar familie of vrienden verteld wat er aan de hand was. Heeft ze iets tegen een van jullie gezegd?'

Princess schudde haar hoofd. 'Ik was haar beste vriendin en ze heeft me niets verteld. Haar familie wist niet dat ze als hoer werkte. Hier gaan die mensen aan kapot. Echt.'

'Zouden ze met me willen praten?'

'Als ik met je mee zou gaan.'

Lydia knikte. Dat vond ze prima. Dat opende deuren, vooral als Anna's familie geen Engels sprak. Lydia's Spaans bleef beperkt tot *hola, agua* en *tortilla*, dus ze had echt hulp nodig. Ze maakten een afspraak voor de volgende dag om vijf uur.

'En Gator? Kent iemand hier hem?'

De club werd onnatuurlijk stil.

'Waarom moet je hem spreken?'

'Hij was de pooier van beide vrouwen. Zou híj hen vermoord kunnen hebben?'

Een paar jonge vrouwen begonnen met elkaar te fluisteren tot Princess opnieuw haar hand opstak en om stilte vroeg.

Het ging allemaal heel dictatoriaal en Lydia begon haar geduld te verliezen. 'Ik ga het niet doen als je niemand iets laat zeggen. Ik moet iets over hun leven te weten komen. Als je alles wilt censureren, kan ik er nu beter meteen mee stoppen.'

De club werd weer stil. Misschien durfde niemand Princess tegen te spreken. Te laat bedacht Lydia zich dat bendeleden waarschijnlijk wapens bij zich droegen en dat zijzelf ongewapend hun club binnen was gelopen, met alleen haar vermoeide vriend om haar te beschermen. Ze durfde niet naar Jack te kijken om te zien of hij boos op haar was.

Toen herinnerde ze zichzelf eraan dat ze voor zichzelf op moest komen als ze door wilde gaan met het onderzoek. Als ze hen meteen al over zich heen liet lopen, zou ze voortdurend belemmerd worden en waarschijnlijk niets nieuws te weten komen. Met een lef dat ze helemaal niet voelde dwong Lydia zichzelf op te staan. 'En?'

'Ga zitten, ga zitten.' Princess gebaarde ongeduldig naar haar. 'Ik wil hier geen geroddel. Dat leidt alleen maar tot ruzie.'

Lydia ging weer zitten. 'Geroddel is toevallig wel een van de belangrijkste bronnen in een onderzoek. Als niemand me vertelt wat hij denkt dat er gebeurd zou kunnen zijn, kan ik geen aanwijzingen vinden om te volgen. Dus als niemand het gerucht met me deelt dat Glenda overwoog voor Sammy the Sauce te gaan werken, hoe weet ik dan wat het motief voor haar dood zou kunnen zijn?'

Princess floot. 'Je hebt je huiswerk goed gedaan, meid.'

'Jullie willen geen luie detective.' Officieel was ze natuurlijk geen detective, maar ze betwijfelde of de vrouwen zich erg druk maakten om de juridische details van accreditatie.

'Dat klopt. Oké. En als je hier nu eens twintig minuten blijft zitten? Dan kan iedereen die informatie heeft naar je toe gaan en er persoonlijk met je over praten. Zolang het maar geen geroddel is, maar informatie, begrepen?'

Lydia had het begrepen en nam een slok van haar cola. Ze huiverde door het zoete gevoel op haar tong en wachtte tot iemand moedig genoeg was om te komen praten terwijl Princess maar dertig centimeter bij haar vandaan zat.

Jack boog zich voorover, zodat zijn lippen haar oor aanraakten. 'Ben je gek geworden? Ik dacht dat we gingen horen wat zij te zeggen hadden en dat we dan weer naar huis gingen.'

Lydia suste hem. Haar blik was gericht op een ronde vrouw met een brede, platte neus die eruitzag alsof hij een paar keer gebroken was geweest. Ze had haar haren in vlechtjes en droeg een hobbezak van een spijkerbroek. Ze had net al haar moed bij elkaar geraapt om naar voren te komen.

'Ik ken Gator,' maakte ze bekend.

'Dit is Cilla,' zei Princess.

Lydia herinnerde zich haar vaag van de bus.

Cilla kauwde op een tandenstoker. Ze zag er niet uit als een prostituee, maar je wist het maar nooit.

'Ken je hem goed?' informeerde Lydia voorzichtig.

'Hij is een soort neef van me. Ik zie hem niet vaak, maar hij wil me best ontmoeten als ik het hem vraag.'

Lydia knikte. 'Laat maar weten wanneer we hem kunnen ontmoeten. Ik ben erg benieuwd wat hij van de moorden vindt.'

'Hij wil de klootzaak die dit heeft gedaan vermoorden, net als wij,' zei Cilla.

'Oké,' zei Lydia zuchtend.

Cilla ging weer zitten.

De volgende vrouw was klein en heel mager. Ze had grote bruine ogen en haar haren waren in een paardenstaart naar achteren getrokken. Ze heette Deena. 'Ik heb gehoord dat Gator nu meisjes uit het buitenland haalt.'

'Je bedoelt illegalen?'

'Ja. Die hoeft hij niets te betalen. Misschien heeft hij Glenda en Anna wel vermoord omdat hij ze niet meer nodig had.'

Het was geen geweldig motief, maar Lydia gaf haar toch een bemoedigend knikje. Het zou bijna nog logischer zijn geweest als Gator zelf degene was die dood was.

'Bedankt, Deena,' zei Princess.

Deena sloop weer terug naar haar stoel. Het zag er niet naar uit dat iemand anders moedig genoeg zou zijn om Lydia te benaderen. Ze was zo moe dat ze niet meer scherp kon zien, en Jack begon ongeduldig te worden.

Lydia haalde een stapeltje visitekaartjes tevoorschijn en legde ze op tafel. 'Als iemand zich andere informatie herinnert die zou kunnen helpen, bel me dan gerust. Mijn telefoonnummer staat op de kaartjes.'

'Ik pik je morgen om vijf uur bij je kantoor op, oké?' zei Princess kortaf.

Lydia knikte en baande zich voorzichtig een weg door het donker naar de uitgang, met Jacks sterke hand in haar rug. Buiten waren alle ramen donker en de lucht rook zilt.

'Dit is van de gekke. Je gaat ze dus nog helpen ook?' Jack klonk eerder vermoeid dan geërgerd.

'Ik probeer het.' Ze kon niet uitleggen waarom ze zich verplicht voelde om te helpen. Ze wist dat ze geen ervaren speur-

der was en ook geen politieagent die beschikte over de middelen om de waarheid te onthullen. Maar er liep een moordenaar
rond en een hele groep vrouwen zou niet rusten tot het hem betaald was gezet. Als niemand anders hen wilde helpen, zou zij
haar best doen hem te vinden.

# 17

Na hun middernachtelijke uitstapje lagen Lydia en Jack niet voor twee uur 's nachts in bed. Om vijf uur besloot de kat vol energie op de keukenvloer met een druif te gaan spelen. Daarna sprong Jack om zeven uur uit bed om terug te gaan naar zijn flat om zich te verkleden. Lydia bleef in bed liggen met het gevoel dat ze geen oog dicht had gedaan. Ze kwam tot de slotsom dat ze actiever aan de slag moest gaan om een nieuw baasje voor de poes te vinden, zodat ze weer wat rust en stilte terugkreeg in haar flat. Dat zou minder moeite kosten dan haar vriend aan de kant zetten of haar mobieltje uitzetten. Om de dag door te komen, zou ze zichzelf op een grote cappuccino van Daves café trakteren.

Leo en Frankie waren al op kantoor toen ze binnenkwam. In de leunstoel die ze voor gasten hadden neergezet, zat een muizige vrouw. Afgezien van af en toe een cliënt, Mama D'Angelo en Lydia, kwamen er geen andere vrouwen over de drempel van D'Angelo Investigations. Het was echt zo'n mannenkantoor. Maar nu zat er naast Leo's bureaustoel een vrouw met sluik bruin haar, gekleed in een bruine rok en een grijze blouse. Ze staarde Leo bewonderend aan.

Lydia glimlachte boven haar cappuccino. Ze wist dat er iets gaande was toen Leo opeens de sportschool begon te bezoeken. Het zou hem goeddoen om een vriendin te hebben. Hopelijk kon ze ervoor zorgen dat hij rustiger werd.

Leo keek op en zag Lydia onderzoekend kijken. 'Dit is Lydia McKenzie, onze administratief medewerkster. Lydia, dit is, eh, Caroline Powers.'

Caroline bloosde en knikte naar Lydia.

Lydia zette haar koffie neer en stapte op Caroline af. 'Leuk je te leren kennen, Caroline. Woon je hier in de buurt?'

'Nee,' fluisterde ze en ze staarde naar de vloerbedekking.

Het was lelijke, grijze vloerbedekking en Lydia probeerde haar blik er zoveel mogelijk van af te wenden.

'Ze woont in Queens,' zei Leo trots, alsof uit haar verlegenheid haar deugdzaamheid bleek.

Lydia bedacht dat ze misschien een beetje van haar stuk was gebracht omdat ze als vriendin van Leo werd voorgesteld op zijn werk, maar ze vroeg zich af of Caroline ooit wel iets zei. 'Wat leuk,' antwoordde ze. 'Welkom op ons kantoor.' Ze trok zich terug achter haar bureau en probeerde net te doen alsof ze Caroline niet in de gaten hield, maar dat deed ze natuurlijk wel. Ze vroeg zich af of Mama van Carolines bestaan wist. Of nog beter, of het verlegen persoontje Mama al had ontmoet. Caroline was geen partij voor Mama. Die had misschien wel graag een schoondochter die ze naar haar hand kon zetten, maar dat spelletje kon ze niet lang spelen. Ze wist dat het moeilijk voor de D'Angelo's was om een moeder te hebben met zo'n krachtige persoonlijkheid en ze vroeg zich af of ze ooit naast haar een andere vrouw in hun leven zouden kunnen hebben.

Lydia's telefoon ging. Ze nam afwezig op, terwijl ze snel haar nieuwe mailtjes doornam. Er waren aanbiedingen bij om naaktfoto's van Britney Spears te zien, kansen om goedkoop aan viagra te komen en een berichtje van een studievriend die probeerde het hongerprobleem in Afrika op te lossen. Lydia wiste ze allemaal, behalve het mailtje van haar vriend en besloot dat later te lezen, als ze minder moe was en ze er meer sympathie voor kon opbrengen.

'Lydia,' siste Mama D'Angelo in haar oor. 'Is zij er?'

Lydia grinnikte bij zichzelf. Soms zou ze zweren dat Mama helderziend was of microfoontjes in hun kantoor had opgehangen. Ze wist altijd precies wat er aan de hand was. Lydia keek naar Leo en Caroline. Misschien hadden ze een ontmoeting gepland in het restaurant en wilde Mama alleen controleren of het wel doorging. 'Ja, inderdaad.'

'O, wat een toestand. Ik heb dit zelf over mijn zonen afgeroepen. Dat weet ik,' jammerde Mama theatraal.

Om niet afgeluisterd te kunnen worden, antwoordde Lydia zachtjes: 'Ze lijkt me heel aardig. Alleen een beetje verlegen.'

'Nicht Patricia? Verlegen?'

Lydia fronste haar voorhoofd. 'Wacht – naar wie bent u op zoek?'

'De politie heeft Al opgepakt en op het bureau ondervraagd. Hij heeft de foto's gezien die de jongens hebben genomen en nu komen Patricia en hij naar jullie toe,' kondigde Mama aan. 'Maar over wie had jij het dan?'

'O, over niemand,' stamelde Lydia. Ze wilde niet dat de D'Angelo's in de problemen kwamen. 'Ik kan Leo en Frankie nu beter eerst waarschuwen en u later terugbellen.'

Maar Lydia had nog maar net opgehangen of de deur ging open en sloeg met een klap tegen de muur. Voordat ze hem zagen hoorden ze Al Savarese al zeggen: 'Klootzakken! Proberen jullie me op de elektrische stoel te krijgen, of zo?'

Al kwam naar binnen gelopen als een bokser die de ring in loopt en gaf een keiharde trap tegen de dossierkast naast de deur.

Het was een gigantische kast met vier laden. Jammerend van de pijn greep hij zijn voet vast. Leo en Frankie sprongen op en Leo duwde Caroline beschermend achter zich. Lydia overwoog om onder haar bureau te duiken, voor het geval Al met dingen begon te gooien, maar ze wilde niets van de actie missen.

Patricia rende achter Al aan naar binnen. Ze was een pittige, donkerharige vrouw die eruitzag alsof ze op haar achttiende mooi was geweest, maar door Als seksescapades voortijdig was verouderd. De tijd en de problemen hadden rimpels in haar gezicht gegroefd, ze had enorme wallen onder haar ogen en een permanent fronsende blik. Ze droeg een wikkeljurkje dat eruitzag alsof het van een modeontwerper was.

Haar vingers leken wel rode klauwen toen ze Als mouw vastgreep. 'Al... het is niet mijn schuld, dat zweer ik je. Het was mijn moeder. Zij heeft de D'Angelo's gebeld en om hulp gesmeekt. Ze zei dat de jongens zouden helpen counseling voor je te zoeken...'

Al schudde Patricia van zich af, die snikkend tegen de muur aan viel. Lydia kromp ineen.

Al liep dreigend op Leo's bureau af en sloeg er met zijn vuist op. 'Ik eis dat je je verontschuldigingen aanbiedt voor het schenden van mijn privacy en voor het feit dat je mijn leven in gevaar hebt gebracht! Ik dagvaard je, en al zo snel dat je hoofd ervan begint te tollen.'

Frankie verstijfde van angst en Leo had een eigenaardige paarse kleur gekregen die niet gezond kon zijn. Caroline was achter een stoel gedoken. Lydia's vingers jeukten om het alarmnummer te bellen, maar ze betwijfelde het of de D'Angelo's het op prijs zouden stellen als er nog meer vreemden getuige zouden zijn van hun familieschandaal. Ze vroeg zich af of Rose wel overlegd had met Patricia voordat ze Mama had gebeld. Het was één grote puinhoop.

'Mijn kantoor uit en wel nu meteen!' Leo spuugde elk woord uit als een messteek.

Al sloeg geen acht op zijn woorden, greep een archiefdoos en keerde die om op de vloer. Ze keken allemaal ontsteld toe hoe de dossiers van hun cliënten in een slordige warboel neervielen. Lydia wist wie de puinhoop straks mocht opruimen. Haar bloed begon te koken. Ze had niet voldoende slaap of koffie gehad om dit soort geouwehoer te dulden. Ze stond op en liep naar Al toe, zodat ze oog in oog met hem kwam te staan.

'Hou op met je te gedragen als een jeugdige delinquent, of ik bel de politie. Dan moet je zo snel voorkomen wegens schending van privé-eigendom en bedreiging, dat jóúw hoofd ervan gaat tollen.'

Al hield ermee op dingen van Leo's bureau te pakken en wendde zich op een intimiderende manier tot Lydia. 'En wie ben jij, verdomme?' Zijn ogen waren donkerbruin. Zijn gezicht zag er opgezwollen uit, alsof zijn manier van leven inmiddels zijn gezondheid aantastte.

Ze herinnerde zich hoe agressief hij achter seks aan was gegaan en hoe openlijk hij seks met Anna had gehad. Hij was geen vriendelijke man en ook niet iemand die zich gemakkelijk liet afschrikken.

Lydia wilde bijna een stapje achteruit doen, maar haar eigen boosheid zorgde ervoor dat ze bleef staan waar ze stond. 'Ik werk hier en meer hoeft u niet te weten,' zei ze. 'Frankie, help je niet Al naar huis te brengen. Als hij zijn straf wil ontlopen, dan moet hij uit de problemen blijven. Leo, ga met Caroline ergens een kop koffie drinken, dan ruim ik de rommel hier op.'

Iedereen staarde haar aan, onzeker wat er zou gebeuren als ze haar instructies opvolgden. Ze had hen nog nooit zo gecommandeerd, en formeel zou zij juist hun bevelen moeten opvolgen.

Caroline keek haar ontzet aan. Lydia vroeg zich af of er nog wel hoop was voor de prille relatie tussen Leo en Caroline.

'Je kunt me niet zomaar commanderen, teef! Je bent nog niet van me af!' schreeuwde Al tegen haar.

Maar Frankie was eindelijk weer bij zijn positieven gekomen en met zijn geruststellende postuur tussen Lydia en Al in gaan staan.

Lydia joeg hen allemaal weg met haar handen. 'Wegwezen of ik bel de politie! En denk maar niet dat ik niet gek genoeg ben om het te doen, want dat ben ik wel!'

Ze kwamen allemaal in beweging. Frankie nam Al en Patricia bij de arm en deed hen uitgeleide. Leo gaf Caroline een hand en loodste haar vriendelijk het kantoor uit.

Lydia slaakte een zucht van verlichting toen de deur van het kantoor eindelijk dichtging en het stil was. Toen ging de telefoon. Het geluid klonk doordringend. Lydia nam aarzelend op, omdat ze wist dat het Mama D'Angelo weer was. Die zou persoonlijk naar het kantoor toe komen als ze dacht dat haar kuikens in gevaar waren. Lydia legde haar kort en bondig uit wat er was gebeurd.

'Geeft Patricia haar moeder de schuld? Ze is gek. Ze lijkt mijn krankzinnige oudtante wel, die met volle maan altijd in haar nachtpon op straat liep.'

'Ze zei het om te voorkomen dat haar man haar zou verlaten,' zei Lydia, die medelijden met de wanhopige vrouw had.

'Maar Rose zegt dat ze bij hem weg wil.'

Sommige mensen wisten niet wat ze wilden. 'Iemand verlaten of verlaten worden zijn twee fundamenteel verschillende dingen,' zei Lydia. Ze wilde dat ze die ochtend twee grote cappuccino's had gekocht. Ze was zo moe dat het haar bijna niet lukte om scherp te zien.

'Huh!' snoof Mama verachtelijk. 'Ik bel dat meisje wel op, dan zal ik haar eens even de waarheid zeggen. Dat is ook de laatste gunst die we haar kant van de familie bewijzen.'

Lydia hing op. Ze vroeg zich af of Al Glenda en Anna had vermoord. Hij was opvliegend en ze vroeg zich af wat hij nu zou gaan doen. Iemand moest hem in de gaten houden. Ze wilde dat ze hem kon schaduwen, maar nu hij haar van dichtbij had gezien was dat niet meer mogelijk. Ze had iemand nodig die hij niet kende. Ze pakte haar mobieltje en belde Emmanuel.

Die was verrukt over het idee. 'Ik rij er meteen naartoe. Ik heb het totaal niet druk.'

'Ik kan er niet veel voor betalen,' begon Lydia. Ze wist waarschijnlijk wel iets te verzinnen om het de D'Angelo's te laten betalen, vooral als ze kon aantonen dat Patricia in gevaar was.

'Ik doe het voor niets. Als hij de moordenaar is, dan krijgen we toch vast wel een grote beloning omdat we hem gepakt hebben?'

Lydia betwijfelde dat, maar het was altijd goed om te dromen. 'Bel me maar als hij naar de rivier gaat. Dan spring ik bij je in de auto en kijk of ik een paar foto's van hem kan maken.'

Ze hing op en keek vol ontzetting het kantoor rond. Hoewel het nooit erg opgeruimd was, wist ze normaal gesproken tenminste waar ze alles kon vinden. Nu was het één grote puinhoop. Maar het zou nog erger worden als de D'Angelo's terugkwamen, dus besloot ze schoorvoetend de overal verspreid liggende papieren op te rapen. Het was zo'n warboel dat je onmogelijk kon zeggen bij welke zaak ze hoorden. De zaken waren allemaal een aantal jaren oud en ze hoopte dat niemand de informatie ooit nog nodig zou hebben. Om alles van de vloer te krijgen begon ze de papieren lukraak in dossiermappen te stoppen.

Vandaag was echt zo'n dag dat ze beter in bed had kunnen blijven liggen, maar haar huis werd in bezit genomen door een lawaaierig dier. Nu de vloer weer netjes was, ging ze op haar computer een aanplakbiljet voor de kat maken. Ze was geen kattenliefhebster en het was tijd dat ze een nieuw baasje voor hem vond.

Ze werkte aan haar affiche en had eigenlijk een foto van de kat nodig. Ze probeerde zijn uiterlijk (zwart-wit) en zijn persoonlijkheid (gemakkelijk in de omgang) zo goed mogelijk te beschrijven. Het was niet zo'n bijster goede poster, maar als iemand hem kwijt was zou die hem misschien herkennen aan de hand van haar beschrijving. Ze besloot een lange pauze te nemen om haar aanplakbiljetten op te hangen in Bedford Avenue, vlak bij de metro en bij de plek waar ze de kat had gevonden. Na het bezoekje van Al en Patricia aan het kantoor had ze echt wel een pauze verdiend.

Het was heerlijk om op een mooie zomerse dag buiten te lopen en haar humeur sloeg als bij toverslag om. Er waren veel leuke kleren, leuke mannen en massa's leuke honden. Er waren baby's in buggy's, rugdragers en draagdoeken. De wereld voelde zonnig en vrolijk.

Nadat ze bijna alle aanplakbiljetten op lantaarnpalen had opgehangen, ging ze bij een Frans café zitten om zichzelf op een cappuccino en een caesarsalade te trakteren. Ze zat met haar gezicht in de zon te kijken hoe de voetgangers voorbij flaneerden. In plaats van saai New Yorks zwart droegen de mensen felle kleuren als antwoord op de zomerhitte. Ze genoot ervan om de avontuurlijkste hoeden en kleding te zien langskomen. Iemand had een bordje met een naam en een website aan een boomstronk gehangen en beweerde dat het een kunstproject was. Een goochelaar deed zijn act aan de overkant van het café en gooide een laars, een stok, een jongleerbal en een slipper in de lucht. Het leek alsof alles leefde en even kon ze de dood vergeten.

Rain, een collega-fotograaf die Lydia van de doka kende, liep met haar hoofd naar beneden over het trottoir. Ze was gekleed als hippie, met een wijde kaftan en mal krullend haar, maar ze had altijd een gezicht als een donderwolk.

Lydia had haar bijna niet gegroet, maar op zo'n mooie dag als vandaag voelde dat harteloos. Ze besloot toch te zwaaien. 'Wat een prachtige dag, hè?'

Rain kwam naar haar toe en ging verlegen naast haar tafeltje staan. 'Het had wel wat koeler kunnen zijn. En wat minder vochtig.'

Nu ze het zo zei merkte Lydia dat het inderdaad een beetje klam was, maar het was haar goed gelukt om net te doen alsof ze dat niet merkte. 'Ik geniet van de zon.'

Rain pakte een van Lydia's aanplakbiljetten van het tafeltje. 'Ben je je kat kwijt?'

'Nee, ik heb er een gevonden.'

'Lijkt me een leuke kat. Waarom wil je er vanaf?'

Lydia voelde zich boos worden, zoals altijd in Rains aanwezigheid. Ze wilde dat Rain niet zo negatief was. 'Ik ben geen kattenliefhebster. Ik heb nooit een kat willen hebben.'

Rain glimlachte – misschien voor het eerst in een hele week. 'Maar dat verandert snel genoeg.'

Lydia bedacht te laat dat Rain echt gek was op katten. Ze had er wel een stuk of vijf en ze mochten op alle plekken in haar huis komen. Ze lagen altijd overal te slapen en te verharen en haar meubels waren helemaal kapot gekrabd. Maar Rain was dol op haar katten en nam eindeloos veel foto's van ze, die ze op straat verkocht naast haar sentimentele foto's van de Twin Towers. 'Ken je iemand die een kat zoekt?'

Rain schudde haar hoofd. 'Ben je kortgeleden nog naar de doka geweest?'

Lydia antwoordde bijna dat ze er niet was geweest sinds Glenda was overleden, maar ze weerhield zichzelf ervan. Ze wilde met Rain niet over Glenda praten. Ze zou het toch niet begrij-

pen. Lydia had tijdens haar fotoshoot met Candi een paar filmrolletjes volgeschoten. Die wilde ze nog ontwikkelen. 'Al een
week niet, maar ik moet er gauw weer eens heen.'

'Misschien zie ik je daar dan. Ik heb mijn foto's vorig weekend praktisch allemaal verkocht en ik ben bijna door mijn geld
heen.'

Lydia was blij toen Rain eindelijk verder liep naar de metro.
Het had iets leuks om op een terrasje te zitten en mensen te zien
die je kende, maar aan de andere kant wilde ze dat Rain niet
langs was gekomen. Nu was haar vrolijke stemming verpest en
voelde ze zich geërgerd. Hoewel ze nooit met Rain had willen
ruilen, was ze een beetje jaloers dat het Rain lukte om van de
opbrengst van haar foto's te leven. Het was ontmoedigend om
terug te moeten naar kantoor en met de D'Angelo's en de hele
ellende van Al te moeten omgaan. Ze hoefde tot vijf uur nergens naartoe. Dan zou Princess haar op komen halen. Ze leunde naar achteren en deed haar ogen dicht. Ze bleef nog een hele tijd lekker in de zon zitten.

# 18

Princess had misschien een beetje overheersend en opgeblazen gereageerd toen Lydia haar voor het eerst had ontmoet, maar ze kon haar niet verwijten dat ze te laat was. Stipt om vijf uur stopte Princess in een groene Range Rover voor het detective-bureau. Wauw, dacht Lydia, misdaad loont dus. Ze had geen idee wat de leden van de bende van het Gouden Hoefijzer precies deden, maar ze betwijfelde of ze een legitieme bijdrage aan de economie leverden.

Lydia deed het portier open en sprong naar binnen. De auto rook nog helemaal nieuw, een geur die op je afkwam maar ook aantrekkelijk was. Uit de autoradio schalde salsamuziek, maar Princess zette hem attent een paar decibel zachter.

'Weet Anna's familie dat we komen?'

Princess haalde haar schouders op. Zigzaggend reed ze door het verkeer. Ze leek te denken dat ze een coureur was, maar jammer genoeg hadden ze geen helm op en had de auto geen stalen kooi.

'Levert dat geen opgelaten sfeer op?'

'Ze weten van je,' zei Princess, met één hand aan het stuur. 'Anna en ik liepen bij elkaar in en uit sinds we nog in de luiers zaten. Haar familie is mijn familie.'

Lydia vocht tegen de aandrang om haar ogen dicht te doen toen ze zonder vaart te minderen een hoek omsloegen. Ze wilde dat ze had afgesproken om Princess bij Anna thuis te ontmoeten en dat ze er zelf op haar fiets heen was gereden.

'Je moet ze alleen niet te erg onder druk zetten, hoor.'

Lydia voelde zich niet beledigd. Het was haar taak om lastige vragen te stellen. De eerste verdachten in een moordonderzoek zijn altijd de echtgenoot en de familie. Zij stonden dan misschien wel het dichtst bij het slachtoffer, maar meestal hadden ze ook het meest te winnen bij diens dood. 'Wie zijn er allemaal?'

'Haar man Roberto, haar kinderen Brandy en Marcos en haar moeder Eva. Er is misschien ook wel wat familie van Roberto en een paar neven of nichten, of zo. Ik durf het niet met zekerheid te zeggen.'

'Ik zou echt graag met Roberto en Eva willen praten. Zij zouden best iets gehoord kunnen hebben.' Lydia had half verwacht dat Princess hen naar een achterbuurt zou rijden. Ze schaamde zich daarvoor toen ze bij een keurig rijtjeshuis stopten.

Princess had kennelijk haar gedachten gelezen. 'Eva was veel verstandiger dan mijn moeder. Dertig jaar geleden leende ze geld van al haar familieleden om dit huis te kunnen kopen. Toen dacht iedereen nog dat dit een slechte buurt was. En nu zit ze op een goudmijntje.'

'Maar waarom ging Anna dan...' begon Lydia, maar ze kon haar zin niet afmaken.

'Waarom ze ging tippelen? Het huis is van haar moeder. Anna woonde hier niet. Zij moest gewoon huur betalen en haar kinderen te eten geven.'

'En Roberto dan?'

'Hij werkte in een van de fabrieken die vorig jaar dichtgingen en heeft nog geen nieuwe baan kunnen vinden. Hij pakt los werk aan waar hij kan, maar dat betaalt slecht.'

Lydia moest het portier vasthouden om uit de auto te springen, zo hoog was de afstap. Ze liep achter Princess aan naar de voordeur. Princess drukte op de bel en er weerklonk een vrolijk elektronisch salsamelodietje. Dat was leuk voor een keer, maar Lydia kon zich zo voorstellen dat je er gek van werd als je het honderd keer had gehoord.

Een oudere vrouw met verdrietige ogen en een onverzorgd kort kapsel deed de deur open. Ze was klein en rond en droeg een fuchsiakleurige legging met een zwarte tuniek. 'Princess,' begon ze en vervolgens barstte ze in tranen uit.

Princess mompelde iets in het Spaans tegen haar en liep met haar mee het huis in. Lydia concludeerde dat zij Eva moest zijn. Ze volgde hen en deed netjes de deur achter zich dicht.

Princess liep achter Eva aan en ging meteen rechts een woonkamer in. De gouden bank en stoelen waren bedekt met doorzichtig plastic, de witte muren waren behangen met familieportretten en de planten in de halfdonkere kamer zagen er te groen en weelderig uit om echt te kunnen zijn. Op de televisie in de hoek was een Spaanse soap bezig.

Princess en Eva gingen op de bank naast elkaar zitten. Lydia ging tegenover hen zitten in een leunstoel.

Eva huilde in een zakdoek en sprak in het Spaans tegen Princess. Lydia wilde dat ze op de middelbare school geen beelden van Parijs voor zich had gezien toen ze een taal koos, en dat ze een vak had genomen waar ze meer aan had gehad.

Lydia wisselde een snelle blik met Princess. Ze zag er een beetje behuild uit en Lydia maakte de gevolgtrekking dat ze wilde dat de ondervraging zou worden uitgesteld. Ze bestudeerde de familiefoto's terwijl ze wachtte. Er hingen rijen schattige kinderen in katholieke schooluniformen die aan het wisselen waren en uitgroeiden tot verlegen pubers met een beugel in hetzelfde uniform. Vervolgens veranderden ze in bruiden, bruidegoms en in één geval in een marinier. Lydia zag Anna in het wit tijdens haar eerste communie en als bruidje dat verlegen naar de camera lachte. De foto's van haar leven vertelden een gekuist verhaal, en een vreemde zou nooit gedacht hebben dat het met moord zou eindigen.

Na een paar minuten ging Eva rechtop zitten en snoot haar neus. Ze sprak Spaans tegen hen beiden.

Princess wendde zich tot Lydia om het te vertalen. 'Eva biedt haar excuses aan voor haar onbeleefde gedrag en wil je een kop koffie aanbieden.'

Lydia wist dat ze dat niet kon afslaan, ook al was dit het moment van de dag waarop ze normaal van cafeïne op een borrel overstapte. 'Als het niet te veel moeite is...'

Princess sprong op en gebaarde dat Eva weer kon gaan zitten. 'Ik haal het wel, *Mami*.'

'*Gracias*, Princess,' zei Eva sniffend en er verscheen een waterige glimlach op haar gezicht.

Lydia wist niet goed of Eva wel Engels sprak. Zodra Princess de kamer had verlaten, boog ze zich naar voren. 'Het spijt me heel erg van uw dochter.'

Eva knikte beleefd, maar zei niets. Geen reactie. Lydia was dus afhankelijk van Princess om te tolken. Gelukkig was de koffie al klaar en Princess kwam terug met drie bekers, allemaal met engelenplaatjes erop. Eva sprak snel tegen Princess en die fronste haar voorhoofd.

'Eva zegt dat Anna altijd een lief meisje was en dat ze nu vast een engel in de hemel is.'

Lydia wist niet zeker of de katholieke kerk van mening was dat prostituees het recht hadden om de hemelpoort binnen te gaan, maar ze hoopte van wel. Ze nam een slok van haar koffie en verslikte zich bijna. Princess had er flink wat suiker en melk in gedaan.

'Is de koffie goed?'

'Perfect,' wist Lydia uit te brengen. 'Ik verslikte me alleen.' Ze schraapte haar keel en veranderde van onderwerp. 'Ik weet niet of Princess het u al heeft verteld, maar vrienden van Anna en Glenda hebben mij gevraagd om te helpen.'

Er werd snel overleg gepleegd op de bank. 'Eva denkt dat je niet oud genoeg bent om detective te zijn.'

Lydia glimlachte. 'Ik werk op een detectivebureau en ben een paar keer naar de rivieroever geweest.'

'Niemand in haar familie zal rusten tot de moordenaar gevangen zit.' Princess vertaalde het met een stalen gezicht in het Engels, zonder de handgebaren en de dramatiek van Eva's verklaring.

Lydia was er niet zeker van of Princess het wel geloofde, maar ze liet dat commentaar voor wat het was. Anna was immers dood. Ze had een vriendelijke vrouw geleken toen Lydia haar ontmoette, maar ze had toch ook als hoer gewerkt. 'Weet u of Anna bang was voor iemand, of dat haar kortgeleden iets naars was overkomen?'

Eva aarzelde. Ze leek iets te weten, maar twijfelde of ze het zou vertellen. Na een minuut zei ze schoorvoetend iets.

Princess vertaalde het: 'Ze zag er de laatste tijd niet zo goed uit, het leek wel alsof ze geen slaap kreeg. Maar ik weet niet of ze bang voor iemand was.'

Lydia gaf Eva haar kaartje. 'Als u nog iets anders te binnen schiet dat van dienst zou kunnen zijn, aarzelt u dan niet om me te bellen. Zelfs het kleinste detail kan helpen.' Ze hoopte dat Eva erover na zou denken en zou besluiten haar alles te vertellen waar ze mee zat.

'Roberto is in de keuken,' zei Princess tegen haar.

Lydia knikte en zette haar kopje dankbaar neer. Ze herinnerde zich dat Roberto Anna's man was. 'Ik ga wel naar hem toe om hem te condoleren.' Ze nam niet de moeite te vragen waar het was, want de geur van vis kwam achter uit het huis aanzweven. Ze liep haar neus achterna, langs de fietsen, skateboards en basketballen in de gang. De keuken was klein en stond vol kleine, mollige vrouwen die in het Spaans door elkaar praatten en in allerlei pannen op het fornuis roerden. Aan de keukentafel zat een mistroostig kijkende man met een kalend hoofd en een dikke buik. Hij had een klein meisje op schoot. Het kind zag er te oud uit om nog te duimen en haar ogen stonden wezenloos, alsof ze zich helemaal in zichzelf had teruggetrokken.

De tantes negeerden Lydia. Ze hadden vast ook al veel bezoek gehad sinds het nieuws bekend was geworden. Zachtjes raakte Lydia Roberto's schouder aan. Hij keek naar haar op. Zijn donkere ogen waren de verdrietigste die ze ooit had gezien.

'Ik ben Lydia. Princess heeft me hiernaartoe gebracht,' zei ze.

'Wat erg van je vrouw.'

Roberto knikte. 'Ik dacht dat ze nog steeds op het naaiatelier werkte en bonussen kreeg omdat ze zo snel was.'

'Wat erg voor je,' herhaalde Lydia. De woorden waren ontoereikend, maar ze wist ook niet wat ze anders moest zeggen. De familieleden leefden in een staat van ontkenning, als ze beweerden niets van Anna's carrière te weten.

'De politie heeft geen idee wie mijn Anna heeft vermoord.' Roberto trok zijn dochter nog dichter tegen zich aan.

'Ik zal mijn best doen om te helpen,' beloofde Lydia. 'Maar ik kende Anna niet zo goed, dus ik heb hulp nodig. Heeft ze het ongeveer een week voor haar dood over iets of iemand gehad?'

Roberto schudde zijn hoofd. 'Ze vroeg me om wat kleren bij de stomerij op te halen, maar dat ben ik vergeten. Ik heb het bonnetje nog in mijn zak.'

Een vrouw die haar beroep geheimhield voor haar man was waarschijnlijk ook niet scheutig met informatie over andere zaken. Lydia vroeg zich af wat Roberto gedaan zou hebben als hij had ontdekt dat zijn vrouw prostituee was toen ze nog leefde. Zou hij boos genoeg zijn geweest om haar te doden? Roberto leek echt verdrietig te zijn, maar ze had gehoord dat Arabische mannen die hun dochters of zussen doodden omdat ze de familie-eer hadden bezoedeld, ook om hen rouwden.

'Ik was blij met het geld dat ze mee naar huis bracht, maar ik wist niet waar het vandaan kwam. Ik wist het echt niet.'

Lydia klopte hem op zijn schouder en probeerde bemoedigend naar het meisje te glimlachen. 'Het was jouw schuld niet,' zei ze tegen hem. Of wel, natuurlijk.

Lydia liep van het huis van Anna's familie naar haar doka. Die was maar zes straten verderop, maar leek zich wel op een andere planeet te bevinden. Ze betaalde een flink bedrag om de gemeenschappelijke doka te huren. Je moest de dubieuze buurt op de koop toe nemen, maar de groep had hier wel een ruime zolderverdieping om op te werken. Ze verruilde het door leed getroffen huis maar al te graag voor de comfortabele vertrouwdheid van de doka. Misschien zou ze een paar vrienden tegenkomen die geen dringender problemen hadden dan of ze hun Visa-rekening konden betalen en of ze de ware liefde bij een metroseksueel konden vinden.

Haar vriendin Emily stond achter de printer met haar hoofd te swingen op de muziek van haar iPod. Lydia keek over Emily's schouder om te zien waar ze mee bezig was. Ze maakte kopieën van een foto van 25 bij 30 van een miniatuurteckel die met een knuffelvis poseerde.

'Is de hond op de foto groter dan in het echt?' informeerde Lydia.

Emily draaide zich snel om, deed haar oordopjes uit en omhelsde Lydia stevig. 'Lydia! Waar heb jij gezeten?'

'O, overal en nergens,' zei Lydia mysterieus.

'Oké, wie is het?'

Ook al zagen Lydia en Emily elkaar weken of maanden niet, op een of andere manier ging het contact altijd weer gewoon door waar het gebleven was. Emily's ouders wisten niet goed wat ze met hun geadopteerde Aziatische dochter aan moesten, wat Lydia jammer vond. Zijzelf had zich tijdens haar jeugd ook het lelijke jonge eendje gevoeld.

'Ik moet je echt een keer aan hem voorstellen.' Lydia haalde haar filmrolletjes van de fotoshoot met Candi tevoorschijn. Ze trok een zwarte zak onder het aanrecht uit en haalde er twee spoelen uit, die ze vervolgens in de zwarte zak deed waar haar filmpjes in zaten. Daarna ging ze met haar handen door de twee lichtdichte armsgaten naar binnen en begon de filmpjes op de spoelen te rollen. Vervolgens gooide ze die in een tank met ontwikkelaar en toen begon het proces van ontdekken wat er op de film stond.

Emily bracht haar op de hoogte van de laatste details van wat er tijdens haar werk was gebeurd. Ze was een week geleden door een poedel gebeten en de eigenaar had geweigerd voor de foto's te betalen. Ze had foto's genomen van wat ze dacht dat een slapende Perzische kat was, om er een uur later achter te komen dat het beest dood was. De eigenaars waren kapot van zijn dood en betaalden haar een mooi bedrag voor de laatste foto's van Jonesie. Zoals gebruikelijk had ze niets nieuws over haar sociale of liefdesleven te melden. Hoewel ze heel vriendelijk en vlot was, ging Emily al zolang Lydia haar kende nooit met iemand uit. Ze was hopeloos verliefd op Stuart, een andere fotograaf, maar geen van beiden durfde kennelijk de eerste stap te zetten.

Lydia gaf Emily een korte beschrijving van Jack en daarna, terwijl ze de ontwikkelaar er uitgoot en de tank met stopbad vulde, gaf ze haar een gekuiste versie van wat er de afgelopen weken bij de rivier was gebeurd.

'Ik heb er in de krant over gelezen. Ben jij daar geweest? Kende je die prostituee?'

'Een beetje,' zei Lydia. Hoe meer ze te weten kwam over Glenda en Anna, hoe minder ze het gevoel had dat ze hen had gekend. 'Ik probeer erachter te komen wat er is gebeurd.'

'Wees maar voorzichtig,' waarschuwde Emily. 'Ik heb gehoord dat ze denken dat het een seriemoordenaar is. Misschien zelfs iemand van jaren geleden.'

'De seriemoordenaar van toen zit al jaren in de bak,' zei Lydia. 'Hij was een dakloze drugsverslaafde met een moederfixatie.'

Emily schudde haar hoofd. 'Ik hoop dat je daar niet alleen naartoe gaat.'

'Geen denken aan. Ik heb een bodyguard voor mezelf ingehuurd.' Lydia was blij dat Emily nooit een glimp van Emmanuel had opgevangen. Ze hoopte dat Emily zich hem nu als een reusachtige bodybuilder voorstelde, in plaats van als de magere, relaxte Jamaicaan die hij was.

Lydia was klaar met fixeren en spoelde de negatieven af. Ze schudde ze uit boven de spoelbak en hing ze aan een lijn te drogen. Ze kon het niet helpen om naar de kadertjes te turen en de afbeeldingen in het vage rode licht te bekijken.

'Je mag het licht wel aandoen als je wilt,' bood Emily aan. 'Ik ben hier klaar.'

Lydia deed het licht aan en samen bestudeerden ze de negatieven van de shoot met Candi. Omdat het een negatief was, waren Candi's ogen wit in plaats van donker en was het raam donker in plaats van licht. Ook al was je eraan gewend, het bleef spookachtig.

'Voor haar zou ik uitkijken,' zei Emily. 'Ze lijkt me gevaarlijk.'

# 19

De middag van Glenda's begrafenis was regenachtig en warm. Susa had een plaatselijk mortuarium besproken, Funeraria Vega in Havemeyer. Lydia wist een eenvoudig zwart jurkje en pumps op te duikelen en begaf zich schoorvoetend op weg onder een grote golfparaplu.

Het mortuarium zag eruit als een groot grijs mausoleum en had een sobere donkerbruine luifel. Lydia ging eronder staan en schudde haar paraplu voorzichtig uit. Toen ze binnen was zakten haar pumps weg in de donkerblauwe pluchen vloerbedekking. Het leek binnen wel een koelkast en ze voelde zichzelf meteen opdrogen en koud worden. Ze boog voorover om haar naam in het condoleanceregister te zetten. Het was maar een klein lijstje rouwenden. Ze hoopte voor Susa dat er meer zouden verschijnen.

De deur naar de kapel was open en Lydia liep naar binnen. Gelukkig had Susa voor een gesloten kist gekozen. Lydia had al voldoende van Glenda's lijk gezien. Naast de kist stond een grote ingelijste foto van Glenda, omringd door bloemen. Het was een geposeerde foto die er nep uitzag en waar Glenda ongeveer vijftien op leek. Zonder het karakter dat ze op het portret van Lydia had, en onschuldig en onaangedaan.

Susa zat stijfjes op de eerste rij met Glenda's drie kinderen. Toen Lydia naar hen toe liep om hen te condoleren, viel het haar op dat Susa blauwe pakjes voor de jongens en een witte jurk met veel tierelantijntjes voor het meisje had gekocht.

'Hallo. Ik ben Lydia. We hebben elkaar laatst gesproken. Gecondoleerd.'

Susa greep Lydia's handen als een reddingsboei vast. Haar blik was vaag en nergens op gericht. Teleurgesteld vroeg Lydia zich af of Susa misschien ook aan de drugs was. Die arme kinderen hadden geen enkele kans. Ze vroeg zich af of Susa wel wist wie ze was, tot ze met krakende stem fluisterde: 'Hebben ze hem al gevonden?'

Lydia voelde diep medelijden en schudde haar hoofd. Ze kon de rouwende moeder geen goed nieuws vertellen. De politie had kennelijk geen echte verdachten en geen duidelijke aanwijzingen, en de moordenaar leek niet te stuiten.

Susa keek weer naar Glenda's portret. De kinderen naast haar waren opvallend stil. Ze waren waarschijnlijk doodsbang en hadden geen idee wat er aan de hand was.

Lydia ging op een van de middelste rijen zitten. Van daaruit kon ze de andere rouwenden bekijken. Princess kwam binnen met wat vrouwen die ze in het clubhuis had gezien. Ze gingen op de voor de familie gereserveerde rij zitten. Lydia was blij te zien dat Princess Glenda's dochtertje optilde en op schoot nam. De kinderen hadden echt alle vrienden nodig die ze konden krijgen.

Een paar minuten later kwam Candi met een knappe man aan haar arm binnenschrijden. Ze zag eruit alsof ze van een omslag van de *Vogue* rond 1983 was gestapt. Ze had een strakke jurk aan die van boven wit en van onderen zwart was, en een hoedje op met een zwarte sluier en een grote zwarte veer die om haar kin krulde. Lydia bewonderde haar gevoel voor stijl en werd beloond met een subtiel knipoogje toen Candi langs paradeerde.

Er ging iemand naast Lydia zitten. Toen ze zich naar die persoon toe draaide, merkte ze dat ze met haar neus maar een paar centimeter van Romero af zat. Gegeneerd schoof ze snel terug.

'Dag, Romero.'

Romero leunde naar achteren, deed de knopen van zijn jasje los en maakte het zichzelf gemakkelijk. Hij nam meer ruimte in dan nodig was, en zijn arm voelde warm tegen haar blote schouder, waar het kippenvel op stond.

'Heb je nog meer valse sporen ontdekt die je wilt delen?'

Ze glimlachte als een boer met kiespijn. 'Geef toe, die foto's waren de beste aanwijzingen die je de hele week hebt gehad.'

Romero haalde zijn schouders op. 'Een ondertekende bekentenis zou beter zijn.'

Lydia snoof. 'Je bent gewoon lui. Als ik hetzelfde salaris krijg als jij, met bonussen, dan ben ik misschien bereid je werk voor jou te doen.' Ze wist dat ze gerust zulke neerbuigende opmerkingen kon maken, omdat ze allebei wisten dat Romero krankzinnig lange dagen draaide, zeven dagen per week als zijn werk erom vroeg.

'Ha.' Romero veegde met zijn hand door zijn haar. Hij zag er uitgeput uit en Lydia vroeg zich af of hij de laatste dagen wel had geslapen.

'Wat heb je van Al gehoord?'

'Hij zegt dat hij onschuldig is. Ondanks jouw foto's houdt hij vol dat hij nooit seksuele omgang met prostituees heeft gehad.'

Lydia snoof. 'En wat is zijn verklaring?'

'Dat hij de dames tot het katholicisme bekeert.'

Lydia beet op haar lip om niet in lachen uit te barsten. Ze waren immers in een mortuarium. Het leek haar niet beleefd om hardop te lachen en zelfs niet om een beetje te giechelen. Ze keken elkaar aan en grijnsden naar elkaar. Ze had hem in tijden niet zo dicht bij zich gehad, alsof ze eindelijk weer in hetzelfde team zaten. Het gaf haar een geweldig gevoel.

Ze hoorde wat bewegen en gemompel vlak bij de deur, en toen ze zich omkeerde zag ze een grote zwarte man in een lange, zwartleren jas. Hij zag er heel stijlvol uit: van zijn puntige cowboylaarzen met gouddraad tot het grijze, zijden overhemd dat onder zijn kraag uit piepte. Zijn haar was getoupeerd in een gigantisch afrokapsel in jarenzeventigstijl en aan zijn vingers droeg hij verscheidene opzichtige ringen. Om hem heen liepen enkele mannen die bijna net zo gekleed waren als hij, maar geen van hen zo perfect. De glimlach verdween langzaam van Lydia's gezicht. Deze man moest Gator zijn.

Ze draaide zich weer naar Romero en het viel haar op dat ook hij Gators binnenkomst gadesloeg. 'Is het waar dat de moordenaar meestal naar de begrafenis komt?'

'Dat mochten we willen,' zei Romero. 'Dan waren ze gemakkelijker te vangen.'

'Heb je al met Gator gesproken?'

'O ja. Hij heeft een waslijst aan alibi's, die net zo lang is als zijn afrokapsel hoog. En hij zweert dat hij kapot is van verdriet.'

'Hmm. Waarschijnlijk omdat hij inkomsten derft.' Ze keek toe terwijl Gator door de kapel rondliep. Iedereen leek bang voor hem te zijn, maar de mensen knikten beleefd. Ze konden het zich niet veroorloven om hem te beledigen. Zelfs Susa knikte hem plechtig toe en hij drukte haar een rol bankbiljetten in de hand. Het was het minste wat hij kon doen en hij deed het waarschijnlijk voor het publiek. Lydia vroeg zich af of dat zich liet bedotten.

Alsof Gator haar had voelen staren, draaide hij zich om en keek haar recht aan. Ze voelde een koude rilling langs haar rug gaan. Of hij Glenda en Anna nou had vermoord of niet, hij leek in staat tot geweld jegens haar. Ze wilde wel in elkaar krimpen op haar stoel en verdwijnen, maar ze wist dat ze toch een keer met hem zou moeten praten. Ze had de bende beloofd dat ze alle aanwijzingen zou volgen. Ze bleef dus rechtop zitten en staarde zonder een spier te vertrekken terug. Ze zag dat Gators blik naar Romero gleed.

Romero knikte naar de pooier en Lydia zag tot haar verbazing dat Gator terug knikte.

'Jullie kennen elkaar?' fluisterde ze, met haar lippen zoveel mogelijk op elkaar geklemd.

'We hebben bij elkaar op de middelbare school gezeten,' zei Romero, terwijl hij wat onzichtbaar stof van zijn mouw veegde.

Lydia's mond viel open. 'Dat meen je niet.'

'We komen hier allebei uit de buurt.'

Lydia schudde haar hoofd. Ze kon zich hen geen van beiden als pubers voorstellen.

'Wij kennen de mannen die de wet overtreden ook beter dan de gemiddelde burger die niet in de problemen komt. Ik heb ze vaker in mijn auto.'

'Net als mij,' zei Lydia grijnzend.

'Ik zou jou ook niet tot de gemiddelde burger willen rekenen die niet in de problemen komt.'

Hij flirtte weer met haar. Ze waren allebei ofwel aan het bekvechten of aan het flirten en ze voelde zich een beetje schuldig als ze aan Jack dacht. Jack was spannend, knap en sexy, maar hij was er niet bepaald kapot van dat ze onderzoek deed naar Glenda's dood. Misschien waren zij en Jack wel te verschillend voor een succesvolle relatie. Niet dat ze geïnteresseerd was in Romero, verzekerde ze zichzelf, die stomme hormonen negerend.

De uitvaartdienst begon. De dominee had duidelijk geen idee wie Glenda was. Zo vreemd was dat niet. Lydia betwijfelde of ze sinds haar kindertijd ooit nog een voet in de kerk had gezet. De dominee las opmerkingen voor van Susa over Glenda's engelachtige karakter en vriendelijke aard. Lydia staarde naar Glenda's foto en vroeg zich af wat zij van dit alles gedacht zou hebben. Ze zou het waarschijnlijk prachtig hebben gevonden. Het idee dat ze verkeerd begrepen was – een goede moeder en een goede dochter – maakte deel uit van Glenda's mythische geloof in zichzelf. Als ze de realiteit onder ogen had moeten zien, had dat haar hele zelfbeeld vernietigd.

Naast haar heup voelde ze iets trillen. Ze keek Romero verwijtend aan en hij trok zijn wenkbrauwen op. Hij maakte geen aanstalten om de telefoon op te nemen. Ineens realiseerde ze zich dat het haar eigen mobieltje was en ze werd zo rood als een kreeft. Ze was vergeten het uit te zetten. De telefoon opnemen tijdens een begrafenis zou alle voorschriften uit het etiquetteboek met voeten treden en dat zou ze dan ook niet doen. Ze was dankbaar dat er niet een of ander hard afgezaagd deuntje uit schalde.

Lydia haalde haar mobieltje uit haar tas en drukte op het knopje aan de zijkant om hem uit te zetten. Ze kon het niet nalaten om te kijken wie er gebeld had. Emmanuel. Haar hart ging sneller slaan. Zijn telefoontje kon maar één ding betekenen: Al was weer op jacht.

# 20

Toen Emmanuel op de hoek van Metropolitan en Havemeyer stopte, stond Lydia daar al te wachten. Voor hij goed en wel was gestopt, sprong ze op de achterbank. Ze had de deur nog maar nauwelijks dichtgetrokken, of hij zoefde er alweer vandoor.

'Ben je hem kwijtgeraakt?' vroeg Lydia buiten adem. Ze greep haar camera vast en was dankbaar dat ze die in haar tas had meegenomen naar de begrafenis.

'We weten toch waar hij naartoe gaat?' Emmanuel reed op ongeveer tien centimeter langs een betonmolen.

'Juist.' Het was een beetje vroeg op de dag voor Al om op stap te gaan. Meestal wachtte hij tot het donker was geworden. Maar wie weet had hij de afgelopen dagen zo veel energie gekregen door thuis te blijven om niet in de problemen te komen, dat hij niet anders kon.

Emmanuel scheurde Metropolitan af naar de rivier. Bij Wythe sloeg hij links af en reed naar het zuiden.

Lydia tuurde angstvallig uit het raam. Het was gestopt met regenen en de zon dreigde van achter een donkere wolk tevoorschijn te komen. 'Gaat hij niet naar Kent Street?'

'Ik wil hem betrappen als hij de andere kant op gaat, zodat hij ons er niet van verdenkt dat we hem volgen.'

Geïmponeerd sperde Lydia haar ogen open. Ze stond ervan versteld hoe gewiekst Emmanuel in zo korte tijd was geworden. In de chassidische buurt ontweek hij een groot gezin van meisjes met identieke zwart-wit gestreepte jurken, dat om een kinderwagen heen dromde. Hij sloeg af, reed een straat verder richting Kent Street en ging naar rechts. Toen reed hij langzaam terug. Ze speurden allebei de zijstraat af naar een teken van Als auto. Lydia probeerde optimistisch te zijn. Ze vertrouwde op Emmanuels intuïtie, maar Al wist nu dat hij gevolgd werd, en ze kon niet geloven dat hij niet sluwer zou zijn.

Ze reden langs een kleine graafmachine en door een enorme plas. Ze passeerden een vrachtwagen die in beslag genomen auto's afleverde om geveild te worden, op het terrein van het politiebureau. En bijna hadden ze Als bruine suv gemist. Die stond bij het Grand Street Park tussen twee minibusjes geparkeerd. Dat was het parkje aan de rivier naast de fabriek van Domino Sugar, waar Glenda's lichaam was gevonden. Lydia huiverde terwijl Emmanuel op de rem trapte.

'Dit is perfect,' mompelde Emmanuel.

Ze reden langzaam langs de geparkeerde auto's en Lydia dook in elkaar. Een donkere suv kwam ineens achteruit van een parkeerplek rijden en Lydia schrok. Ze wist dat er heel wat suv's waren, maar het was wel erg toevallig om er een zo dicht bij Al te zien. Gelukkig vertrok de suv.

Lydia tuurde uit het raam naar Als auto toen ze die behoedzaam passeerden. 'Kijk uit dat hij ons niet ziet.'

'Maak je geen zorgen. Er parkeren hier heel wat taxi's. Ze wachten op een oproep.' Drie andere auto's met limousine- en taxinummerborden stonden met stationair draaiende motor in de zijstraat naar het park. Emmanuel ging achter de laatste staan. Er was maar één probleempje met hun geweldige parkeerplaats: ze zagen Als auto helemaal niet meer.

'We weten niet eens of hij er wel in zit,' zei Lydia gefrustreerd. 'En ik kan er niet langslopen, omdat hij inmiddels weet wie ik ben.'

'Ik zou het kunnen doen,' stelde Emmanuel voor.

Ze keek hem aarzelend aan. Hij had snel geleerd hoe je auto's moest volgen, maar ze was er niet zeker van hoe hij het te voet zou doen. Er waren speciale vaardigheden voor nodig om net te doen alsof je je neus niet in andermans zaken stak. 'Weet je zeker dat je er... klaar voor bent?'

'Ja. Ik zou ook wat foto's kunnen nemen, als je dat wilt.'

Lydia schudde krachtig haar hoofd. Ze liet niemand aan haar camera komen. Niemand. 'Mijn camera is een beetje ingewikkeld. Kom terug als je iets ziet, dan bedenken we wel wat.'

Emmanuel glipte de auto uit en gooide met een klap het portier dicht. Lydia hoopte dat zijn speurderstechniek wat subtieler zou zijn. Hij liep haar gezichtsveld uit en ze leunde met een zucht naar achteren. Ontspannen kon ze niet echt, maar Al wist nu wie ze was en hij zou doorhebben dat ze hem op heterdaad probeerde te betrappen als hij haar hier zag. Ze had geen andere keus dan het aan Emmanuel over te laten.

De schaduwen in het park werden langer. De gezinnen gingen naar huis en er arriveerden stelletjes bij het water, die vervolgens naar schaduwrijke plekjes verdwenen om met elkaar te vrijen. Lydia rekte haar hals om te zien of Emmanuel er al aankwam. Hij had allang weer terug kunnen zijn.

Eindelijk verscheen hij bij de auto. Hij opende het portier en stapte in. 'Ik ben langs zijn auto gelopen, maar er gebeurt daar niets.'

'Zit hij erin?' Ze vroeg zich af of Al hun was ontglipt.

'Er zitten twee mensen in, maar de ruiten spiegelden zo erg dat ik niet veel kon zien.' Emmanuel leek zenuwachtig, misschien omdat dit de eerste keer was dat hij zelf iemand schaduwde. Eerder had hij alleen hoeven rijden.

Ze verweet hem niet dat hij zenuwachtig was. Ze was uit de eerste hand getuige geweest van Als temperament en hij kon erg lelijk doen. 'De zon gaat onder. Misschien helpt dat.'

Ze bleven in de auto zitten wachten. Lydia haalde haar agenda uit haar tas en begon erin te bladeren. Ze schreef telefoonnummers over van visitekaartjes en stukjes papier die onder in haar tas lagen. Ze gooide vaak notities in haar tas en die bleven dan onderin liggen tot ze de tijd had om ze door te nemen. Emmanuel zocht de radiozenders af tot hij er een had gevonden die hem beviel. Het was een of ander Caribisch belprogramma. De stemmen klonken muzikaal. Lydia vond het moeilijk om te verstaan wat ze precies zeiden, maar de essentie kreeg ze wel mee. Een vrouw had problemen met de ontrouw van haar man. De dj zei dat zijn ontrouw haar doodvonnis kon betekenen. De vrouw begon te jammeren en te huilen. Daarna wist Lydia uit de vurige preek van de dj alleen het woord 'condooms' op te vangen. Het was moeilijk om niet aan Als vrouw Patricia te denken.

Lydia was nieuwsgierig wat Emmanuel ervan vond. 'Vind jij dat ze bij hem weg moet gaan?'

'Die vrouw?' Emmanuel haalde zijn schouders op. 'Dat hangt ervan af hoeveel kinderen ze thuis hebben. Sommige vrouwen gaan weg en dan hebben ze niemand meer om de kinderen te eten te geven.'

Lydia vermoedde dat de alimentatiewetten niet in elk land even strikt waren als in de Verenigde Staten. Ze vroeg zich af wat hij van het vreemdgaan van Al vond. In te veel culturen vond men dat de man daartoe het recht had, ondanks het leed dat het voor de vrouw en de kinderen veroorzaakte.

Achter de wolkenkrabbers van Manhattan, aan de overkant van de rivier, ging de zon als een oranje bal onder. De lucht zat vol paarse en roze strepen. Het zou een heel vredig tafereeltje zijn geweest, als het idee dat Al opwindende seks had met een prostituee in een auto in de buurt niet aan haar had geknaagd. Ze zat minder met de seks dan met het feit dat ze geen foto's kon nemen om hem erbij te lappen voor de rechtbank. Patricia verdiende de kans om met een man te trouwen die haar als vrouw respecteerde en haar leven niet in gevaar bracht. Lydia's camera lag eenzaam en verlaten op de bank naast haar.

'Ik loop er wel langs,' kondigde Lydia aan toen ze het niet langer uithield.

'Ik dacht dat je zei dat hij weet hoe je eruitziet.'

'Dat is ook zo. Maar het is nu donker en ik denk niet dat hij verwacht dat ik hier ben.' Ze zou haar camera moeten verbergen, zodat ze geen herinneringen bij hem opriep.

'Misschien moet je een hoed opzetten of zo,' stelde Emmanuel voor.

'Heb jij er een dan?'

Hij rommelde in zijn dashboardkastje en trok er een gigantische, gebreide muts in regenboogkleuren uit, die eruitzag alsof hij voor een reggaesmurf gemaakt was.

'Niet bepaald subtiel.' Iedereen in het park zou naar het idiote hoofddeksel kijken.

'Dan ziet hij je haar en gezicht tenminste niet.'

Emmanuel leek gekwetst te zijn door haar afwijzing, dus trok ze de baret uit zijn hand en nam hem mee. Toen ze de auto had verlaten, begon ze zich weer een beetje weerloos te voelen. Het park lag open en bloot voor haar. Er waren geen struiken om je achter te verstoppen. Ze zette de muts op en bedekte de kant van haar gezicht die het dichtst bij Als auto zou zijn. Zelfs haar moeder zou haar niet herkennen met dat ding op, verzekerde Lydia zichzelf.

Toen Lydia langs de suv wandelde, keek ze met opzet niet naar de auto, maar naar de rivier. Ze zag een zeilbootje naar zijn ligplaats varen. De lucht was inmiddels donkerpaars geworden. Toen ze de auto een paar meter was gepasseerd, draaide ze zich helemaal om en richtte haar onbedekte oog op Als suv. Zoals Emmanuel had gezegd, bewoog er in de auto niets, maar ze zag wel twee personen zitten. Was Al met een schone lei begonnen en bekeerde hij nu prostituees tot het katholicisme? Het leek niet erg waarschijnlijk. Maar misschien was hij in gezelschap van iemand die geen prostituee was. Lydia liep naar het water toe en deed net alsof ze snel een paar foto's van de Williamsburg Bridge maakte. Het was veel te donker en ze wist dat ze nooit zouden lukken. Toen ze het water zag, moest ze aan Glenda en haar tragische einde denken. De arme vrouw was vermoord en vandaag begraven. Als de man in de suv achter haar de moordenaar was, moest hij gestopt en gestraft worden.

Lydia keerde zich om en liep terug naar het parkeerterrein. De voorruit van de suv spiegelde nu niet meer en de straatlantaarn naast de auto was aangegaan. Lydia kon de twee gedaanten in de auto nu veel duidelijker zien. Ze zaten er vreemd bij, en hingen scheef in hun stoelen, alsof ze in slaap waren gevallen. Het hoofd van de vrouw op de passagiersstoel was naar voren gevallen. Lydia versnelde haar pas en hapte naar adem. Als je geen langeafstandschauffeur was, dan viel je niet om zes uur in slaap. Er klopte iets niet.

Ook al kon ze betrapt worden, ze moest dichterbij komen. Ze deed net alsof ze op de auto naast die van Al af liep en veranderde bij het raampje van de chauffeur van koers. Ze draaide haar hoofd toen ze ter hoogte van Als raampje was en keek naar binnen. Aanvankelijk was ze bang geweest om Al onder ogen te komen, maar nu was ze bang voor iets anders. Het eerste wat ze zag was het bloed, en toen wist ze het. Al was niet de moordenaar: hij was een van de slachtoffers geworden.

# 21

De zwaailichten van de politieauto's en ambulances kleurden het bakstenen gebouw naast het park pulserend bloedrood. Na alle vrijende paartjes te hebben verjaagd, zwermden mannen en vrouwen in blauwe uniformen uit over het hele park. Het was een déjà vu: hetzelfde park, andere slachtoffers. Toen duidelijk was dat het een lange avond zou gaan worden, gaf Lydia Emmanuel geld om naar de broodjeszaak in Berry Street te lopen en een paar broodjes als avondeten voor hen te halen. De politie zou hen beiden willen verhoren, maar eerst moesten de agenten voor Al en het andere slachtoffer zorgen. Lydia vroeg zich af of ze opnamen had aan de hand waarvan ze de moordenaar zou kunnen identificeren. Ze had de foto's op haar camera telkens weer doorgekeken, maar kon op het kleine scherm niets ontdekken wat zou kunnen helpen.

Tussen wat snelle happen van haar belegde ciabatta door dacht ze na over wat ze wist. Al was zelf naar Grand Street gereden, dus hij moest bij het park vermoord zijn. Er had niet veel tijd gezeten tussen het tijdstip waarop hij was gearriveerd en dat waarop Lydia en Emmanuel hem daar naartoe waren gevolgd. Dat moest dus het moment zijn waarop hij was vermoord. Er zat misschien vijf minuten tussen. Of het was gebeurd nadat zij waren aangekomen. Ze hadden zijn auto immers niet goed kunnen zien.

Ze probeerde zich alle mensen te herinneren die ze bij het park hadden gezien terwijl ze stonden te wachten, maar niemand was haar echt opgevallen. Het waren gezinnen, mensen die hun hond uitlieten, een paar auto's, en mensen die het park in en uit liepen. Wie zou het gedaan kunnen hebben? Wie had hem dood gewild? Het enige wat logisch was, was dat dezelfde persoon die Al had vermoord ook Glenda en Anna had vermoord.

Een neutrale politieauto stopte schuin bij de ingang van het park. Rechercheur Romero stapte uit en nam de plaats delict op. Een van de agenten benaderde hem, een kleine Afrikaans-Amerikaanse vrouw die Lydia eerder had ondervraagd. Hij boog zijn hoofd naar haar toe, terwijl zij hem kennelijk op de hoogte stelde van alle details. Toen de agente naar Emmanuels auto wees, zag ze Romero fronsen. Lydia was bang dat het hem zou irriteren dat ze opnieuw betrokken was geraakt bij een van zijn zaken, en dat zijn blijdschap dat hij een getuige van Als moord had daarbij in het niet viel. Romero kwam met grote passen naar de auto toe lopen. Hij had nog geen blik op Als lijk geworpen. Ze zat echt in de problemen.

Ze at het laatste hapje van haar ciabatta op en veegde snel haar gezicht af met het kleine servetje, dat eerder op een zakdoekje leek. 'Bereid je voor,' zei ze tegen Emmanuel.

Die gluurde door de voorruit. 'Ken je die agent?'

'Zeker weten,' zei ze.

Romero klopte met zijn knokkels op het raam.

Lydia probeerde te glimlachen toen ze op het knopje drukte om het raam te openen. Het ging langzaam naar beneden. 'Hallo, rechercheur Romero.'

Romero keek de auto rond en wierp een snelle blik op Emmanuel. Hij zou hem er later waarschijnlijk zo uit kunnen halen bij een confrontatie, als het moest, maar zijn aandacht was nu op Lydia gericht. 'McKenzie, ik dacht dat ik tegen je had gezegd dat je je buiten deze ellende moest houden.'

'Ik denk dat ik niet zo goed ben in bevelen opvolgen. Als je er nou "alsjeblieft" bij had gezegd...'

Emmanuel keek met open mond toe tijdens hun woordenwisseling. Lydia vermoedde dat hij al jong had geleerd dat het niet de moeite loonde om een grote mond te hebben tegen agenten. Het was jammer dat zijzelf die les niet ook had geleerd, maar Romero was niet zomaar iemand.

Romero's gezicht verstrakte en hij keek alsof hij iets wilde zeggen waar hij spijt van zou krijgen. In plaats daarvan snoof hij in de lucht. 'Wat is dat voor een geur? Een Italiaans broodje?'

Lydia deed het servetje in de papieren zak en knikte.

Romero legde zijn hoofd in zijn nek en lachte. De andere agenten keek naar hen en leken niet erg verrast om een rechercheur op een plaats delict te horen lachen. 'Je hebt naar die lijken gekeken en daarna eten besteld? Dat moet ik de jongens vertellen.'

'Het was etenstijd.' Misschien dachten sommige mensen dat het oneerbiedig was om vlak bij een plaats delict te eten, maar Lydia stierf van de honger. Bij de begrafenis had ze de hapjes gemist en ze wilde niet flauwvallen voordat ze haar hadden kunnen ondervragen.

Romero klopte op de zijkant van de auto. 'We maken nog wel eens een agent van je.'

'Natuurlijk.'

Romero opende het portier. Lydia moest opzijschuiven, zodat hij kon instappen. Hij wachtte geduldig tot ze zich weer had geïnstalleerd en begon te praten. Ze begon bij het moment dat ze het telefoontje van Emmanuel had gekregen en gaf de details van de achtervolging.

'Je liet Al volgen?' Romero keek naar Emmanuel, maar die zat weggezakt in zijn stoel.

'Ik dacht dat hij de schuldige zou kunnen zijn. Hij was duidelijk geschokt toen hij erachter kwam dat we foto's van hem hadden gemaakt.'

Romero's gezicht vertrok, alsof hij tegen haar wilde zeggen dat ze hem zijn werk moest laten doen, maar hij wist dat het geen zin had. 'Heb je iemand de auto zien naderen?'

Lydia gebaarde in de richting van Als auto. 'We hadden er niet echt goed zicht op. En het duurde een paar minuten voordat wij hier bij het park aankwamen. Ik denk dat de moordenaar in die vijf minuten kan hebben toegeslagen. Wanneer moet het gebeurd zijn volgens de patholoog-anatoom?'

'Zo'n exacte wetenschap is het niet. Die kan ons slechts een ruwe schatting geven.'

Het speet Lydia nu dat ze niet een beter plekje hadden gezocht om te parkeren. Als ze hadden geweten dat Al al dood was of op het punt stond vermoord te worden, zouden ze natuurlijk geen moeite hebben gedaan om zich schuil te houden.

Romero wees naar Lydia's camera. 'Je hebt toch een paar foto's genomen, of niet?'

'Natuurlijk. We waren hem aan het schaduwen.' De vraag verbaasde haar.

'Dan moet ik je camera in beslag nemen.'

'Wat?'

'Dat is bewijsmateriaal.'

'Wacht eens even...' begon Lydia. Ze probeerde de New Yorkse politie zo goed mogelijk te helpen, en dit was haar dank? 'Ik heb die camera nodig. Ik moet foto's maken voor mijn werk.'

'Leen dan maar een andere.'

'Geen sprake van.' Lydia sloeg haar armen over elkaar. 'Dan moeten jullie met mijn advocaat praten.' Ze was bang dat ze er nog écht een moest lenen ook.

Romero schudde zijn hoofd. 'Ik leen hem een paar uur en haal de foto's eraf. Daarna krijg je hem terug.'

'Ik stuur je de foto's wel, net als de vorige keer.'

'Waar ben je bang voor?'

'Ten eerste dat ik mijn camera niet terugkrijg. Ten tweede: de foto's zijn nog niet bewerkt.'

'Dus je wilt niet dat wij je mislukte foto's zien? Of staan er soms naaktfoto's van je vriend op?'

Die laatste opmerking negeerde Lydia. 'Ik zou er de voorkeur aan geven om je een paar zorgvuldig uitgekozen foto's te sturen, die licht werpen op de moord op Al.'

Romero keek naar de plaats delict, met zijn hoofd zat hij duidelijk al bij de taak die voor hem lag. 'Trouwens, kennen jullie de vrouw die bij Al Savarese was?'

Lydia zag het lichaam van de vrouw in de auto weer voor zich en ze had moeite met slikken. Haar broodje lag ineens niet meer zo prettig op de maag. 'Nee, ik dacht het niet. Maar ik heb haar ook niet goed bekeken.'

Romero haalde zijn schouders op. 'Jij lijkt iedereen te kennen die we op een brancard wegrijden, dus dacht ik dat ik dat maar even moest checken.'

Lydia snoof. 'Waarom zoeken jullie niet uit wie het is, in plaats van afhankelijk van mij te zijn om jullie werk te doen?'

Romero opende het portier en stapte uit. 'Stuur me die foto's om tien uur, of ik kom die camera persoonlijk halen.'

Lydia maakte een geringschattend gebaar naar hem en wilde dat ze het lef had om haar middelvinger op te steken. Ze kon het niet nalaten om te kijken hoe hij doelgericht naar Als auto liep. Die vent wist echt hoe hij de leiding over een plaats delict in handen moest nemen.

Haar mobieltje ging. Het was Jack. 'Hallo?' zei ze en ze vroeg zich af in wat voor stemming hij verkeerde. Net op dat moment reed er een politieauto met loeiende sirenes weg bij het park.

'Waar zit je?' vroeg Jack dwingend.

'Eh, bij Grand Street Park.'

'Heb je alweer problemen met de politie?'

Ze beet op haar lip. Ze probeerde er een gewoonte van te maken om in een relatie nooit te liegen. Soms roerde ze dingen niet aan die de ander van streek of ongerust konden maken, maar als ze geconfronteerd werd met een rechtstreekse vraag, kon ze niet liegen. 'Ik ben hier met Emmanuel. Al Savarese is vermoord en we hebben zijn lichaam gevonden.'

'Dus je volgde hem alweer? Ik dacht dat je klaar was met die zaak.'

'Zo'n beetje.' Er viel een lange stilte. Lydia vroeg zich af wat ze moest doen om hem gerust te stellen, zodat hij haar zou vertrouwen. Hij vond kennelijk al dat ze zichzelf in levensgevaar bracht als ze in een Lincoln zat en haar werk deed.

'Je bent het vergeten, of niet?' Jack klonk kregelig.

Lydia peinsde. Het was vandaag donderdag. Ze moest naar Glenda's begrafenis en daarna? O-o. Ze herinnerde zich nu dat ze had beloofd met Jack en een paar vrienden van zijn werk naar Lulu's te gaan om de promotie van zijn beste vriend te vieren. 'Jullie zijn zeker al zonder mij begonnen? Ik denk dat de politie me wel laat gaan als ik het vraag.'

'We zitten hier al een uur,' zei Jack. Hij wilde haar duidelijk een schuldgevoel bezorgen.

'Ik kan er over een kwartiertje zijn. Emmanuel kan me zo over de brug brengen.' Het laatste wat Lydia nu wilde was naar een kroeg gaan. Ze voelde zich moe en vies. Maar ze wilde Jack graag zien en meer van zijn vrienden ontmoeten.

Nadat ze had opgehangen bleef ze even rustig zitten, tot ze zich realiseerde dat ze Emmanuel alweer had gecharterd om haar te rijden. 'Het spijt me, Emmanuel, zou je het erg vinden om me te brengen?'

'Maak je geen zorgen. Heb je problemen met je man?' Lydia genoot ervan hoe Emmanuel 'man' uitsprak: uitgerekt en vet. 'Ik weet niet wat hij wil. Ik bedoel, toen we elkaar ontmoetten wist hij meteen dat ik voor een detectivebureau werk en prostituees fotografeer.'

Emmanuel gniffelde zachtjes. 'Mannen willen alleen dat hun vrouw veilig is.'

'Kennelijk.' Lydia diepte een kam en een lipstick op uit haar tas. Ze zou haar best doen om zich op te frissen. In haar zwarte jurkje kon ze zich best vertonen en het zag er gelukkig niet al te begrafenisachtig uit.

Lulu's was een bar die er bewust naar streefde om zijn status van bruine kroeg waar te maken. De eigenaars hadden voor de betimmering donker gebeitst hout gebruikt, de verlichting was gedempt en alle meubels waren tweedehands of van de straat geplukt. Het was er ouderwets en vies, helemaal niet het soort café waarvan je dacht dat jongens uit de financiële wereld zich ertoe aangetrokken zouden voelen. Maar dat was waarschijnlijk juist waarom mannen in pak er in drommen kwamen. Ze beschouwden het als cool om eens in een heel andere omgeving te zijn dan in hun kantoren vol chroom en staal.

Emmanuel zette haar precies voor de deur af en nam de gevel ongerust op. 'Je man zou je mee moeten nemen naar een leuker café.'

'Maakt niet uit. We blijven niet lang.'

Emmanuel reed hoofdschuddend weg. Lydia onderdrukte een grins toen ze naar binnen liep.

Ze keek de bar rond en kon Jack niet ontdekken tussen alle

andere witte overhemden en dassen. Het leek wel een zaken-conferentie uit Iowa die de verkeerde afslag had genomen bij het Jacob Javitts Center. Eindelijk zag ze hem. Hij was in gesprek met twee mannen die precies zo gekleed waren als hij en een blonde vrouw met een marineblauw mantelpakje. Lydia liep tussen de volle tafeltjes door en raakte voorzichtig zijn schouder aan. 'Hé,' zei ze zo zacht als mogelijk was in de drukke kroeg.

Jack stond enthousiast op van zijn stoel en gaf haar een natte zoen op haar mond die naar bourbon smaakte. Ze moest zich schrap zetten om niet om te vallen. Hij was flink aangeschoten. 'Jongens, dit is Lydia. Lydia, dit zijn Matt, Polly en Drew.'

Het drietal knikte naar Lydia. Ze deden geen enkele moeite om te verbergen dat ze haar onderzoekend aankeken. Bij nadere inspectie zag ze dat Drews gezicht vierkanter en olijfkleuriger was dan dat van Matt. Te oordelen naar hun identieke kapsels gingen ze naar dezelfde kapper, en ze kochten hun overhemden en dassen duidelijk bij dezelfde herenmodezaak.

'Sorry dat ik zo laat ben.'

Op de lege stoel lagen tassen en jasjes, maar niemand maakte aanstalten om ze eraf te halen. Lydia keek Jack aan en wachtte. Toen hij zich eindelijk realiseerde dat de spullen weggehaald moesten worden, begon hij de tassen en jasjes naar de verschillende eigenaren toe te schuiven.

Er kwam een geërgerd kijkende serveerster aan gesneld, in een minuscuul zwart broekje en een wit topje en met lange, blonde vlechten. 'Wat zal het zijn?'

Na zo'n afschuwelijke dag was het enige tegengif sterke drank. 'Een gin-tonic graag.'

De anderen bestelden meer whisky en bier en de serveerster liep haastig terug naar de bar.

Er viel een stilte aan tafel. Lydia was ervan overtuigd dat de details van haar dag het gesprek er niet prettiger op zouden maken, dus zat ze alleen maar een beetje te glimlachen en deed haar beste aardige-vriendin-imitatie. Drew draaide zich om en keek naar de televisie boven de bar, waar een honkbalwedstrijd op was. Polly speelde met het rietje in haar drankje en Jack pakte onder de tafel Lydia's been vast.

'Heb je de nieuwe partner al ontmoet? Volgens mij komt hij van het kantoor in DC. Ik heb gehoord dat hij van duiken houdt. Als je bij hem in de smaak wilt vallen, moet je het over duiken hebben,' zei Matt met luide stem. Hij had een heel duidelijk Long Island-accent.

'Ik heb nog nooit gedoken,' zei Drew, die zijn blik losmaakte van het scherm. 'Ik zwem niet.'

'Duiken is geweldig. Als mijn ouders met kerst naar Club Med gaan, gaan wij ook altijd mee, om te duiken.'

Jack, Polly en Matt begonnen de voordelen te bespreken van het Caribisch gebied boven Zuid-Amerika en het Groot Barrière Rif. Drew wendde zich af en keek weer naar de wedstrijd. Lydia wist niets van duiken en heel weinig van honkbal. Toen haar drankje kwam, pakte ze het glas dankbaar vast en ze dronk het veel te snel leeg.

Het gesprek ging daarna over nog meer mensen van hun kantoor die Lydia niet kende. De serveerster had het nog steeds druk en het zag er niet naar uit dat ze opnieuw langs zou komen om hun glazen bij te vullen. Lydia moest moeite doen om niet te geeuwen.

Polly betrapte haar toen ze heel erg moest gapen en keek haar meteen welwillend aan. 'Ik moet een taxi zien te pakken. We moeten morgen immers allemaal gewoon werken.'

'Natuurlijk, natuurlijk.'

Matt leek niet erg genegen om het gezelschap te verlaten, maar Jack stond al onvast op zijn benen. Ze betaalden de rekening gezamenlijk. Lydia schrok altijd van de prijs als ze in Manhattan iets ging drinken. Ze was blij dat ze voor haar ene gintonic maar tien dollar hoefde te betalen.

Het was niet moeilijk om in Delancey Street een taxi te krijgen. De straat was bijna een zee van geel. Lydia zwaaide ten afscheid naar Jacks vrienden van het werk en duwde hem in een taxi. Die bracht hen terug over de Williamsburg Bridge. Tegen de tijd dat ze midden op de brug waren, lag Jack heerlijk te slapen. Hij snurkte als een oude man met een ernstige voorhoofdsholteontsteking. Ze gidste de taxi naar haar voordeur, om daar te ontdekken dat ze geen contant geld meer had. Ze moest in Jacks zakken naar zijn portefeuille zoeken om de taxi te betalen.

'Oké, Jack, tijd om naar binnen te gaan,' zei ze onverbiddelijk, terwijl ze hem wakker schudde.

Hij keek met waterige ogen om zich heen. 'Ik ben zo geil,' mompelde hij. 'Ik heb je gemist, schat.'

De taxichauffeur keek uit het raampje en deed net alsof hij het niet hoorde.

'Dat is geweldig, lieverd. Maar eerst moet je uitstappen.'

Jack geeuwde en strompelde de taxi uit. Ze hing zijn arm om haar nek en het lukte haar hem zonder al te veel problemen naar binnen te krijgen. Eén keer wankelde hij naar achteren toen ze de trap op gingen, en even was ze bang dat ze daardoor allebei zouden vallen, maar hij wist zijn evenwicht net op tijd te herstellen. Ze hielp hem naar de bank toe en deed een schietgebedje dat hij niet overal zou overgeven. Ze zou waarschijnlijk zelf uit solidariteit mee hebben gedaan. Ze was doodmoe. Jack ging liggen en viel meteen weer in slaap, nog steeds in zijn werkkleren.

De kat wachtte in de keuken tot Jack sliep en kwam toen aarzelend naar Lydia toe. Hij wond zijn staart om haar enkel.

'Dag, kat,' zei ze en ze aaide hem achter zijn oren.

Hij snorde bemoedigend en ze voelde zich tevredener dan ze zich de hele dag had gevoeld. En terwijl er gesnurk als een aardbeving van haar bank kwam, moest ze toegeven dat het toch ook wel voordelen had om een kat te hebben.

# 22

Toen ze de volgende ochtend bij de D'Angelo's arriveerde, moest ze in haar tas naar haar sleutel zoeken om de deur te openen. Ze droeg een rode wikkeljurk waarin ze zich mooi voelde in plaats van dat ze wenste een broek aan te hebben. Frankie was er nog niet. Meestal was hij haar voor. Hij las graag als eerste de krant en het gaf hem het excuus om vroeg te vertrekken. Maar het was niet zomaar een ochtend en bij het café had ze een glimp opgevangen van het dagblad dat Frankie graag las. De grote kop luidde DUBBELE SEKSMOORD IN WILLIAMS-BURG. Ze wist dat het artikel over de moord op Al ging en had een krant gekocht. Ze stelde zich voor dat Frankie, Leo en Mama hun nicht terzijde stonden. Als er iets gebeurde in de familie D'Angelo, hadden ze de neiging beschutting bij elkaar te zoeken en veel eten te maken.

Ze ging met haar koffie achter haar bureau zitten en sloeg de krant open bij het bewuste artikel. De tranen sprongen haar in de ogen toen ze de naam van de prostituee las: Josefina Lopez. Lydia herinnerde zich haar, het kleine, bange meisje dat de bus in was gekomen. Ze had meer nodig gehad dan alleen een uitstrijkje, maar ze had hun hulp uit angst geweigerd. Lydia dacht dat Josefina bang was geweest voor Gator en ze vroeg zich af of hij haar had vermoord. Ze was nog zo jong geweest en Lydia had haar echt willen helpen. Ze legde haar hoofd op haar bureau en begon te huilen. Huilen zou de zaak echter niet oplossen en maakte haar bureaulegger wel erg vochtig. Ze probeerde hem met papieren zakdoekjes droog te deppen en daarna spetterde ze op het toilet water op haar gezicht. Ze ging weer achter haar bureau zitten, haalde diep adem en las verder over Josefina. Er werd niet veel informatie over haar familie gegeven; in het artikel stond alleen dat ze zeven straten verderop was overleden vanwaar ze was opgegroeid. Ze was een meisje uit Williamsburg. Sinds haar veertiende was ze ontwenningsklinieken en daklozenopvangtehuizen in en uit gegaan. Ze had een treurig leven gehad en een nog treuriger dood. Ze had het niet verdiend om te sterven.

Er was een voicemail ingesproken op Lydia's mobieltje en ze vroeg zich af of Candi en de andere vrouwen het nieuws al hadden gehoord.

'Stuur me die foto's nu, of ik kom je camera halen.'

Lydia trok een lelijk gezicht naar haar mobieltje, nadat ze Romero's berichtje had afgeluisterd. Voordat ze zwichtte voor Romero's bedreigingen en gezeur wilde ze de foto's die ze gemaakt had goed bekijken. Ze was te misselijk en te verward geweest om er veel te nemen, maar ze had er een paar van de auto gemaakt toen ze aankwamen en van de lijken in de auto voordat de politie was gearriveerd. Al met al maar vijf goede opnamen om Romero te sturen. Die mailde ze naar hem en ze hoopte dat hij ze bruikbaar genoeg vond en niet verder door zou zeuren.

Tien minuten later ging haar telefoon. Romero's naam verscheen op het display.

'Ik heb je foto's gekregen en ik kan me niet voorstellen dat dat alles is wat je hebt genomen.'

Lydia fronste haar voorhoofd. 'Ik werd een beetje in verwarring gebracht door het bloed. Ik ben er niet zo aan gewend als jij.'

'De foto's laten niets zien. Ik kan geen enkel kenteken lezen,' klaagde Romero.

'Sorry. Ik had je toch gezegd dat we er ver vandaan geparkeerd stonden.' Ze trommelde geïrriteerd met haar vingers op haar bureau. Ze had foto's van de moord afgeleverd van vóór het tijdstip waarop de politie arriveerde, en nu kreeg ze dit als dank.

'Je moet vandaag op het bureau komen.' Romero klonk heel zakelijk.

'Hoezo? Je hebt me gisteren verhoord en ik heb je alles verteld wat ik weet.'

'We willen je verhaal opnieuw doornemen.' Zijn stem klonk killer dan de Noordpool.

Lydia huiverde. Ze zat echt in de problemen. Romero stond er maar zelden op dat ze naar het bureau kwam. Ze wist dat de politie onder grote druk van de politiek stond om de moordenaar te vangen. Eerst waren het prostituees geweest, maar nu er een klant was vermoord, kon ze zich voorstellen dat alle politici en bobo's nerveus begonnen te worden. Ze wilden resultaten zien voordat hun kiezers in opstand kwamen.

'Om vijf uur?' Ze wist dat ze de boel traineerde, maar ze zou een verhoor op dit moment niet aankunnen. Het nieuws over Josefina's dood had haar te erg aangegrepen. Bovendien had ze die week al te veel werk moeten laten liggen.

'Best, best.'

Het leek alsof Romero met zijn hoofd alweer bij een andere zaak of een andere verdachte zat. Lydia vroeg zich af wat hij echt van haar wilde. Misschien wilde hij het gesprek alleen maar als bewijsmateriaal opnemen.

Ze begon zaken te archiveren die officieel afgesloten waren.

Dat karweitje nam niet veel tijd in beslag. De D'Angelo's hadden een aantal zaken in behandeling en veel telefoontjes die nog beantwoord moesten worden, maar ze leken er geen haast mee te maken om aan de slag te gaan. Leo was druk met zijn date en Frankie was zoals altijd zijn luie zelf. Als ze het bedrijf helemaal in het slop lieten raken, zou ze op zoek moeten naar ander werk. Dat zou jammer zijn. Ondanks al haar klachten over de D'Angelo's was ze aan hen gewend geraakt. Ze hadden hun nukken en het werk was zeker niet altijd opwindend. Ze vond het archiveren, factureren en onkostenverslagen opstellen zo saai als wat, maar ze had manieren ontdekt om het minimale te doen terwijl ze dachten dat ze zo efficiënt was en haar erom prezen.

Rond elf uur stond ze op van haar stoel en rekte zich uit. Ze checkte haar mobieltje en zag dat ze een telefoontje had gemist. Ze vroeg zich af of het Jack was geweest, en haar hart sloeg over. Toen ze die ochtend wakker was geworden, was hij al weg. Hoewel hij de avond daarvoor dronken was geweest, was hij er toch in geslaagd zich op de gebruikelijke tijd uit bed te slepen.

Het bericht was van de dierenarts. 'We denken dat we misschien een nieuw baasje voor de kat hebben. Bel ons alsjeblieft terug als je dit bericht hebt ontvangen.'

Lydia had uitgelaten moeten zijn. Ze wilde immers geen kat! Maar ze herinnerde zich de warme begroeting die ze de avond daarvoor had gekregen. Ze zou zich niet aan het beest hechten, maar zelfs zij kon zien dat het een speciale kat was. Hij had haar tenslotte het leven gered. Het laatste wat ze wilde was dat hij naar een gezin zou gaan waar ze niet goed voor hem zouden zijn. Voordat ze de kat overhandigde zou ze controleren wat voor mensen het waren. Ze was hem te veel verschuldigd.

In gedachten verzonken hoorde ze het mobieltje in haar hand overgaan. Het was Princess.

'Wat is er mis met die klootzakken? Ze zouden een moordenaar nog niet kunnen vangen als die in hun kont beet.'

Het klonk alsof Princess niet alleen behoorlijk teleurgesteld was, maar ook pisnijdig. Lydia was blij dat ze geen politieagent was.

'Josefina was onze zuster. Is niemand dan veilig?'

Lydia zag ervan af haar te vertellen dat prostitutie een gevaarlijk beroep was, omdat ze zich daar al helemaal niet beter door zou voelen. 'Ik vind het heel erg voor je. Ik heb Josefina in de bus ontmoet en ze leek me een lief meisje.'

Princess snoot haar neus. 'Dat was ze zeker. Ik kende haar al sinds ze een baby was.'

Lydia schraapte haar keel. 'Ik volgde de auto waar ze in zat en ik denk dat ik aankwam toen ze net vermoord waren.'

'Niet snel genoeg,' zei Princess wanhopig.

Nee, het was niet snel genoeg geweest om hun levens te redden. Ze was weer eens te laat gekomen en had alleen nog maar getuige kunnen zijn. Ze herinnerde zich dat ze bij het park stopten toen ze Als auto hadden opgemerkt. Net op dat moment was er een donkere suv weggereden. Ze had geen idee waarom haar dat was ontschoten. Gator had zo'n donkere suv, maar ze had niet kunnen vaststellen of het zijn persoonlijke kentekenplaat was. Volgens sommige berichten was hij gewelddadig en lui, en misschien was hij er om een of andere reden mee begonnen de prostituees te doden die voor hem werkten. Ze moest hem echt natrekken. 'Josefina werkte zeker voor Gator, hè?'

Princess kreunde.

Lydia beschouwde dat als een bevestiging. 'Kun je ervoor zorgen dat ik hem kan ontmoeten?'

Er viel een lange stilte. Lydia kon Princess horen ademen. Ze dacht kennelijk na.

'Denk je dat hij het heeft gedaan?'

'Ik weet het niet. Vlak na het moment waarop ze moet zijn vermoord, zag ik een auto die op die van hem leek.'

'Veel mensen rijden in suv's,' zei Princess.

Lydia herinnerde zich dat Princess er ook één had. 'Ik heb op dit moment verder niet veel aanknopingspunten en ik zou hem graag een paar vragen stellen.'

Princess liet een lange zucht ontsnappen. 'Ik ga met Cilla praten en dan zie ik wel wat ik kan doen.'

Toen Lydia had opgehangen, kwam Leo het kantoor binnen. Hij zag er uitgeput uit. Hij begon de post door te nemen en het drukwerk weg te gooien.

'Hoe is je nicht eronder?' vroeg ze.

'Naar omstandigheden gaat het redelijk. Mijn moeder en Frankie zijn nog steeds bij haar.' Hij gooide één poststuk in het postvakje en drie in de prullenmand. Opgeruimd staat netjes!

'Dat is mooi. Op zo'n moment als dit heeft ze haar familie nodig.' Lydia friemelde aan het dossier op haar bureau waar alle details van Als ontrouw in stonden. 'Wat moet ik doen met alles wat we over Al hebben verzameld?'

'Weggooien. Nu Patricia weduwe is, heeft ze geen echtscheiding meer nodig.' Leo gooide de laatste reclamebrief weg en ging achter zijn bureau zitten.

Al mocht dan een rondneukende smeerlap zijn geweest, Leo's houding leek een beetje harteloos. Ze vroeg zich af of de D'Angelo's in staat waren zich van iemand te ontdoen die hun familie onrecht had aangedaan. Ze achtte hen ertoe in staat. En door hun ervaring als privédetectives konden ze waarschijnlijk wel uitvogelen hoe ze niet gesnapt zouden worden. Maar ze betwijfelde of ze de prostituees ook vermoord zouden hebben. Ze hadden altijd iets beschermends als het om vrouwen ging, en de prostituees hadden immers niets gedaan om hun familie schade te berokkenen.

'Als je Patricia nu hoort,' zei Leo gniffelend, 'dan lijkt ze ervan overtuigd te zijn dat ze met een heilige was getrouwd die de marteldood is gestorven.' Lydia schudde ongelovig haar hoofd. Kennelijk was het gemakkelijker om jezelf voor de gek te houden dan de waarheid over je huwelijk onder ogen te zien. 'De politie heeft om kopieën van mijn foto's gevraagd.'

'Goed. Help ze maar met wat ze nodig hebben om de vent te vangen die hem heeft vermoord. Hij was tenslotte familie.' Al was weer in de gratie bij de familie nu hij was vermoord. Het was allemaal heel ironisch. Maar één ding was zeker: hij kon niets meer doen om hen te schande te maken.

# 23

Na haar werk sprong Lydia op haar fiets om naar het politiebureau te gaan. Met Romero praten was het laatste wat ze wilde, maar ze moest haar best doen om hem alle informatie te geven die ze had. Ze vroeg zich af of de politie zich drukker maakte
om Al dan om Josefina. De pers duidelijk wel. Patricia was, hartverscheurend huilend, op het nieuws geweest en de journalis-
ten hadden haar opmerking dat Al zo'n lieve man was geweest
voor zoete koek geslikt, zonder nader onderzoek te doen. Lydia was zich ervan bewust dat de politie wel beter wist, maar
het gaf haar nog steeds een wat ongemakkelijk gevoel als ze
daaraan dacht.

Lydia vertelde de brigadier wie ze was en ging zitten wachten. Een paar minuten later kwam Romero naar beneden.

'Bedankt dat je bent gekomen,' zei hij.

Lydia grijnsde. Het klonk alsof hij zichzelf niet was. Ze liep
hem door de hal achterna naar een vergaderzaal en vroeg zich
af wat hij van plan was. De eerste keer dat ze Romero had ontmoet, was ze in zijn kamer verhoord, en dat was ook niet goed
verlopen. Ze wilde dat ze wist waar hij op uit was.

Romero rangschikte de foto's die ze gemaakt had op de tafel, zodat ze allemaal zichtbaar waren, en zette met een klik de bandrecorder aan.

'Dit gesprek met Lydia McKenzie wordt opgenomen.' Hij noemde datum en tijd en vroeg of Lydia wist dat het werd opgenomen.

Ze rolde met haar ogen. 'Ja.'

'Bevestig je dat je deze foto's hebt genomen?'

Lydia zei dat ze die de avond daarvoor had gemaakt en vertelde wat ze had gedaan.

'En je chauffeur Emmanuel Jordan verliet de auto om halfzeven en bleef een halfuur weg?'

'Ja, ik ging er niet zelf naartoe om te kijken, omdat ik bang was dat Al me zou herkennen.'

'Kon je meneer Jordan toen zien of horen?'

'Nee, ik kon hem niet goed zien. Maar hij liep langs de auto en toen hij terugkwam vertelde hij me erover.' Lydia voelde zich van de wijs gebracht. Emmanuel was lang weg geweest, maar ze was ervan overtuigd dat hij alleen maar wat had gekeken bij de auto.

Romero maakte een notitie. 'Was meneer Jordan ook bij je op de plaats delict van een andere moord?'

'Niet bij Glenda's dood. Ik was er toen zelf ook niet. Ik heb haar alleen gevonden. Maar hij was bij me vlak voordat Anna werd vermoord. We zijn daar toen samen vertrokken.'

'Dus je hebt hem niet meer gezien nadat hij jou naar huis had gebracht? Hij kan terug zijn gegaan naar die plek.'

Toen Lydia niet meteen antwoord gaf keek Romero op. Hij had weer een uitdrukkingsloos gezicht en Lydia had het gevoel dat ze niet wist wie hij was. Ze was ontzet. 'Wat wil je daarmee zeggen? Dat Emmanuel een moordenaar is?' Ze schudde haar hoofd. 'Hij was daar juist door mij. Waarom zou hij prostituees of Al willen vermoorden? Dat is absurd.'

'Wil je alsjeblieft gewoon de vragen beantwoorden?'

Lydia voelde zich misselijk worden. Als Emmanuel door haar moest hangen, zou ze het zichzelf nooit vergeven. Het rechtssysteem in dit land was er berucht om dat het zwarte mannen erbij lapte. Emmanuel was een goede vent met een veelbelovende toekomst als pas geïmmigreerde Jamaicaan. Hij verdiende het niet om voor allerlei moorden op te draaien. 'Ik hoop dat je in je poging om dit een onschuldige man in de schoenen te schuiven niet vergeet je vriendjes van de middelbare school te verhoren,' zei Lydia smalend. Ze wist dat dat geen eerlijke opmerking was, maar ze was niet blij met de kant die het onderzoek opging.

Romero's neus ging omhoog, alsof hij net iets heel vies had geroken. 'We trekken gewoon alle aanknopingspunten na.'

'Geweldig, dat moet je doen. Had je verder nog iets nodig?'

'De rest van de foto's die je hebt genomen,' zei Romero botweg.

Lydia sloeg haar armen over elkaar. 'Die waren net zo, vrees ik. Ik heb ze weggegooid nadat ik deze had bewerkt.'

'Dan neem ik je camera in beslag om dat te controleren.'

Lydia keek Romero ongelovig aan. Ze wilde dat ze tegen hem kon zeggen dat hij de boom in kon, om vervolgens naar buiten te lopen, maar ze wist dat ze haar het leven heel zuur konden maken als ze dat wilden. Met trillende handen haalde ze de camera uit haar tas en zette hem op tafel. Ze had zuinig aan gedaan en hard gespaard om die camera te kunnen kopen en ze kende hem door en door. Ze had hem altijd bij zich en was eigenlijk niet van plan er nu afstand van te doen. 'Als je ook maar één krasje op mijn camera maakt, dan eis ik een nieuwe van de New Yorkse politie.' Door de lichte trilling in haar stem kwam het niet dreigend over.

Romero schoof een ontvangstbewijs naar haar toe dat ze moest ondertekenen, en ze krabbelde haar naam eronder. Haar handschrift was zo slordig dat ze het nauwelijks als het hare kon herkennen. Haar hand trilde te erg.

'Dit onderhoud wordt nu beëindigd.' Romero zette de bandrecorder uit en ging staan als een marinier, wat hij waarschijnlijk ook was geweest.

Lydia verwachtte bijna dat hij zijn excuses aan zou bieden nu het onderhoud officieel voorbij was, maar ze zag dat hij niet van plan was dat te doen. Ze kon zich niet indenken dat ze ooit kwader op hem was geweest. Als ze niet had willen achterhalen wie Glenda's moordenaar was, zou ze hem uitgedaagd hebben om haar te arresteren. Dan had ze geweigerd hem haar camera te geven. En dan had ze zeker geweigerd zijn idiote vragen over Emmanuel te beantwoorden. Ze ging staan met alle waardigheid die ze in zich had. 'Veel succes, Romero. Het ziet ernaar uit dat je dat wel kunt gebruiken.'

Toen ze op haar fiets zat, liet haar mobiele telefoon met een piep weten dat er een sms'je was binnengekomen. Ze opende het en zag dat haar hand nog steeds trilde. Jack schreef dat hij die nacht in zijn eigen flat zou doorbrengen om wat slaap in te halen. Ze realiseerde zich dat ze hem de hele dag niet had gesproken. Toen ze net verkering hadden, ging er geen uur voorbij zonder dat ze elkaar belden of sms'ten. Tussen de regels leek het alsof hij wilde zeggen dat ze allebei meer ruimte nodig hadden. En iedereen weet dat vragen om meer ruimte betekent dat je uit elkaar wilt. Lydia wilde hem bellen, maar zijn sms'je suggereerde dat hij geen contact wilde. Ze moest de mening van iemand anders daarover horen en zich op iets anders richten dan op haar camera en Romero.

Terwijl ze op Broadway voor haar op slot staande fiets ijsbeerde, toetste ze Georgia Rae's nummer in. Georgia klonk overdreven vrolijk, maar zij struikelde ook niet de hele week al over lijken en werd niet verhoord door de politie. Lydia vertelde haar het verhaal van het sms'je en het rampzalige doorzakken met Jacks collega's.

'Klinkt als *trouble in paradise*, schat.'

'Maar denk je dat hij me de bons geeft?' Lydia beet een stukje van haar duimnagel af. 'Ik bedoel, ik was heel kwaad op hem dat hij de baas over me wilde spelen, maar ik wil niet aan de kant gezet worden.'

'Zo goed ken ik Jack niet,' begon Georgia, 'maar het leek laatst wel of hij echt gek op je was.'

Georgia probeerde haar te helpen, maar ze had Jack natuurlijk pas één keer ontmoet. Nu hij haar afpoeierde kon Lydia alleen maar aan al zijn geweldige eigenschappen denken. Hij was knap. Hij was intelligent. Hij was niet platzak. Hij maakte mooie schilderijen. Ze hadden zo veel gemeen. 'Wat moet ik doen?'

'Hem wat ruimte geven natuurlijk. En morgen bel je hem op en bied je je excuses aan voor je vreselijke premenstruele syndroom laatst in de kroeg. Dat geloven mannen altijd.'

'Oké, bedankt,' zei Lydia.

'Hé... heb je gelezen over al die hoeren die vermoord worden? Wat denkt je vriend bij de politie dat er aan de hand is?'

'Dat weet ik niet zeker,' was het smoesje waarmee Lydia haar afscheepte. Georgia was echt een heel goede vriendin, maar ze roddelde graag. Het gaf Lydia geen goed gevoel om haar te vertellen over de bende, over Al en alle vrouwen. Het zou kunnen dat ze het de hele buurt rondbazuinde. Ze wilde haar ook niet over haar ruzie met Romero vertellen. Dan koos Georgia Rae misschien zijn kant en werd zij ook nog boos op haar. 'Het heeft te maken met een zaak waaraan ik voor de D'Angelo's werk. Romero en Jack zijn nijdig dat ik erbij betrokken ben.'

Ze hoopte maar dat Georgia gelijk had, en dat het er morgen allemaal weer anders uit zou zien. Jack was de leukste vriend die ze in jaren had gehad en nu liet ze hem schieten, alleen maar omdat hij bezorgd om haar was en omdat de vrienden van zijn werk saai waren. Elke jongen had wel een paar sukkels van vrienden en hopelijk zou hij haar op een dag leren vertrouwen. 'Wat bedoel je met "erbij betrokken zijn"? Kende je hen? Was je erbij?'

'Het ligt een beetje gecompliceerd,' zei Lydia. Ze zocht naar een excuus. Er zoefde een grote vrachtauto voorbij die haar het spreken even lastig maakte. 'Ik kan hier echt niet praten.'

'Het herinnert me aan een stuk waar ik vorig jaar in speelde.' Georgia had een hoofdrol gehad in een musical over geweld tegen vrouwen. De producenten hadden gehoopt dat die Broadway stormend zou veroveren, maar tot haar grote verbijstering werd de show al na een paar weken van de programmering af gehaald. Kennelijk was de wereld er niet aan toe om vermaakt te worden met liedjes over vrouwen die in elkaar geslagen werden. 'Prostituees zijn zo kwetsbaar. Er worden steeds vrouwen vermoord en de politie doet er niets aan. Iedereen doet net alsof ze er zelf om gevraagd hebben. Alsof ze hoer zouden zijn als ze de keus hadden...'

Lydia probeerde zich voor te stellen wat Glenda gedaan zou hebben als ze alles had kunnen worden. Met haar talent om verschillende persoonlijkheden aan te nemen, had ze best actrice kunnen zijn. Of, met al haar handigheid om aan geld te komen, zakenvrouw. Anna zou met haar vriendelijke karakter en liefde voor kinderen een geweldige leerkracht zijn geweest. En Josefina? Van haar wist Lydia niets en ze was nog steeds verdrietig over haar dood. Geen van hen had het voordeel van een goede opleiding gehad en geen van hen had ooit een alternatief gezien. Het was tragisch.

Lydia en Georgia maakten de voorlopige afspraak om later die week samen te eten. Lydia vond het vreselijk als ze elkaar weken niet zagen. Ze miste het om met Georgia te praten en verhalen over haar idiote leven te horen. Misschien moest ze maar highlights laten zetten in de salon van Georgia, zodat ze gezellig samen waren.

Lydia borg haar mobieltje op en pakte haar fiets. Ze begon langzaam naar huis te fietsen. Op een hoek stonden een paar te zwaar opgemaakte hoeren in krappe jurkjes. Lydia wilde stoppen en zeggen dat ze deze week vrij moesten nemen en dat ze moesten wachten tot de moordenaar gepakt was, maar ze betwijfelde of ze haar waarschuwing op prijs zouden stellen. Ze was ervan overtuigd dat ze het geld dat ze die avond zouden verdienen keihard nodig hadden, anders zouden ze er niet staan.

Een straat verderop rinkelde Lydia's mobieltje en haar hart sloeg over bij de gedachte dat het Jack was om te zeggen dat hij van mening was veranderd. Ze stopte langs de stoeprand en viste het mobieltje uit haar zak. Ze herkende het nummer niet, maar nam wel op.

'Met Cilla. Princess zei dat je Gator wilde spreken.'

Er reed net een trein over het verhoogde spoor boven Broadway en Lydia moest wachten tot die voorbij was voordat ze iets terug kon zeggen. 'Ja, dat klopt. Denk je dat je dat zou kunnen regelen?'

'Hij heeft vanavond een feestje thuis voor cliënten. Maar je moet me beloven dat je hem niet boos zult maken, oké? Hij blijft mijn neef en hij doet veel voor de familie.'

Lydia bedacht dat Gator waarschijnlijk elke vraag als een aanval zou beschouwen, maar ze kon de kans niet laten schieten. Ze moest er maar het beste van hopen. 'Laat me maar weten waar en wanneer, dan zorg ik dat ik er ben.'

# 24

Lydia had opmerkelijk weinig keus als het om supersexy kleding ging. Ze was bang dat ze door bescheiden kleren te veel op zou vallen op het feestje van een pooier. Ze had iets heel miniems nodig, waardoor ze veel decolleté en veel been liet zien. Ze trok schooljufachtige blouses, rokken tot over de knie en jurken die niet pasten tevoorschijn en keurde ze allemaal af. Een nauwsluitende paarse jurk met een kokette rok ging op de misschien-stapel, maar zag er een beetje te conservatief uit. Ze duikelde een met lovertjes bedekt topje met een laag uitgesneden ronde hals op, dat ze helemaal was vergeten. Veel punten voor decolleté kreeg het niet, maar flitsend was het zeker. Ze vond ook een zwart minirokje dat haar achterste nauwelijks bedekte. Toen ze het paste herinnerde ze zich de reden dat het onder in haar kast was beland. De laatste keer dat ze het had gedragen, had ze de mannen van zich af moeten slaan. Het was echt perfect.

De zoektocht door haar verzameling schoenen was een beetje frustrerend. De kat hield even op met zijn snoet wassen om te kijken wat ze aan het doen was. Eindelijk vond ze een geschikt paar, met zilveren punten en met zeven centimeter hoge hakken. Ze hield de schoenen omhoog, zodat de kat ze kon zien.

'Aha! Zijn ze niet perfect?'

De kat staarde haar alleen maar aan. Hij begreep de fijne kneepjes van de menselijke mode duidelijk niet. Ze was ervan overtuigd dat ze aan het eind van de avond zou vergaan van de pijn aan haar voeten, maar het zou het waard zijn. Ze slaagde erin een panty op te duikelen waar geen ladders in zaten en die niet te klein was en kleedde zich aan. Ze hield haar make-up subtiel, maar deed wel een beetje rode lipstick op. Het effect was geweldig. Ze trok een gezicht naar zichzelf in de spiegel. Haar spiegelbeeld herinnerde haar aan die meisjes op de hoek die op klanten wachtten. Zou zij bereid zijn om voor geld met vreemden naar bed te gaan? Gelukkig had ze die keus nooit hoeven maken en hopelijk zou ze dat ook nooit hoeven doen. Ze veronderstelde dat ze alles zou doen om te overleven als ze maar genoeg honger had.

Haar telefoon ging en ze stormde erop af, in de verwachting dat het Cilla was. Maar het waren haar ouders.

'Hoi schat! Je raadt nooit waar we zijn!'

Lydia grijnsde. Ze was dol op haar ouders en meestal was ze blij van hen te horen. Ze vond het vreselijk om tegen hen te zeggen dat ze haast had, omdat ze hen dan misschien kwetste. Ze probeerde zich te herinneren waar ze hun laatste ansichtkaart vandaan hadden gestuurd. Het was moeilijk om hun camperavonturen bij te houden, omdat ze geen vast adres hadden. 'Idaho?' raadde ze.

Haar vader lachte, die grappige bulderlach waar ze altijd om moest glimlachen. 'Dat was vorige week. Heb je onze kaart gekregen?

'Ja, die met de enorme aardappel, toch?' Hulpeloos keek Lydia naar haar aanrecht. Het lag vol met reclamedrukwerk.

'We hadden er een aanwijzing op gezet.'

Lydia stond in haar keuken met haar sexy pakje aan en was blij dat haar vader haar niet kon zien. Ze kon niet bedenken wat haar vader bedoelde. Voordat ze te lang zou nadenken, had haar moeder de hoorn al gepakt. 'Alles goed met je, lieverd?'

Lydia wilde dat ze haar de waarheid kon vertellen. Er werden vrouwen vermoord die ze kende. Ze zou naar een feestje gaan in de hoop er een pooier te ontmoeten en erachter te komen of hij de moordenaar was. Maar ze wist dat die informatie haar ouders heel ongerust zou maken en ze wilde hen niet van streek maken. Dan liep ze de kans dat ze idiote dingen gingen doen, zoals met de camper naar Brooklyn rijden.

'Ik wilde net uitgaan...'

'Och, schat. Dan zullen we je niet ophouden. We wilden alleen even bellen en je de hartelijke groeten uit Des Moines doen.'

Pas toen Lydia had opgehangen, was ze erachter wat haar vaders aanwijzing op de kaart had betekend. Geboorteplek verwees naar zijn geboorteplaats. Ze waren naar Des Moines gegaan om de plaats te bezoeken waar hij was geboren. Ze lachte bij zichzelf. Ze hield van haar vaders gekke gedoe.

Omdat het al laat begon te worden, liep ze wiebelend de gang in. Ze hoopte dat ze niet een van haar buren tegen het lijf zou lopen. Die waren al achterdochtig genoeg. Ze had Romero en andere politieagenten een paar keer op bezoek gehad en was ervan overtuigd dat alle buren dachten dat ze een drugsdealer was. Ze stopte haar sleutel naast haar mobieltje en een twintigdollarbiljet in een klein zilveren tasje. Ze had altijd contant geld bij zich, voor het geval ze onverwachts een taxi naar huis moest nemen. Ze was er niet zeker van hoe blij Cilla met haar zou zijn als ze Gator had ondervraagd. Het was goed mogelijk dat ze aan het eind van de avond zelf maar moest zien hoe ze thuiskwam.

Ze was bijna de voordeur uit, toen ze mevrouw Zablonski tegenkwam, een oudere Poolse dame die nooit had geleerd zich met haar eigen zaken te bemoeien. Met grote ogen nam ze Lydia's uitmonstering op. 'Je gaat een avondje plezier maken?' Lydia glimlachte vriendelijk en deed net alsof ze het niet had gehoord. 'Nou, een fijne avond hoor!' Ze vloog de deur uit.

Lydia hoorde Cilla al voordat ze haar zilvergrijze auto had gezien. De muziek die uit de luidsprekers kwam was zo hard dat het stenen trapje voor Lydia's flat ervan trilde. De auto was zo laag gebouwd dat de knalpijp vlak boven het wegdek hing, voor maximaal volume. Cilla gluurde uit het raam naar Lydia toen ze naar de auto liep. Lydia deed het portier open en ging op de passagiersstoel zitten. Ze probeerde de neiging te weerstaan om haar oren met haar handen te bedekken.

'Je ziet er echt goed uit!' Cilla klonk verrast. Misschien had ze gedacht dat Lydia zich stijfjes zou kleden en erg uit de toon zou vallen.

'Jij ziet er ook goed uit.' Lydia moest schreeuwen om zich boven de muziek uit verstaanbaar te maken. In groot contrast met de slobberige spijkerbroek van de vorige keer droeg Cilla nu een jurk van zilverlamé, die weinig van haar weelderige vormen aan de verbeelding overliet. Haar haar was getoupeerd en stond vijftien centimeter boven haar hoofd en ze was zwaar opgemaakt.

'Mijn neef wordt boos op me als ik me zo kleed, maar ik ben geen non, hoor.'

Er waren natuurlijk heel wat gradaties in het seksuele spectrum tussen een non en een hoer, maar dit was niet het moment om haar daarop te wijzen. Lydia zag voetgangers aan de kant springen toen de zilvergrijze auto grommend door de straten zoefde. Cilla negeerde de in paniek gebrachte medeweggebruikers, reed langs dubbel geparkeerde auto's, scheurde met brullende motor zonder te stoppen door het rode licht en wist nog net te voorkomen dat ze tegen een ijscowagen op botste. Lydia vroeg zich af of ze zich beter zou voelen als ze haar ogen dichtdeed, maar ze kwam tot de slotsom dat ze daar te opgewonden voor was. Ze vroeg zich af waarom ze nooit bij goede chauffeurs in de auto zat.

'Gator geeft de grootste en de beste feestjes,' schreeuwde Cilla over de muziek heen. Die veranderde abrupt van een rapnummer in een ballad. Het was vreemd om iemand oorverdovend hard over zijn geliefde te horen zingen. Cilla vond dat kennelijk ook, want ze zette het volume een klein beetje zachter. Het was nog steeds hard, maar nu deed het tenminste geen pijn meer aan haar oren.

'Waar woont Gator?' vroeg Lydia.

'Hij heeft een huis bij de rivier. Een penthouse. Het was het tweede huis dat hij kocht, na een huis voor mijn tante.'

Hij leek wel een heilige, dat hij zo goed voor zijn mammie zorgde. Jammer dat hij ook een moordenaar zou kunnen zijn. Het viel Lydia op dat ze dezelfde weg langs de rivier namen die Al zo vaak had genomen. Ze had graag foto's van hem willen maken en nooit gedacht dat hij zo gauw dood zou zijn. Er stonden die avond een paar vrouwen langs de weg op klanten te wachten. Kennelijk waren zij niet uitgenodigd voor het feest. Ze waren bij Gator in dienst en als hij hun een avondje vrijgaf, was dat waarschijnlijk een te grote aanslag op zijn winst.

Cilla's auto kwam met piepende banden tot stilstand voor een groot glazen gebouw. Konden alleen mensen uit de seksbusiness zich luxe appartementen veroorloven in deze buurt? Lydia begon het zich af te vragen. Ze stapte voorzichtig de stoep op in haar pumps. Ze was niet gewend aan zulke hoge hakken en moest zichzelf eraan herinneren voorzichtig te zijn. De muziek werd tegelijkertijd met het geluid van de motor abrupt afgebroken, maar de ballad weergalmde nog in Lydia's oren. De claxon begon te loeien toen Cilla het autoalarm aanzette. Lydia had medelijden met dieven die Cilla's auto zouden proberen te stelen. Ze zouden het eerste geluid van de claxon waarschijnlijk al niet overleven.

Cilla liep naar de glazen deur en drukte met haar nepnagels op een stel knopjes op een zilverkleurig bedieningspaneel. Haar nagels waren beschilderd met zilveren glittertjes die bij haar jurk pasten.

De intercom begon een beetje te kraken. 'Ja.'

'Met Cilla, de nicht van Gator.'

'Wie heb je bij je?'

'Mijn vriendin Lydia.' Cilla klonk verveeld.

Lydia voelde zich eigenaardig nerveus. Ze was zich ervan bewust dat ze door de beveiligingscamera in de gaten werden gehouden, en probeerde er niet intimiderend of achterdochtig uit te zien. Kennelijk werkte dat, want de deur begon een paar seconden later te zoemen. Ze was binnen.

De hal was strak en modern. Voor bezoekers was er niets uitnodigends aan, maar ze was ervan overtuigd dat dat de bedoeling was. De mensen die hier woonden betaalden voor exclusiviteit, zelfs midden op een bedrijventerrein. Ze wilden niemand het gevoel geven dat hij daar rond kon hangen.

Cilla liep zelfbewust naar de lift toe en drukte op het knopje. Ze keek naar haar spiegelbeeld in de metalen deuren en bracht haar kapsel in model. Lydia wendde haar ogen af van haar eigen spiegelbeeld. Ze wilde er niet over nadenken hoe erg ze op een hoer leek. Ze was hier om erachter te komen of Gator de moordenaar was en wat hij wist. Ze probeerde te bedenken wat ze hem kon vragen zonder hem boos te maken.

In de lift spiegelde het al even erg. Lydia vermoedde dat er achter de spiegel ook een camera verborgen zat. Het gebouw voelde leeg, maar ook zo beschut als een bankkluis. De bewoners wilden duidelijk hun waardevolle spullen beschermen. In Gators branche ging ongetwijfeld veel contant geld om en de noodzaak om de privacy te garanderen was groot.

De liftdeuren gingen open op de bovenste verdieping. Een grote, intimiderende man stond hen fronsend op te wachten voor de lift. Hij was gekleed in een net pak dat in geen enkel opzicht verborg hoe gespierd hij was en waarin hij eruitzag als een latino vleugelverdediger. Lydia dook bijna de lift weer in.

Cilla rende op hem af en omhelsde en kuste hem. 'Paco! Wat sta je daar naar me te fronsen, *Papi*?'

'Die outfit zal Gator niet bevallen. Wat zou je *mami* ervan zeggen?'

Cilla trok een pruilmondje. 'Ik vind dat ik er leuk uitzie.'

Paco bewoog met zijn kin in Lydia's richting. 'Wie is dat?'

'Mijn vriendin Lydia. Glimlach eens naar haar. Is ze niet knap?'

Paco glimlachte niet. Hij droeg een oortelefoontje, alsof hij bij de geheime dienst werkte. Hij werd er waarschijnlijk voor betaald om overdreven voorzichtig te zijn. 'Je kunt tot elf uur blijven, maar dan moet je gaan.'

Lydia vroeg zich af wat er om elf uur zou gebeuren. Je kon de bonkende muziek door de deur heen horen, dus het feest was kennelijk al begonnen. Het was vreemd dat Gator zo beschermend was over zijn nichtje, als je bedacht wat voor werk hij deed, gecombineerd met het feit dat veel van haar vriendinnen voor hem werkten. Kennelijk was Cilla niet in het familiebedrijf gaan werken.

'Wat ben je gemeen, Paco. Dan dans ik vanavond niet met je, hoor.'

Maar Paco luisterde al naar verdere instructies uit zijn oortelefoontje. Cilla gooide haar haren theatraal naar achteren en trok Lydia mee naar binnen.

In de loft waren de muren en de vloer helderwit geschilderd en het meubilair was daarop afgestemd. Er draaide een discobal rond en in de hoeken pulseerden eigenaardige lampen. Het duurde even voor Lydia's ogen eraan gewend waren. De geur van wierook vermengd met alcohol en zweet kwam op haar af. Topless vrouwen met een vlinderdasje om liepen met dienbladen rond en boden champagne en hapjes aan. Je wist haast niet waar je moest kijken, en je ontkwam er niet aan om schommelende blote borsten te zien. Lydia begon zich eigenaardig genoeg overdressed te voelen.

Cilla wist twee glazen champagne te bemachtigen van een voorbijlopende serveerster en gaf Lydia er een van. Cilla sloeg de champagne snel achterover, terwijl Lydia voorzichtig aan haar glas nipte. Ze herinnerde zichzelf eraan dat ze aan het werk was. Ze moest haar hoofd helder zien te houden, maar de wierook maskeerde duidelijk de rook van iets veel sterkers, en dat begon haar nu een beetje te benevelen. Ineens werd ze bang en wilde ze dat ze weer weg kon. Ze haalde diep adem en zei tegen zichzelf dat ze moest kalmeren. Ze had flink haar best gedaan voor deze kans om Gator te ontmoeten en moest die met beide handen aangrijpen. Het viel te betwijfelen of ze nog zo'n kans zou krijgen.

'Ik ga een echt drankje halen,' zei Cilla. 'Ik ben zo terug.'

Lydia ging haar bijna achterna. Alle mannen zagen eruit alsof ze hier na hun werk op Wall Street even langs waren gewaaid, en alle vrouwen, behalve Cilla en Lydia, waren halfnaakte serveersters. De mannen in pak deden haar aan Jack denken en opnieuw checkte ze haar mobieltje. Hij had haar niet meer gebeld of ge-sms't sinds hij haar had laten weten dat hij ruimte nodig had. Ze vroeg zich af of ze de meest fantastische relatie die ze ooit had gehad misschien compleet had verpest. Een jongen als Jack was eventueel zelfs een geschikte huwelijkskandidaat. Van het woord trouwen kreeg ze meestal de kriebels, maar te midden van al deze uitspattingen – te veel alcohol, naaktheid en drugs – leek trouwen haar aantrekkelijker dan ooit.

Toen er een serveerster met kipsatéspiesjes langskwam, graaide Lydia er twee van het dienblad. Ze wist dat het onbeleefd was, maar ze moest iets in haar maag zien te krijgen. De saté was koud maar smakelijk, en ze had het heel snel op. Ze wilde dat ze er meer had gepakt. Maar vlak daarna liep er een andere serveerster langs met een dienblad met vegetarische sushi. Lydia pakte drie hapjes en voelde zich veel beter nadat ze die naar binnen had gewerkt. Ze vroeg zich net af waar ze haar vieze servetjes weg kon gooien, toen Cilla eindelijk terugkwam.

'Ik heb Gator gevonden. Hij kan maar een paar minuutjes praten.'

Lydia liep achter haar aan door de mensenmenigte en gooide de servetjes op het dienblad van een langslopende serveerster. De loft leek een eindeloos aantal kamers te bevatten: er kwam geen eind aan het feestje. Ze zag een stel hand in hand door een zijdeur verdwijnen en vroeg zich af of er in een achterkamer soms een soort orgie plaatsvond.

Cilla knikte naar een kleine man in pak die naast een deur stond. Hij knikte terug en opende de deur. Cilla liep de donkere ruimte in en Lydia volgde haar. Hier had je geen last van de bonkende muziek, de mensenmassa en de wierooklucht. Gator zat in een La-Z-Boy-stoel voor een grote flatscreentelevisie. Hij keek naar een honkbalwedstrijd zonder geluid. Een van zijn bewakers zat op de bank en er drentelde een mooie vrouw achter hen rond.

'Zag je dat? Zág je dat? Die was uit.' De bewaker in zijn Armani-pak sprong als een klein jongetje op en neer. Hij had een rond, vrolijk gezicht en bijna net zo'n bolle buik als de Kerstman.

'De scheidsrechters zijn bang voor hem, man. Die durven dat niet te zeggen.' Gator had een vage glimlach om zijn mond terwijl hij naar de televisie staarde. Hij was helemaal in het zwart gekleed en vanavond was hij behangen met gouden sieraden. 'Ze zijn allemaal blind. Onze man had hem uitgetikt.' Lydia nam niet de moeite om te kijken. Ze had voldoende honkbal gezien om de basisregels te kennen, maar het kon haar niet echt boeien. Beroepssporters gingen er met de jaren steeds vreemder uitzien. Het was bijna grotesk hoe lang en zwaar ze waren, het leken geen normale mensen meer. Bovendien was ze er meer in geïnteresseerd om Gator te observeren.

Cilla bleef op een afstandje en wachtte. Lydia vroeg zich af of een bezoek aan een dictator of een koning net zo verliep. Het was moeilijk om je niet te laten intimideren door Gators macht. Theoretisch gezien kon hij in een impuls een bewaker de opdracht geven hen te doden en hij zou er waarschijnlijk nog ongestraft van afkomen ook. Maar ze wilde zich niet te erg laten imponeren. Hij was een pooier. Op een dag zou hij waarschijnlijk door een jaloerse rivaal uit de weg worden geruimd, doodgaan aan een overdosis of gesnapt worden door de politie. Zijn heerschappij zou niet eeuwig duren.

Gator maakte uiteindelijk zijn blik los van de televisie en keek naar Cilla. 'Priscilla!'

Hij sprak haar zacht in het Spaans aan. Zijn stem klonk vriendelijk en teder, maar Lydia voelde Cilla naast zich verstijven. Het gaf Lydia een ongemakkelijk gevoel, alsof ze getuige was van een verknipt familiedrama. Cilla sprak zowel met trots als met angst over Gator, maar Lydia begon zich af te vragen hoe hun relatie in elkaar zat.

'Ik zie er niet uit als een hoer, Gator. Dit is een leuke jurk.'

Gator schudde zijn hoofd. Hij wilde iets gaan zeggen, maar Cilla onderbrak hem.

'Dit is mijn vriendin Lydia, over wie ik je heb verteld. Ze spreekt geen Spaans.'

Gator nam haar van top tot teen op en Lydia probeerde niet te blozen. Ze vroeg zich af of hij kon zien dat ze had geprobeerd zich die avond als een hoer te kleden. 'Jij bent toch bevriend met Danny? Je werkt toch voor de politie?'

Lydia kon het even niet bijbenen. Toen realiseerde ze zich dat hij met 'Danny' Daniel Romero bedoelde. Hij had hen samen op Glenda's begrafenis gezien. 'Ik ken Daniel Romero, maar ik werk niet voor de politie. De bende van het Gouden Hoefijzer heeft me gevraagd de moorden bij de rivieroever te onderzoeken.'

Gator spuugde op de vloer. Het leek erg theatraal, alsof hij haar eraan probeerde te herinneren dat hij een grote, slechte gangster was. 'Dat waren allemaal meisjes van mij. Ik regel dat wel.'

Drie van hen waren overleden terwijl hij het zogenaamd regelde, maar ze dacht niet dat hij het zou waarderen als ze dat te berde bracht. 'Denk je dat het iemand is die jou van je nering wil beroven?'

'Wie dan? Deze wijk is van mij.' Gator begon met zijn knie te wiebelen. Het leek het enige onderdeel van zijn lichaam te zijn dat hij niet onder controle had.

'Sammy the Sauce, misschien?'

Gator lachte spottend, waardoor er een gouden tand zichtbaar werd. 'Sammy is voor niemand een probleem meer.'

Lydia wilde net vragen waarom niet, toen ze zich realiseerde dat dat een domme vraag was. Uit zijn toon kon ze immers opmaken dat Sammy zijn laatste adem had uitgeblazen en dat hij was omgelegd door Gator of zijn bewakers. Gator was dus een meedogenloze moordenaar. Maar had hij de meisjes ook vermoord? Op een of andere manier leek langer blijven hangen en meer vragen stellen haar te gevaarlijk.

Gator keek inmiddels weer tv. Hun audiëntie was voorbij. Zij en Cilla werden weggestuurd. Lydia wilde maar al te graag vertrekken. Haar kleding stonk naar wierook en ze voelde zich vies. De bewaker op de bank stond op en begeleidde hen door een hal een deur uit. En ineens waren ze weer bij de lift met Paco. 'Ik wil terug naar het feest,' jammerde Cilla.

'Gator wil dat je naar huis gaat en die jurk uittrekt,' zei Paco tegen haar. 'Het feest is voorbij.' En hij was duidelijk vastbesloten ervoor te zorgen dat ze het pand verlieten.

Opgelucht dat ze buiten was, ademde Lydia de avondlucht diep in. Het feestje was overweldigend en als een droom geweest. Toen ze naar Cilla's auto liepen, kon Lydia het niet nalaten Jack te bellen. Ze had iemand nodig die haar vasthield. Gelukkig nam hij meteen op. 'Ik mis je,' zei ze snel en ze liet al haar verlangen doorklinken in haar stem. Ze wilde geen spelletjes meer spelen. Ze wilde hem in haar leven en ze was bereid ervoor te vechten om hem te houden.

'Waar ben je?'

'Ik ben op weg naar huis.'

'Ik ben in de buurt. Ik kan er over tien minuten zijn.'

'Maak er maar vijf van,' zei ze en ze stapte in de auto.

Cilla zei het grootste deel van de weg naar huis niets, maar ze had de muziek gelukkig niet te hard aangezet.

Lydia vroeg zich af waar ze aan dacht. 'Je bent toch niet bang voor hem?'

'Nee, hij gedraagt zich als mijn grote broer. Als ik niet doe wat hij zegt, vertelt hij het aan mijn *mami* en dan geeft zij me op mijn kop. Hij wil gewoon dat zijn familie zich fatsoenlijk gedraagt.'

Als Gator zulke sterke normen en waarden had als het om zijn eigen familie ging, dan bezat hij beslist een eigenaardig moreel kompas. 'Bedankt dat je me mee hebt genomen om met hem te praten. Ik hoop dat hij niet boos op je is omdat je mij mee hebt genomen.'

'Denk je dat dan?' Ineens klonk Cilla's stem heel dun.

'Ik weet het niet,' zei Lydia. Ze durfde Cilla niet te vertellen wat ze echt van Gator dacht. Haar neef was een meedogenloze moordenaar. Hij zat er totaal niet mee om een van zijn rivalen te vermoorden, dus waarom zou hij er dan wel mee zitten om hoeren te vermoorden die zijn 'bezit' waren? Voor haar deur wenste ze Cilla goedenacht. In plaats van naar binnen te gaan, bleef ze op haar stoep staan wachten tot haar minnaar kwam. Een paar minuten later verscheen Jack om de hoek en hij liep kwiek op haar af. Hij had iets soepels in zijn pas waardoor ze een steek in haar hart voelde. Als hij liep zag hij eruit als een kunstenaar, totaal niet als een zakenman. Ze had het gevoel dat ze zijn ware ziel zag. Hij bleef staan toen hij haar zag en floot waarderend. Ze opende haar armen en hij liep erin. Ze omhelsden en kusten elkaar alsof het jaren geleden was dat ze elkaar hadden gezien.

Een paar minuten later waren ze boven en rukten elkaar de kleren van het lijf. Zijn huid was verzadigd van een geur die haar aan de wierook op het feest van Gator deed denken. Maar op dat moment wist ze al niet meer of het misschien de geur van haar eigen huid was, omdat ze het spoor bijster raakte van waar de een begon en de ander eindigde.

# 25

Lydia werd op zaterdagochtend alleen in haar bed wakker. Als de lakens niet verdraaid en gekreukt waren geweest, had ze gedacht dat ze had gedroomd dat Jack er was geweest. Hij was vroeg naar zijn werk vertrokken. Hij had haar wel gewaarschuwd dat hij dat zou doen, maar daardoor voelde ze zich niet beter. Ze dreven uit elkaar, en ze was er nog wel zo van overtuigd geweest dat hij dé man voor haar was. Ze besloot dat ze niet zo in moest zitten over hun relatie. Ze had nu eerst koffie nodig. De kat krulde zich rond haar enkels, toen ze haar gezicht waste. Ze vulde zijn etensbak en keek hoe hij er met zijn scherpe tanden kieskeurig iets van at. Ze vond het niet zo prettig om de kattenbak te legen, maar ze moest toegeven dat de kat relaxed gezelschap was. Ze wist dat ze binnenkort de knoop moest doorhakken over wat ze met hem zou doen.

In het buurtcafé was het rustig op zaterdagochtend. Veel mensen waren nog niet wakker. Lydia had nog steeds het gevoel dat er watten in haar hoofd zaten van de avond ervoor. Ze zat op een barkruk en keek toe hoe stelletjes in en uit liepen, sommigen met buggy's. Het leven leek aan haar voorbij te gaan. Nog maar een week geleden had ze zelfvoldaan deel uitgemaakt van een gelukkig stelletje en nu voelde ze zich als een kind dat niet bij de snoepwinkel naar binnen mocht. Ze kon alleen verlangend naar de koopwaar kijken.

Ze voelde zich rusteloos en vreemd, en dus besloot ze naar haar doka te gaan. Ze moest zichzelf eraan herinneren dat ze een kunstenaar was. Ze wilde meer afdrukken van haar reportage over prostituees maken, om te kijken of er iets tussen zat wat de moeite waard was om verder uit te werken. Ze moest haar energie weer richten op wat ze onder controle had.

In de doka was het ook rustig. Ze ging op in de geur van de chemicaliën en de diepe duisternis van de ruimte. Hier was ze in haar natuurlijke omgeving en zonder na te hoeven denken trok ze haar contactafdrukken, negatieven en een doos papier tevoorschijn. Ze had weer een doel en het was weer helder in haar hoofd.

Ze bekeek de contactafdrukken van haar fotosessie met Glenda. Ze had veel plaatjes geschoten en sommige negatieven had ze niet in aanmerking genomen, omdat ze niet pasten bij de gemoedstoestand waar ze naar zocht. Hier had je Glenda van dichtbij, Glenda van veraf en Glenda die boos keek. Ze bestudeerde Glenda's ogen met een vergrootglas, alsof die het geheim van haar gezicht bevatten. Maar Glenda was er goed in geweest om zich af te sluiten en haar gedachten niet prijs te geven.

Met een zucht bekeek ze een opname van Glenda die rare bekken trok. Op dat moment had Lydia zich geërgerd. Ze had Glenda gevraagd om serieus te kijken en tegen een bakstenen muur te gaan staan. Ze wilde Glenda's waardigheid vangen, maar die had juist een paar minuten de clown uitgehangen. Lydia had er toch iets van weten te vangen, terwijl ze haar geduld probeerde te bewaren. Als ze nu naar de klierende Glenda keek, gaf dat haar een weemoedig gevoel, alsof ze de kans voorbij had laten gaan om haar te bereiken en iets voor haar te betekenen.

Ze zou er misschien niet achter kunnen komen wie Glenda had vermoord, maar ze was vastbesloten haar familie een prachtig portret te geven. Bijna onder aan de pagina vond ze een perfecte opname van Glenda die met haar hoofd in haar nek lachte. Ze zag er sterk en mooi uit. Over een paar jaar zouden haar kinderen zich haar misschien niet eens meer herinneren. Susa zou haar nagedachtenis waarschijnlijk voor hen schoonwassen, maar ooit zouden ze de duisternis en de tragiek van haar dood ontdekken. Glenda was roekeloos omgesprongen met de liefde van de mensen om haar heen. Ze was verslaafd geweest en in de ogen van de wet was ze een crimineel. Maar daar op die bladzijde was een ander aspect van Glenda te zien: haar vitaliteit en uitstraling. Candi had gelijk. Ze had iets speciaals.

De dag was voorbij voordat ze het wist. Ze had de lunch overgeslagen en rammelde van de honger. Ze pakte haar spullen bij elkaar en stapte het zonlicht van de echte wereld weer binnen. Onderweg naar huis kocht ze een falafelmaaltijd. Die at ze alleen in haar keuken op. Ze bleef op om naar een suffe film op televisie te kijken en zei tegen zichzelf dat ze niet wachtte tot Jack zou bellen, maar ondertussen luisterde ze de hele tijd of haar telefoon ging. Het laatste wat ze zou doen was hem opbellen, maar ze vroeg zich wel af wat hij deed en met wie.

# 26

Lydia nam op kantoor argeloos de telefoon op, in de verwachting dat het iemand was die informatie wilde over de diensten van de D'Angelo's. Sommige bellers maakten zich erg druk om discretie en die moesten met veel zorg worden behandeld. Anderen wisten exact wat ze wilden en dat hield meestal in dat ze meteen een van de D'Angelo's wilden spreken. Maar in plaats daarvan was ze nu ineens aan het onderhandelen met de rouwende weduwe.

Eerst had Patricia Savarese nog kalm geklonken, maar haar stem had iets hysterisch, wat erop wees dat ze elk moment kon ontploffen. 'Ik kan geen foto's van mijn man laten rondzwerven nu hij overleden is. Ik moet ervoor zorgen dat hij in vrede kan rusten.'

Lydia rolde met haar ogen. Ze was blij dat de beeldtelefoon nooit in zwang was geraakt, anders zou ze nu in de problemen zitten. 'Wilt u dat ik u onze exemplaren stuur?'

'Nee! Ik wil de negatieven. En ik wil dat alle andere afdrukken worden vernietigd.'

Patricia moest weten dat de politie kopieën had van alle opnamen die Lydia had gemaakt, omdat ze op het bureau was geweest na haar mans uitbarsting op kantoor. Maar misschien was ze dat ook wel vergeten, met haar selectieve geheugen voor de ontrouw van haar man. 'Dus u wilt de originelen,' zei Lydia. Ze dacht er even over om Patricia uit te leggen hoe digitale fotografie werkt, maar ze bedacht zich dat ze niet met een rationeel iemand praatte.

'Breng ze me maar meteen. Ik slaap of eet toch niet voor ze allemaal vernietigd zijn. Het is niet fair jegens de nagedachtenis aan mijn lieve Al.'

Patricia liet een snikje horen dat zo oprecht klonk, dat het Lydia eraan herinnerde dat die vrouw veel had moeten doorstaan. Lydia had zo veel spijt van de rol die ze bij Als dood had gespeeld, dat Patricia gemakkelijk op haar schuldgevoel kon inspelen. Ze hoorde zichzelf ermee instemmen om de enige kopieën ter wereld van de foto's meteen naar Patricia toe te brengen. Maar ze loog of het gedrukt stond. Niet over het feit dat ze naar Queens toe zou komen, maar dat ze de enige kopieën die er bestonden zou geven. De foto's stonden nog steeds op haar computer en op die in het politiebureau. Maar Lydia dacht dat het enige wat Patricia nodig had de illusie was dat ze Al in vrede liet rusten. Daarna zou ze vast wel kalmeren.

Nadat ze een cd met de opnamen van Als ontmoetingen met de tippelaarsters had gebrand, belde Lydia Emmanuel op. Ze had bedacht dat ze het ritje bij de D'Angelo's in rekening kon brengen, omdat het voor hun gekke nicht was. Emmanuel nam de telefoon niet op, wat tijdens kantoortijden ongebruikelijk voor hem was. Ze liet een berichtje achter en vroeg zich af waar hij zat. Normaal was hij zo gebrand op werk. Ze hoopte dat hij niet nog steeds werd lastiggevallen door de politie, en dat Romero zich er nu op richtte om de echte moordenaar te vinden. Ze wachtte een paar minuten en belde toen een plaatselijk taxibedrijf.

Ze sloot het kantoor af en liep de straat op om op haar taxi te wachten. De excentrieke buurvrouw was in haar tuin aan het werk. Dat was eigenlijk een stuk kunstgras waarvan de hoeken naar beneden werden gehouden door witte plastic engelenbeelden, maar de buurvrouw kwam regelmatig naar buiten om het schoon te zuigen. Ze keek altijd boos naar Lydia als ze haar zag, dus ze hadden elkaar nooit gesproken of zich aan elkaar voorgesteld. Lydia ging ervan uit dat het niets persoonlijks was. De buurvrouw vond het waarschijnlijk niet prettig om naast een detectivebureau te wonen en dacht vast dat ze haar bespioneerden.

Even later stopte er een taxi. De chauffeur werd afgeleid door een gesprek in het Spaans op zijn headset, dus leunde Lydia lekker naar achteren en genoot van de rit. Ze kende de weg heel goed, omdat ze Al langs die route had gevolgd. Ze dacht na over het raadsel waarom de moordenaar nu ineens een klant om zeep had geholpen, na eerst alleen vrouwen te hebben vermoord. Ze vroeg zich af of het een imitatie van de eerdere misdaden was. In dit soort gevallen werd altijd naar de echtgenoten gekeken, en Lydia dacht erover na wat ze eigenlijk van Patricia wist. Volgens haar moeder Rose had ze willen scheiden. Nu was ze weduwe. Het leek haar best goed uit te komen. Als Patricia niet zo'n voetveeg was geweest en niet zo duidelijk verliefd was op Al, zou Lydia nog gaan denken dat zij het had gedaan. Maar het patroon van prostituees die op straat vermoord werden, leek meer het werk van een gek dan van een gekkin.

De taxi stopte voor Als kleine huis en Lydia overhandigde de chauffeur snel het geld. Ze realiseerde zich dat ze het huis nog steeds als dat van Al beschouwde en corrigeerde zichzelf. Het huis was nu alleen van Patricia.

De straat stond vol met auto's en Lydia was blij dat ze geen parkeerplekje hoefde te zoeken. Ze drukte op de deurbel, klaar om Patricia de cd te overhandigen en er vandoor te gaan. Het was echter niet Patricia die de deur opendeed, maar Mama D'Angelo.

'Lydia! Wat doe jij hier?'

'Patricia heeft me gebeld –' begon Lydia, maar ze kwam niet verder omdat Mama haar al naar binnen trok.

'Wat aardig van je om langs te komen! Patricia heeft vrienden en familie nodig in deze tijd. Ze is er kapot van.'

Lydia werd een zitkamer vol familieleden binnengebracht. De meesten van hen leken griezelig veel op de D'Angelo's en Frankie en Leo zaten er zelf ook.

Lydia zwaaide met een slap handje naar hen en Leo keek haar fronsend aan. Zijn vriendin Caroline zat naast hem. Ze zag er bleek uit en keek zuur. Lydia begon zich af te vragen of dit haar normale gezichtsuitdrukking was of dat ze het gewoon moeilijk vond om met de D'Angelo's om te gaan. Die konden ook wel erg overheersend zijn.

'Tast toe! Het buffet is hier. Patricia is even in de badkamer, die komt zo wel weer beneden.'

Het was bijna lunchtijd en Lydia's maag begon te rommelen toen ze de tafel vol eten zag. Ze had nauwelijks ontbeten, en wat er stond uitgestald zag er verleidelijk uit. Ze pakte een bord en begon het vol antipasti, pasta en pizza te laden. Ze vond een lege stoel een eindje bij de gebroeders D'Angelo vandaan en ging lekker zitten smikkelen.

Leo en Frankie fluisterden met elkaar en daarna drentelde Frankie naar haar toe. 'Gaat alles goed op kantoor?'

Lydia wist dat dit een niet zo subtiele hint was dat het haar taak was om op de winkel te passen als zij weg waren. 'Alles gaat prima. Patricia belde me en vroeg me haar de negatieven van de foto's te brengen die we van Al hadden gemaakt.'

Frankie fronste zijn voorhoofd. 'Negatieven? We hebben geen filmpjes gebruikt.'

Lydia was nog steeds dol op de magie van filmrolletjes, en een van de dingen die ze betreurde was dat ze op haar werk digitaal moest fotograferen. Ze onderdrukte een zucht. 'Ja, weet ik. Dus heb ik een cd-rom voor haar gebrand en haar verteld dat ik onze harde schijf zou wissen. Ik hoop dat het haar helpt om hem los te laten.'

Frankie sloeg Lydia op haar rug, waardoor ze bijna haar bord liet vallen. 'Dat is aardig van je.'

'Het spreekt toch vanzelf.' Lydia begon sneller te eten, omdat ze wist wat er nu zou komen.

'Maar zou je, zodra je hier klaar bent, alsjeblieft snel terug willen gaan naar kantoor? We zouden het vreselijk vinden als een van onze cliënten het antwoordapparaat krijgt. Het is niet goed voor de zaken als ze denken dat we niet voldoende aandacht aan hen besteden.'

Lydia nam niet de moeite hun te vertellen dat er bijna nooit iemand naar kantoor belde. Als hij wilde geloven dat de zaken floreerden, moest hij dat zelf maar weten. 'Natuurlijk. Zodra Patricia naar beneden komt, geef ik haar de cd en dan vertrek ik.'

Frankie knikte en keerde terug naar Leo. Mama zat in een hoek met een vrouw die haar zus leek, maar haar nicht Rose moest zijn. Ze hadden allebei hetzelfde suikerspinkapsel. De nicht veegde haar ogen af met een grote zakdoek. Lydia wist niet of ze verdrietig was om haar dochter of om de dood van Al. Rose was ongetwijfeld op de hoogte geweest van Als ontrouw, toen ze de D'Angelo's had gevraagd hem te volgen.

Lydia at haar bord leeg en vroeg zich af of het ongemanierd was om nog een keer op te scheppen. Niet dat ze nog echt honger had, maar het smaakte allemaal zo goed. Het nemen van die beslissing bleef haar bespaard door de binnenkomst van Patricia, fris gekapt en opgemaakt.

Lydia zette haar bord neer en liep op haar af. 'Ik weet niet of u zich mij herinnert. Ik ben Lydia. Ik werk voor uw neven.'

Patricia draaide zich naar haar toe en keek haar aan, maar er was geen herkenning in haar ogen. Ze had zo'n vage blik dat Lydia zich afvroeg of ze valiumtabletten had genomen toen ze boven was. Ze kon het haar ook niet kwalijk nemen dat ze wel naar een andere planeet wilde.

Lydia overhandigde haar de cd. 'Hier zijn de foto's die we van uw man hebben genomen. U had me gevraagd om u de enige kopieën te geven, weet u nog?'

Patricia knikte. 'Ja, bedankt dat je bent gekomen.'

'Graag gedaan.' Lydia wendde zich schouderophalend af. De vrouw gedroeg zich volkomen anders dan de hysterische feeks die had opgebeld en de negatieven had opgeëist. Lydia hoopte dat ze niet te lang in een fantasiewereld zou blijven leven, want het zou moeilijk zijn om met de medicijnen te stoppen als ze niet met de pijn van het verdriet leerde omgaan.

Patricia ging naast haar moeder zitten en begon over haar arm te aaien. Het leek wel alsof Patricia haar moeder troostte, in plaats van andersom. Het tafereel was heel vreemd. Lydia was klaar om te gaan.

Een boos kijkende Leo ving haar onderweg naar de deur op. 'Vooruit. Ik geef je wel een lift terug naar kantoor.'

Het vooruitzicht van twintig minuten in een auto zitten met Leo schrikte haar een beetje af. Ze vroeg zich af of hij wel wist hoe je een beleefd gesprek gaande moest houden. 'Nee joh, laat maar. Ik neem wel een taxi.'

'Ik moet op kantoor toch nog een paar telefoontjes plegen,' zei Leo. Ondertussen begeleidde hij haar naar de deur.

Hij deed haar aan zijn moeder denken. Ze begon het een beetje zat te worden om door de hele familie van hot naar her gecommandeerd te worden. 'Maar Caroline dan?' Leo's timide vriendin zat nog steeds op de bank naar de vloer te staren. Lydia wilde haar niet zonder enige steun bij deze vreemde familie achterlaten. Caroline was zo verlegen.

'Ze blijft nog wat langer bij Mama om zoveel mogelijk troost en steun te kunnen bieden.'

Lydia vroeg zich af of hij zich alleen de taxirit wilde besparen, die uit de kas betaald zou worden.

Mama snelde hen achterna. Ze hield krampachtig een wit kartonnen doosje vast. Lydia wist meteen wat het was. Ze vertoonde een pavlovreactie en begon te kwijlen.

'Hier zijn een paar cannoli, voor het geval jullie nog honger krijgen.'

'Bedankt, Mama.' Leo klonk gelaten.

'Dank u wel, ik ben dol op uw cannoli.' Lydia nam het doosje glimlachend aan.

'Dat komt doordat ze met liefde gemaakt zijn,' zei Mama stralend. 'Nogmaals bedankt dat je Patricia hebt geholpen.'

'Geen probleem,' zei Lydia. Ze liet zich gemakkelijk met een paar lekkere cannoli omkopen, maar ze gaf tenminste toe dat ze verslaafd was aan eten.

Zodra ze in Leo's auto zat, maakte Lydia verwachtingsvol de doos open. Ze nam een grote hap van een cannoli die bedekt was met chocola en probeerde tevergeefs niet in Leo's auto te kruimelen. Ongelukkig genoeg besloot Leo haar allerlei vragen te stellen, net nu ze een volle mond had.

'Ik hoop dat je tevreden over ons bent, Lydia. We vinden dat je je werk geweldig doet.'

'Dank je,' wist ze uit te brengen zonder kruimels uit te spugen.

'Ik weet dat op kantoor werken niet zo opwindend is als mensen schaduwen, maar we hopen dat je er niet op rekent dat je dat vaker gaat doen.'

Ze wilden dat ze alleen hun secretaresse was. Dat was voorlopig prima, maar het zou haar niet eeuwig blijven bevredigen. 'Ik denk dat ik de laatste tijd ook meer spanning heb gehad dan ik aankan.'

'We zijn allemaal geschokt door Als dood. Ik hoopte dat we hem zo bang zouden maken door hem te volgen en zijn gedrag te documenteren, dat hij zich weer netjes zou gedragen. Maar hij heeft de kans niet gekregen om zijn leven te beteren.'

Lydia wist dat het niet beleefd was om kwaad te spreken van de doden, maar ze dacht dat Al zijn ontrouw nooit had kunnen veranderen. Net zoals een bij nooit zou kunnen stoppen met stuifmeel verzamelen. Zeker niet zonder ingrijpen van buitenaf en misschien zelfs een lobotomie. Als er echt zoiets als een seksverslaafde bestond, paste hij in het plaatje. 'Patricia lijkt veel moeite te hebben met zijn dood.'

'Ik denk dat ze hoopte dat ze een tweede kans met hem zou krijgen, en dat heeft niet zo mogen zijn.'

Leo toonde veel inlevingsvermogen met iemand die zijzelf als emotioneel instabiel beschouwde. Misschien was dat de invloed van de timide Caroline. Ze kon het alleen maar hopen.

# 27

Niet over een relatie praten kon betekenen dat alles in orde was of dat alles op het punt stond te stranden. Lydia's probleem was dat ze niet wist wat op Jack en haar van toepassing was. Opnieuw ging er een dag voorbij zonder dat ze een woord van hem had gehoord, en ze had geen idee of hij boos op haar was of dat hij het alleen maar druk had. Ze deed een poging om zelf druk bezig te zijn om het te vergeten, maar dat was moeilijk. De tijdelijke toestroom van zaken bij de D'Angelo's leek te zijn opgedroogd. Ze belde een paar cliënten op om hen eraan te herinneren dat ze hun rekening moesten betalen en maakte haar bureau goed schoon.

Rond vier uur 's middags ging haar telefoon. Het was Princess. Ze was benieuwd naar de laatste informatie, maar Lydia had geen idee wat ze haar moest vertellen.

'We waren allemaal bij elkaar op Anna's begrafenis en nu willen we met jou praten.'

Lydia vroeg zich af hoe Anna's begrafenis was geweest. Ze was ervan overtuigd dat die heel anders was dan die van Glenda. Zouden ze haar iets nieuws te vertellen hebben over de vrouwen die waren overleden? Misschien wel, want sinds hun eerste ontmoeting hadden ze geen contact met haar opgenomen. 'Waar en wanneer?'

'Om zes uur bij de club, oké?'

Lydia stemde ermee in en hing op. Ze was er klaar voor dat iemand haar informatie verstrekte in plaats van andersom.

Eerder die dag had een agent een pakje met haar naam erop afgegeven. Haar camera zat erin, zonder berichtje van Romero. Ze bekeek het toestel en was opgelucht dat het er goed uitzag. Ze was nog steeds een beetje boos op Romero, maar daar liet ze het bij. Hij had ook gewoon zijn werk gedaan.

Na haar werk liep ze langzaam, met haar camera in haar hand, naar de club. Het was een zonnige dag, perfect weer om foto's te maken. Ze stopte onderweg en nam foto's van alles wat haar aandacht trok. Door de schaduwen en het licht gaven de vertrouwde straten een andere indruk. De planten die zich omhoog drukten door spleten in de trottoirs en tussen het afval op de kale stukken grond zagen er zowel zielig als hoopvol uit. Het was bij lange na niet de tuin van Versailles, maar het was wel de plek waar ze woonde.

Ze kon zich niet voorstellen dat een van die foto's op een expositie terecht zou komen – ze hoopte alleen dat ze haar zouden helpen haar creativiteit weer op gang te krijgen. Sinds Glenda's dood was ze in een soort vacuüm terechtgekomen en ze durfde niet door te gaan met de foto's van prostituees. Ze had iets nieuws nodig om zich op te richten. Ze moest weer spelen. Ze stopte om foto's te maken van een wapperende plastic tas die was blijven hangen achter een kapot stuk speelgoed, van graffiti op een bouwvallige muur en van de weerspiegeling van een oud gebouw in een plas. Het voelde fantastisch om weer te fotograferen.

Princess stond voor de club op straat te wachten. Ze rookte een sigaret en praatte met twee mannen die leren vesten droegen met een afbeelding van een draak in strass-steentjes achterop. Toen Princess Lydia zag aankomen, liet ze haar sigaret vallen en trapte hem met haar gouden glittergympen uit. Ze keerde zich om en ging de trap naar de club af. Lydia wist dat het de bedoeling was dat ze haar volgde en deed dat dan ook. De twee mannen zagen haar naar beneden lopen en ze was zich ervan bewust dat ze zich afvroegen waarom zij de bende van het Gouden Hoefijzer bezocht. Ze wist dat ze er nou niet bepaald als een bendelid uitzag.

De club was donker en troosteloos en de lucht rook verschaald en verwaarloosd. Net als een café zag de club er bij daglicht minder aantrekkelijk en nog viezer uit. Enkele vrouwen zaten te huilen. Ze werden getroost door hun vriendinnen. Anna was heel geliefd geweest, zowel bij haar familie als bij haar vrienden. Ze was veel meer een zus voor hen geweest dan Glenda, concludeerde Lydia. Ze keek rond, maar zag Cilla nergens.

'Mensen, mensen, kijk eens. Lydia is er,' kondigde Princess aan.

Ze leek wel een leerkracht op een basisschool en Lydia moest haar glimlach onderdrukken. Iedereen ging zitten en keek naar Lydia.

'Ik wil jullie allereerst condoleren met jullie recente verlies. Ik heb Anna maar één keer ontmoet, maar ik zag dat ze een speciaal iemand was.' Die toevallig hoer was, dacht Lydia erachteraan. Maar dat zei ze niet, dat wisten ze allemaal al.

Sommige vrouwen knikten.

Een dappere vrouw schreeuwde van achteren: 'Wanneer houdt het een keer op?'

'Ik wou dat ik het wist.' Lydia besloot niet te vertellen dat ze er misschien maar tien meter vandaan was geweest toen Josefina was vermoord. 'Ik heb wel wat rondgevraagd, maar ik denk dat de politie veel meer kans heeft om de moordenaar te vinden.

Die kan gebruikmaken van vingerafdrukken, DNA en allerlei andere hulpmiddelen om die vent te vinden.'

Princess knikte. 'We hebben gehoord dat ze op het punt staan iemand te arresteren.'

'Wie heeft je dat verteld?' Het gaf Lydia een eigenaardig teleurgesteld gevoel, alsof ze ervan uit was gegaan dat ze de moordenaar zelf kon vinden. Ze zou juist opgelucht moeten zijn dat het voorbij was.

'We hebben contacten bij de politie,' zei Princess schouderophalend. 'Maar ze willen ons niet vertellen wie. Wij willen weten of het Gator is.'

'Dat zou ik echt niet weten. Toen ik met Gator sprak op zijn feestje, liep hij niet over van enthousiasme om vragen te beantwoorden.'

'Hij had geen reden om ze te vermoorden. Ze werkten voor hem.'

Lydia vroeg zich af hoe een pooier erin was geslaagd zo veel loyaliteit te verwerven. Ze dacht niet dat dat alleen kwam door cadeautjes te geven, maar misschien was er ook wel niet meer voor nodig.

'Is hij schuldig of onschuldig, wat denk je?' wilde Princess weten.

Lydia vroeg zich af of ze Cilla opzettelijk bij dit gesprek weghielden. Zij zou zich verplicht hebben gevoeld om haar neef, die zo goed was voor haar familie, te verdedigen. Maar deze vrouwen waren vastbesloten de waarheid te horen. Lydia keek hulpeloos om zich heen. 'Ik heb geen idee.'

'Dit is niks! We hebben een echte privédetective nodig,' klaagde Big Wanda luid van achter uit de zaal. 'Dit meisje weet van toeten noch blazen.'

Lydia's wangen brandden. Ze had het baantje niet eens gewild en het alleen gedaan omdat ze het gevoel had dat ze geen nee kon zeggen. Maar nu ze op het punt stonden haar de laan uit te sturen, was ze geschokt. Ze wist dat het nergens op sloeg.

'Het kan niemand iets schelen dat ze onze zussen hier vermoorden. De politie niet, de blanke gemeenschap niet, niemand. Ik ben het zat!' Big Wanda stond op en spuugde op de grond.

Lydia wist niet goed of ze bang moest zijn, zo alleen in de club zonder Jack of een andere bondgenoot. De vijandige sfeer nam toe. Ze nam het hun niet kwalijk dat ze boos waren, maar de moordenaar was degene die hun woede verdiende, niet zij. Het enige probleem was dat niemand wist wie de moordenaar was en dat zij hier nu aanwezig was en ze haar gemakkelijk de schuld konden geven.

'Ik geef het niet op,' zei Lydia krachtig. 'Glenda was ook mijn vriendin. Ik beloof jullie dat ik zal doen wat ik kan om te helpen.' Ze wachtte een fractie van een seconde af of Princess of een van de andere vrouwen misschien tussenbeide zou komen om haar te verdedigen, maar niemand zei iets. Van streek en op het punt in tranen uit te barsten stond ze op. 'Bel me maar als jullie iets hebben ontdekt, dan doe ik dat omgekeerd ook.'

De vrouwen waren stil toen ze de club uit liep. Ze had het gevoel alsof ze zojuist haar team in de kou had laten staan en dat gaf haar geen goed gevoel. Maar ze kon ook niet het onmogelijke beloven. De politie deed haar werk en dat moest voor iedereen voldoende zijn.

Buiten haalde Lydia diep adem en ze probeerde zich te vermannen. Ze realiseerde zich dat ze doelloos door de buurt wandelde. Ze had niets te doen en niemand om het mee te doen. Sinds ze met Jack omging waren haar vrije uren gevuld geweest met gehaast rondrennen om te proberen hem te zien, maar dat deed ze nu niet meer. Ze besloot naar Georgia's kapsalon te lopen.

Hair Today had succesvol de sprong gemaakt van een ouderwetse uniseks kapsalon naar een chique salon die zich richtte op het kunstig slordige haar van hippe klanten. De prijzen waren in overeenstemming daarmee naar boven bijgesteld. Alles wat in artistieke kringen smaakvol werd gevonden, was bewaard gebleven, zoals de mosterdgele antieke kappersstoelen en de droogkap. Maar Georgia had de inrichting warmer en uitnodigender gemaakt, met interessante armaturen en antieke spiegels.

Georgia's gezicht klaarde op toen Lydia binnenkwam. Ze was bijna klaar met een vrouw die avontuurlijk fluorescerend groen haar had gekregen.

'Lydia!' Georgia sprong op en omhelsde haar. 'Wil je highlights?'

Lydia kwam even in de verleiding, maar zag dat Georgia al was begonnen de salon schoon te maken om te gaan sluiten. 'Is het geen sluitingstijd?'

Georgia haalde haar schouders op. 'Mijn date heeft afgezegd voor vanavond. Laten we Thais eten bestellen en dan je haar doen.'

'Je bent geweldig.'

Georgia had, zoals het een goede vriendin betaamt, Jack niet eens genoemd. Ze wist dat Lydia wel over hem zou beginnen als ze eraan toe was. En voorlopig zou ze net doen alsof het volkomen normaal was om niet te weten waar je vriend zat en of hij eventueel op het punt stond je aan de kant te zetten.

Nadat de klant tevreden met haar fluorescerende haarkleur was vertrokken en ze *pad pak* en *pad thai* hadden besteld, begonnen ze aan het serieuze werk van het uitkiezen van de kleur voor Lydia's highlights. Georgia had net een nieuwe zending verf binnengekregen die ze graag wilde uitproberen.

'Het moet niet te licht zijn,' waarschuwde Lydia. 'Dat ziet er bij mij altijd zo nep uit.'

'Natuurlijk,' zei Georgia, die allerlei nuances rood bij Lydia's haar hield en haar ogen tot spleetjes kneep.

Elke denkbare nuance was er, maar kleuren waardoor ze eruit zou zien als Ragedy Ann of alsof ze aan te veel straling was blootgesteld, schoven ze al snel terzijde.

Nadat ze zich over een paar kleuren het hoofd had gebroken, begon Lydia er scheel van te zien. Uiteindelijk zei ze tegen Georgia dat die maar een keuze voor haar moest maken. Dat vertrouwde ze haar wel toe.

Georgia glimlachte en begon de verf te mengen. Lydia besloot zichzelf tijdens het wachten een pedicure te geven. Ze wist dat haar stemming zou opfleuren als haar nagels in een vrolijke kleur gelakt waren.

'Hoe staat het met de band? Jullie waren geweldig op de rolschaatsbaan.'

'We spelen later vanavond in het Spiral House. Je moet komen.'

'Dat zou ik leuk vinden.' Ze vroeg zich af of Jack met haar mee zou gaan. Het zou haar een vreemd gevoel geven om alleen te gaan. Iedereen zou zich afvragen waar hij was en haar vragen stellen. Ze was er nog niet aan toe om die vragen te beantwoorden. Of ze zouden aannemen dat ze single was, en dat zou haar een nog raarder gevoel geven.

'We zijn ook gevraagd om een nummer bij te dragen aan een liefdadigheidsalbum. Het geld gaat naar Mexicaanse kinderen die in hun levensonderhoud voorzien door vuilnis te sorteren.' Georgia begon zorgvuldig strengen van Lydia's haar te scheiden en de kleverige substantie erop te doen. 'Ze hebben ons op dat concert gehoord en gevraagd of we wilden meedoen. Ik heb een artikel over die kinderen gelezen en hoe ze proberen die naar school te krijgen en ze gezondheidszorg en zo te geven. Ik wil echt helpen.'

Lydia bracht net de kleur Passionate Pink aan op haar teennagels en stopte abrupt. Er waren zo veel hongerige, wanhopige mensen op de wereld, en zij gaf zichzelf een schoonheidsbehandeling. Glenda, Josefina en Anna waren ook weerloos geweest en hadden hulp nodig gehad. Ze had het gevoel dat ze hen in de steek liet. Misschien liep er nu wel een andere kwetsbare vrouw op straat die was overgeleverd aan de willekeur van een koelbloedige moordenaar. Ze knipperde haar tranen weg, terwijl ze naar haar half gelakte teennagels staarde.

'Wat is er aan de hand? Vind je de kleur niet leuk?'

'Het is allemaal zo'n puinhoop. Ik weet niet wat ik moet doen.'

De bezorger van het Thaise restaurant klopte op de deur en Georgia liep haastig weg om hem te betalen. Lydia voelde zich opgelucht. Ze wist niet zeker of ze er al aan toe was om erover te praten. Het was allemaal zo deprimerend.

Terwijl ze in hun eten prikten, zat Lydia met aluminiumfolie op haar hoofd en tissues tussen haar tenen te wachten tot de nagellak droog en de verf ingewerkt was.

Maar Georgia was het niet zomaar vergeten. 'Is er iets op je werk?'

Lydia zuchtte. Het leven met de D'Angelo's ging weer zijn gewone gangetje. 'Nee.'

'Waar zit je dan mee?'

'De bende van het Gouden Hoefijzer wilde dat ik zou uitzoeken wie de vrouwen vermoordde bij de rivier, en ik kon het niet.'

'Waarom verwachtten ze dat jij het er beter van af zou brengen dan de politie?'

'De meesten van hen zijn prostituee en ze vertrouwen de politie niet. Ze denken dat die niet evenveel aandacht besteedt aan de dood van gekleurde vrouwen als aan de dood van blanke yuppen.'

'Hebben ze daar gelijk in?'

Lydia haalde haar schouders op. 'De pers besteedt zeker meer aandacht aan blonde slachtoffers, maar ik kan me niet voorstellen dat Romero dat soort vooroordelen heeft. Hij is zelf Puerto Ricaan.' Ondanks alle problemen die ze met hem had, moest ze toegeven dat Romero de moorden serieus nam en zich tot het uiterste inspande om de moordenaar te vinden. 'Bovendien hadden de bendeleden net gehoord dat de politie op het punt staat iemand te arresteren.'

Georgia spietste een dumpling aan haar stokje. 'Aha! Dus het ergert je alleen dat hij je niet mee laat werken.'

Lydia moest toegeven dat ze zat te mokken. Ze zou graag willen weten wie de vrouwen vermoordde, vooral omdat ze een getuige was en twee van de slachtoffers had gekend. Het knaagde erg aan haar dat Romero zo weinig vertrouwen in haar had. En het verwarde haar dat het zo'n pijn deed. Ze had een vriend, een baan, een roeping in de kunst en veel vrienden, dus wat kon het haar schelen wat een chagrijnige rechercheur van haar dacht? Maar op een of andere manier kon dat haar wel wat schelen en dat gaf haar een ongemakkelijk gevoel.

Ze vond het ook moeilijk om de vrouwelijke slachtoffers uit haar hoofd te zetten. 'De bende maakt zich zorgen dat ze de verkeerde zouden kunnen arresteren; dat ze zomaar iemand inrekenen en dat de echte moordenaar dan doorgaat met moorden.'

'Wat denk jij?'

'Ik weet het niet.' Lydia werd er moe van om dat te moeten zeggen. Ze wilde zo graag weten hoe de vork in de steel zat. Door haar nieuwsgierigheid was ze ook juist in deze puinhoop verzeild geraakt. En ze had geen idee wie de moordenaar was. Ze werd er gek van.

Lydia's telefoon ging. Ze hoopte dat het Jack was en greep enthousiast naar haar mobieltje om op het display te kijken. Het was een nummer uit Brooklyn, maar ze herkende het niet. 'Hallo?'

'Met Emmanuel.'

Lydia glimlachte. 'Bedankt dat je me terugbelt. Ik moest vandaag gebruikmaken van een van je concurrenten om naar Queens te gaan. Was je vrij, of zo?'

'Nee, nee, ik ben niet vrij. Ik hoopte dat je me kon helpen.' Het klonk alsof Emmanuel in een lege, holle ruimte zat. In elk geval zat hij niet in zijn auto.

Lydia fronste haar voorhoofd. Als er iets met zijn auto gebeurd was, kon hij geen geld verdienen. Ze wist dat zijn familie rekende op het geld dat hij naar huis stuurde. 'Natuurlijk. Wat is er gebeurd?'

'Ze denken dat ik een voortvluchtige crimineel ben.' Emmanuel klonk nerveus en zijn Jamaicaanse accent was duidelijk hoorbaar.

'Wat bedoel je?'

'Ze hebben me gearresteerd voor de moorden bij de rivier.'

# 28

Lydia was zo boos dat ze naar de deur rende zonder eraan te denken de tissues tussen haar tenen uit te trekken. Gelukkig hield Georgia haar tegen voordat ze met aluminiumfolie in haar haar de straat op liep. Ze moest weer gaan zitten, en Georgia maakte de behandeling zo snel mogelijk af. Maar ze wilde haar haren niet laten föhnen of stylen; ze had te veel haast.

Onderweg naar het politiebureau probeerde ze te bedenken wie er een invloedrijke advocaat zou kennen. Emmanuel had hulp nodig. Hij had één telefoontje mogen plegen en haar gebeld, dus nu was het allemaal aan haar. De meeste van haar vrienden waren kunstenaars zonder werk die af en toe naar herhalingen van *Law & Order* keken, maar zelf geen advocaten kenden. Of alleen advocaten die pro Deo voor Greenpeace of zo werkten. Ze had iemand nodig die regelmatig met rijke en machtige mensen omging. Ineens had ze de briljante ingeving om Candi te bellen. Ze diepte haar mobieltje op uit haar tas.

Gelukkig stond Candi's nummer nog steeds in haar toestel, dankzij hun recente afspraak voor de fotosessie. Lydia belde haar op en kreeg de voicemail. Candi nam nooit de telefoon op. Lydia probeerde haar gedachten op een rijtje te zetten terwijl ze op de piep wachtte. 'Een kennis van me, Emmanuel Jordan, een jongeman uit Jamaica, is gearresteerd voor de moorden op Glenda, Anna, Josefina en Al Savarese. Hij is naar de 90th Precinct gebracht. Hij is onschuldig en zolang hij in de gevangenis zit, laat de politie de moordenaar dus vrij rondlopen. Hij heeft snel een advocaat nodig. Weet jij iemand die zou kunnen helpen?'

Ze hing op en snelde naar huis om haar fiets te pakken. Ze verloor daardoor kostbare minuten, maar kwam zo wel het snelst op het politiebureau. Ze sprong op haar fiets en reed naar Broadway. Ze maakte zich er nog steeds zorgen om hoe ze hulp voor Emmanuel zou kunnen krijgen en fietste best hard. Bijna had ze de taxi niet opgemerkt die haar sneed, en de vijfdeursauto die te dicht op haar reed niet, en de vrachtauto die door rood reed ook niet. Het was een wonder dat ze onderweg naar het politiebureau niet werd doodgereden.

De receptionist op het bureau wilde haar niet helpen, maar Lydia weigerde te vertrekken tot ze Romero had gezien. Ze kon Emmanuel niet aan zijn lot overlaten. Zij had hem bij deze zaak betrokken en nu was het aan haar ervoor te zorgen dat hij er zonder kleerscheuren van afkwam. Om de tijd te doden en Romero te laten weten dat ze bloedserieus was, belde ze herhaaldelijk naar het mobieltje van de rechercheur. Ze wist dat hij zijn humeur zou verliezen, maar dat kon haar niet schelen. Ze wilde opschudding veroorzaken, zij was ook boos.

Ze ging op de bank zitten en realiseerde zich dat haar kapsel er, na alle moeite om highlights te zetten, nu waarschijnlijk slap en slordig uitzag. Met behulp van haar spiegeltje en de schoonheidsproducten die ze in haar tas kon vinden, deed ze haar best zich op te frissen.

Romero kwam ongeveer een halfuur later naar beneden. Hij zag er moe en ontevreden uit.

Voordat hij kon gaan schreeuwen sprong Lydia op. 'Emmanuel heeft het niet gedaan. Je moet hem laten gaan.'

'Je hebt ons zelf verteld dat hij een halfuur weg was, terwijl jij in de auto zat te wachten en hem niet kon zien. En je zei dat je niet weet waar hij was voordat hij je kwam halen, maar dat je wel wist dat hij Al volgde. Hoe weet je nou dat hij het niet heeft gedaan?'

'Hij is geen gewelddadige vent. Hij was daar alleen omdat ik het hem had gevraagd.' Ze zweeg abrupt. Emmanuel had háár gebeld, háár opgehaald en háár naar het park gebracht. Hij was degene die haar daar naartoe had gebracht. Ze had hem gevraagd om Al te volgen, maar hij had het initiatief ertoe genomen.

Romero ging naast Lydia op het bankje zitten. 'Hoe goed ken je Emmanuel eigenlijk?'

Ze fronste haar voorhoofd. 'Wat bedoel je?'

'Wanneer heb je hem ontmoet?'

'Ik denk een week geleden.' Dat klonk niet echt lang. 'Maar je leert mensen echt heel snel kennen als je samen iemand schaduwt. Hij was heel betrouwbaar en wilde graag detective worden. Hij zou zoiets nooit doen.'

'Wist je dat hij gearresteerd was in Jamaica?'

'Ja, hij had een winkeldiefstal begaan of zo. Maar wat stelt dat nou voor? Hij had waarschijnlijk alleen de juiste mensen niet omgekocht of hij had er het geld niet voor. Je weet hoe de politie daar is.'

'Nee, het was op beschuldiging van geweldpleging.'

Lydia staarde Romero ontsteld aan. Ze had zo zeker geweten dat ze Emmanuel kende en dat hij een vreedzaam, aardig iemand was. Maar als hij dat nou niet was? Stel dat ze fout zat met haar intuïtie? Stel dat Emmanuel gezocht werd omdat hij prostituees had vermoord in Jamaica, en zij hem hier op een soortgelijke zaak had gezet en hem in de verleiding had gebracht?

Romero keek haar medelijdend aan. 'Hij zou wel eens heel gewelddadig kunnen zijn.'

Ze probeerde zich voor te stellen dat Emmanuel een vuurwapen had en iemand doodschoot, maar dat lukte niet. Ze wist niet wat ze ervan moest denken. Ze zou gewoon moeten wachten en zien wat er voor bewijsmateriaal was. Ondertussen was het aan haar om ervoor te zorgen dat hem recht werd gedaan. 'Emmanuel is mijn vriend. Ik denk dat jullie de verkeerde hebben en zolang jullie je op hem richten kan de echte moordenaar voorbereidingen treffen om weer toe te slaan.'

'Of we hebben de juiste man, gebaseerd op het bewijsmateriaal dat we verzameld hebben en waar jij niets van weet. En dan maken we het op straat veiliger voor iedereen. Waarom zou je ons niet het voordeel van de twijfel geven?'

'Jij en ik weten dat Gator een slechte reputatie heeft. Waarom vervolgen jullie hem niet?'

Romero sprong op. 'Zeg je nu dat ik mijn werk niet doe?'

Ze had Romero wel eens eerder boos gezien, maar nu keek hij zó nijdig, dat hij in staat leek bepaalde basisprincipes van de New Yorkse politie te overtreden. Lydia hield voet bij stuk, haar hart bonkte in haar oren, en ze liet haar zwijgen voor zich spreken. Ze dacht dat Gator het had gedaan en dat de politie haar werk niet deed.

De deur van het bureau sloeg met een klap open en een lange man van in de vijftig schreed met een aktetas in zijn hand naar binnen. Hij had een vlot pak aan dat waarschijnlijk evenveel kostte als Lydia's maandelijkse huur. De man zag er vaag bekend uit, maar Lydia kon hem niet plaatsen. Hij was zeker niet het type man dat ze hier in de buurt had zien rondhangen. Lydia merkte geërgerd op dat de receptionist nu niet treuzelde, maar voor hem wel meteen naar het loket kwam.

'Kan ik u helpen, meneer?'

'Ik ben William White en ik kom voor Emmanuel Jordan. Ik ben zijn advocaat.'

Romero draaide zich met een chagrijnige blik om naar Lydia. 'Dit heb jij zeker bekokstoofd, of niet?'

'Ik heb een vriendin gevraagd of zij iemand kon aanbevelen.' Ze wilde niet in details treden. Deze William White was waarschijnlijk een van Candi's klanten, en dat ging ze Romero echt niet vertellen. Als de man van travestieten hield, moest hij dat zelf weten.

'Ik wist niet dat je zo'n hoge piet kende,' mompelde Romero zachtjes.

Lydia verkeerde in verwarring, maar voor ze kon vragen wie de man was, stevende Romero al op hem af om hem aan te spreken.

'Meneer White, ik ben de rechercheur die verantwoordelijk is voor die zaak.'

De advocaat keek ongeduldig op zijn horloge. 'Dan zult u begrijpen waarom ik mijn cliënt meteen wil zien, rechercheur.'

'Ik begrijp niet wat een televisiepersoonlijkheid bij een illegale taxichauffeur te zoeken heeft.'

Romero en White taxeerden elkaar als kemphanen voor een gevecht. White was zo'n tien centimeter langer en zwaarder dan Romero, maar als het simpelweg een kwestie van testosteronniveaus was, leken ze tegen elkaar opgewassen te zijn.

'Ik geloof in vechten tegen de misdaad in alle delen van de stad. En ik kom graag op voor de kleine man.' Het toespraakje klonk ingestudeerd.

Lydia realiseerde zich dat ze zijn gezicht wel eens op billboards had gezien. Hij was commentator bij een rechtbankshow op tv. Candi was erin geslaagd een beroemde televisieadvocaat voor Emmanuel te ronselen. Ze kon de grote grijns die zich over haar gezicht verspreidde niet onderdrukken. Ze hoopte alleen dat William White zijn vak verstond.

'Je zult het grootste deel van je miljoenen vast op die manier verdiend hebben.' Romero deed een stap achteruit om zijn pak, zijn leren tas en zijn zorgvuldig gekapte haar helemaal in zich op te nemen.

De advocaat keek opnieuw onaangedaan op zijn horloge. 'Als u klaar bent met het ventileren van beledigingen, zou ik graag mijn cliënt zien.'

Romero keek Lydia aan met een blik die zei dat hij het haar later betaald zou zetten en nam de advocaat mee om Emmanuel te spreken. Lydia had graag mee gewild. Dan had ze Emmanuel naar zijn arrestatie in Jamaica gevraagd en dan had ze zich ervan kunnen vergewissen dat hij veilig was. Maar om iemand op het bureau te spreken moest je duidelijk rechten gestudeerd hebben.

# 29

Nadat ze nog een uur had gewacht in de hoop een glimp van Emmanuel en de advocaat op te vangen, maar niets had gezien, vertrok Lydia. Emmanuel had om hulp gevraagd en ze had gedaan wat ze kon. Ze belde Candi en liet een dankbaar berichtje achter. Emmanuel was nu niet meer alleen en zonder bondgenoten. William White zou ervoor zorgen dat de politie hem niet tot een valse bekentenis of wat dan ook kon dwingen. Voorlopig was hij dus veilig.

Terwijl ze naar haar fiets liep, belde ze Jack. Ze was het zat om op een telefoontje van hem te wachten. Bovendien kon ze wel wat sympathie gebruiken. Maar Jack klonk nors toen hij de telefoon opnam: hij stond helemaal in de werkstand.

Lydia begon hem uit te leggen wat er was gebeurd. 'Ik maak me zorgen dat ze Emmanuel het land uit zetten.'

'Wie is Emmanuel?'

'De taxichauffeur!' Ze probeerde niet schel te praten, maar ze werd er niet graag mee geconfronteerd hoe weinig Jack bij haar leven betrokken was. Ze wist dat ze hem al eerder over Emmanuel had verteld en ze vroeg zich af of hij ooit aandacht schonk aan wat ze vertelde.

'Heeft hij het gedaan?'

'Jack!' protesteerde ze. 'Natuurlijk niet. Het is een goede vent.' Ze wilde geen ruzie met Jack. Ze wilde dat ze weer samen uitgingen en weer lekker verliefd waren. Ze had iemand nodig die haar dicht tegen zich aan hield en tegen haar zei dat alles goed zou komen. Waarom kon hij niet weer de perfecte vriend voor haar zijn? Waarom moesten relaties zo moeilijk zijn?

Lydia haalde diep adem en veranderde van onderwerp. 'Georgia Rae speelt vanavond bij Spiral. Zullen we elkaar daar ontmoeten?'

'Ik kan niet. Ik had je toch verteld dat ik voor een enorme deadline zit? Ik weet niet hoe laat ik weg kan,' zei Jack.

Op de achtergrond hoorde Lydia een vrouw iets mompelen, en ze had het vermoeden dat het zijn collega Polly was. Toen ze elkaar bij Lulu's ontmoet hadden, kreeg Lydia het gevoel dat Polly er geen bezwaar tegen zou hebben gehad als Jack beschikbaar zou zijn geweest. De gedachte dat ze samenwerkten maakte haar jaloers. 'Ik moet gaan. Doei.'

Lydia stond op straat naar haar mobieltje te staren. Wat was er met hen aan de hand? Ineens konden ze niet meer communiceren en waren ze het nergens meer over eens. Ze wist niet of hij haar de bons gaf of dat hij het echt vreselijk druk had op zijn werk. Ze had gedacht dat het de lucht zou klaren als ze contact met hem opnam, niet dat alles nog verwarrender werd.

Ze fietste naar huis om zich om te kleden voor de show. Ze besloot de hele avond niet aan Jack te denken. Dat hij vanavond niet met haar uit kon was pech voor hem. Bovendien had ze met Emmanuel en de moorden al voldoende op haar bordje. En ze was vastbesloten om Georgia te steunen en plezier te hebben.

In haar eentje uitgaan was deprimerender dan ze zich herinnerde. Alle andere mensen waren met zijn tweeën en kropen dicht tegen elkaar aan in een hoekje. Lydia merkte dat ze veel meer dronk dan normaal. Dan hadden haar handen en mond tenminste iets te doen, ook al bood het haar gedachten niet veel afleiding.

Toen Georgia's optreden voorbij was, kwam ze naast Lydia zitten en bekeek haar aandachtig. 'O-o. Problemen. Wat mag het zijn?'

'Een gin-tonic,' zei Lydia een heel klein beetje met dubbele tong.

'Hoeveel heb je er al gehad?'

Lydia maakte een vaag gebaar. 'Twee. Ik bedoel drie. Niet zo veel toch?'

Georgia schudde haar hoofd. 'Voor sommigen misschien niet, maar jij kunt niet veel hebben.'

'Ik loop niet het gevaar dat iemand misbruik maakt van mijn toestand,' zei Lydia sip.

'Waar is onze knappe Jack? Geld aan het rondschuiven?'

'Waarschijnlijk wel. Ik denk dat hij nog steeds boos op me is, omdat ik onderzoek doe naar de moorden.'

'Wat is er dan aan de hand?'

Lydia vertelde Georgia meer over Emmanuels arrestatie, omdat ze nauwelijks de tijd had gehad om haar verder in te lichten toen ze de salon uit was gerend.

Georgia reageerde echter niet echt verontwaardigd. 'Romero heeft gelijk. Zo goed ken je die vent niet. Zou hij ze vermoord kunnen hebben?'

Lydia vond het moeilijk om uit te leggen hoe ze zo zeker wist dat Emmanuel het niet had gedaan. Ze kende hem inderdaad pas kort, maar was overtuigd van zijn onschuld. 'Geen sprake van. Ik heb hem bij deze zaak betrokken. Zo is hij gewoon niet.'

Georgia schudde haar hoofd. 'Je moet voorzichtig zijn.'

'Dat ben ik ook, maar het geeft me een rotgevoel dat ik Emmanuel in de problemen heb gebracht. De enige manier om te bewijzen dat hij onschuldig is, is de echte moordenaar vinden. Ik denk nog steeds dat Gator het gedaan zou kunnen hebben, maar de politie is bang voor hem.'

'Hoe kun je dat bewijzen? De moordenaar laat immers geen sporen achter.'

'Ik zal hem op heterdaad moeten betrappen.' Lydia nam nog een slok van haar drankje. Er begon zich een idioot plan in haar hoofd te vormen, een plan dat niemand zou bevallen, behalve haarzelf.

'Je bent slechts een paar meter bij hem vandaan geweest en je hebt hem niet kunnen betrappen. Waarom denk je dat het een volgende keer anders zou zijn?' luidde het verstandige commentaar van Georgia.

'Het zou anders zijn als hij achter mij aan zat,' zei Lydia.

'Achter jou aan?'

'Ja, als hij dacht dat ik een prostituee was.'

Georgia snoof verachtelijk. 'Jij? Ik zou je kunnen aanzien voor een bibliothecaresse, maar voor een hoer...'

'Waarom niet? Met de juiste kleren en de juiste manier van lopen, en als ik op de juiste plekken rondhang...' Lydia had zichzelf en haar vriendinnen ooit als prostituee verkleed, toen ze aan haar reportage *Lost Girls* had gewerkt. Die ging over vrouwen die vermoord en nooit geïdentificeerd waren. Ze had al haar modellen op een film noir-achtige manier gefotografeerd, nadat ze de details van de dood van de oorspronkelijke slachtoffers had nagezocht.

Georgia grinnikte. 'Ik ben bang dat je eerder de kans loopt om gearresteerd te worden.'

Romero zou het vast heel grappig vinden om Lydia gearresteerd te zien worden wegens tippelen. Maar afgaand op haar ervaringen bij de rivier, had de politie de neiging zich buiten deze hele puinhoop te houden. 'Het helpt om het door de ogen van het slachtoffer te zien, hoor.'

'Lydia McKenzie! Er zijn al drie vrouwen dood. Zoek de problemen nou niet op.'

'Het zou veel veiliger zijn als ik samen met een vriendin kon gaan!' zei Lydia, veelbetekenend haar wenkbrauwen optrekkend.

'Je wilt dus dat ik jouw bodyguard ben? Ik weet niet of ik me al die zelfverdedigingstactieken van de cursus nog herinner.'

Lydia schudde haar hoofd.

'Nee, nee, nee. Wil je dat ik me ook verkleed?'

'Waarom niet? Jij bent degene met acteerervaring.'

'Het is veel te gevaarlijk,' protesteerde Georgia.

'Niet als we met z'n tweeën zijn.' Lydia wist dat ze doordramde, maar ze kon er niets aan doen. Ze had Georgia's hulp echt nodig. 'Je zou toch niet willen dat ik alleen ging?'

'Doe niet zo belachelijk. Het zou zijn alsof we met een schietschijf op onze rug langs de rivier liepen. Heb je echt zelfmoordneigingen?'

Lydia fronste haar voorhoofd. Ze wilde het nog niet opgeven. 'Ik móét er nog een keer naartoe. Ik kan hier niet gewoon zitten en nietsdoen.'

'Waarom ga je dan niet weer met de regenboogbus mee? Die vrouwen leken de situatie behoorlijk onder controle te hebben.'

Lydia dacht na over het voorstel. In de bus zou ze midden in de actie zitten en een excuus hebben om met de prostituees te praten. Als al het andere mislukte, kon ze proberen de moordenaar uit zijn tent te lokken. 'Kom je dan met me mee?'

'Naar de bus? Je bedoelt als vrijwilliger?'

'Natuurlijk. Ik zou graag willen dat je Iris en Sarah en de rest ontmoet.'

Georgia nam een slok van haar drankje. 'Maar wat moet ik dan doen? Gratis manicures geven?'

'Nee, je zou kunnen helpen met het invullen van formulieren en zo. Zo moeilijk is dat niet.'

'Niet dit weekend. Dan zit ik al helemaal vol, met repeteren met de band en met de salon.'

'Oké. Maar woensdagavond dan? Zou woensdagavond iets zijn?'

Georgia knikte aarzelend. 'Maar bij het eerste signaal dat we in de problemen komen kappen we ermee, begrepen? Ik wil voorkomen dat we als lijk eindigen.'

Lydia stemde ermee in. Haar plan begon vaste vorm aan te nemen.

# 30

'Ja, ja, ja. Je weet wat ik lekker vind, schat. Ga alsjeblieft door. Wat je ook doet, ga door, vurige, naakte bink van me.' Leo's vriendin Caroline fluisterde hard in haar mobieltje, en dacht kennelijk dat de telefoon haar op een of andere manier onzichtbaar en onhoorbaar maakte.

Lydia deed haar best om niet te reageren en niet te luisteren. De situatie was meer dan gênant. Maar omdat Caroline achter Leo's bureau zat, slechts een meter bij haar vandaan, was het moeilijk om haar niet te horen. Caroline zat al aan de telefoon sinds Leo ervandoor moest om een cliënt te ontmoeten. Hij had hen met z'n tweeën achtergelaten.

Lydia vond het walgelijk om aan Leo te denken als een vurige, naakte bink. Op dat soort informatie zat ze echt niet te wachten. Ze wilde dat ze hun sekspraatjes beperkten tot buiten kantoor, zodat zij haar werk kon doen.

Lydia had Caroline altijd als een gedweeë, verlegen, monogame vrouw beschouwd, maar toen Leo binnenkwam en Caroline haar telefoontje midden in een zin verbrak, ontdekte ze de waarheid. Carolines vurige, naakte bink was iemand anders. Ze bedroog Leo.

Woedend klemde Lydia haar kaken op elkaar. Persoonlijk begreep ze niet dat iemand Leo seksueel aantrekkelijk vond, maar op zich was hij een goede vent. Hij werkte hard, hield van zijn familie en was een redelijk faire baas. Hij verdiende het niet om bedrogen te worden. Ze wist dat Leo verliefd was op Caroline en ze voelde zich rot omdat ze wist dat het zijn hart zou breken. Als zij met Jack in een soortgelijke situatie terecht zou komen, zou ze er ook aan kapotgaan.

Lydia probeerde niet te kokhalzen toen Leo naar Caroline toe liep en haar zoende.

'Ik heb je gemist, schat. Sorry dat je zo lang op me moest wachten.'

'Ach, maakt niet uit. Ik heb wat zitten bellen, nog wat telefoontjes die ik moest afhandelen.'

Wat zitten bellen? Het leek eerder of ze allerlei relaties had, dacht Lydia verbitterd.

'Geweldig, geweldig.' Leo klonk hartelijk en gelukkig.

Hij had geen idee dat zijn vriendin hem bedroog, en Lydia wilde niet degene zijn die het hem vertelde. Ze had er een hekel aan om de boodschapper van het slechte nieuws te zijn. Zelfs Mama D'Angelo leek Caroline echt te mogen en haar verwachtingen waren hooggespannen nu een van haar zoons misschien eindelijk in het huwelijksbootje zou stappen.

'Kunnen we nu gaan?'

'Natuurlijk,' antwoordde Leo. 'Lydia, we gaan snel een paar appartementen in de buurt bekijken en daarna gaan we lunchen. Frankie komt nog, dus dan kun jij met lunchpauze.'

Lydia glimlachte een beetje geforceerd. Waren ze van plan samen te gaan wonen? Misschien wist Leo van de andere mannen en kon het hem niets schelen, maar dat betwijfelde ze eigenlijk. Ze had het gevoel dat hij in monogamie geloofde en bedrog niet tolereerde. Hij zou er kapot van zijn als hij de waarheid ontdekte.

Caroline stond op en pakte haar handtas. Die paste bij haar bruine broek, haar bruine schoenen en zelfs bij haar blouse. Wat zag ze er saai uit, als een grijze muis. Als Lydia het sensuele gesprek net niet met eigen oren had gehoord, zou ze het niet geloofd hebben.

'Dag Lydia. Tot zo.'

Lydia was verbaasd over haar lef. Begreep ze dan niet dat Lydia haar telefoongesprek had gehoord? Caroline dacht kennelijk dat ze zo zacht had gefluisterd, dat Lydia het niet kon horen. Ze keek toe hoe Leo galant de deur voor Caroline openhield, alsof ze de koningin was. Caroline grijnsde zelfvoldaan naar hem toen ze naar buiten liep, en Leo straalde alsof hij de loterij had gewonnen. Ze leek zeker geen vileine femme fatale, maar ze was duidelijk een goede actrice. De hele relatie was een schijnvertoning. Lydia hield zichzelf echter voor dat het haar zaken niet waren en vestigde haar aandacht weer op de papieren op haar bureau.

Toen de telefoon ging, was Lydia nog geen snars opgeschoten met haar onkostenrapportage voor de zaak-Patricia.

'Lydia!' zei Mama D'Angelo met galmende stem. 'Kom meteen naar het restaurant, dan krijg je eten van me.'

Lydia hield de telefoon een paar centimeter van haar oor. Het water liep haar al in de mond bij de gedachte aan het eten. Ze kon zich het menu al helemaal voorstellen. 'Leo heeft me gevraagd hier te blijven tot Frankie er is.'

'Bah! Dat kantoor loopt niet weg. Daarom hebben ze het antwoordapparaat uitgevonden. Ik wil met je over de jongens praten.'

Lydia vroeg zich af of Mama nieuwsgierig was naar Caroline en meer informatie wilde. Maar zij wilde niet degene zijn die haar over de sekstelefoontjes vertelde. Ze wilde geen klikspaan zijn. De lokroep van Mama's kookkunst kon ze echter ook niet weerstaan. In dat opzicht was ze al even zwak geworden als de D'Angelo's. Ze zette het antwoordapparaat aan en deed de deur op slot. Ze wist dat de broers boos op haar zouden zijn, maar ter verdediging kon ze hun moeders roep om een luisterend oor aanvoeren. Gelukkig waren ze bang voor hun moeder en maakten ze haar niet graag boos.

Mama's restaurant was niet ver. Het bevond zich op de benedenverdieping van een klein gebouw en was gedecoreerd met elk cliché dat je over Italië kon verzinnen. Op de ramen was van alles geschilderd: engeltjes, de Vesuvius, gondels, olijfbomen en ouderwetse meisjes met een hoofddoekje op. Nepzuilen omlijstten de deur. Binnen was de inrichting vooral roze en wit. De witte stoelen waren bedekt met plastic zodat ze schoon bleven en de tafels waren gedekt met tafelkleden van roze vinyl. Op elk tafeltje stond een witte of roze anjer in een vaasje.

Toen Lydia binnenkwam, verscheen Mama van achter uit het restaurant. Ze had een trainingspak van paars velours aan en een paarse bril met strass-steentjes op. Haar suikerspinkapsel leek nog hoger dan normaal, en Lydia vermoedde dat ze net naar de schoonheidssalon was geweest.

'Ga zitten, ga zitten. Tony komt je eten zo brengen.'

Het was nog maar net halfelf geweest, maar dat wilde Lydia niet zeggen. Ze kon altijd wel eten en het leek alsof haar ontbijt al heel ver achter haar lag. Mama bracht haar naar een tafeltje. Lydia zette haar tas op de grond, omdat het vinyl op de stoel te glad was en de tas daar van af zou glijden.

'Wat aardig van je om bij Patricia langs te gaan. Ze is zo verdrietig om haar man.'

Lydia huiverde. Haar bezoek aan Patricia had een zakelijke aanleiding gehad en ze vond het vreselijk dat Mama dacht dat ze langs was gegaan omdat ze aan Patricia's verdriet had gedacht. 'Dat was de moeite niet.'

'Nee, nee, het was heel belangrijk voor haar. Ze voelt zich erg alleen nu haar man is overleden. Ze heeft geen kinderen die haar bezighouden en ze heeft niet veel vrienden.'

Lydia glimlachte meelevend. Ze vond Patricia een beetje vreemd, ze zou er waarschijnlijk bij gebaat zijn als ze wat vaker het huis uit kwam.

'We hebben besloten dat ze een baan nodig heeft.'

'Een baan?' Lydia vond dat het plan een beetje overhaast klonk. Al was pas een paar dagen dood. Hij had vast een levensverzekering of iets dergelijks gehad. En als het nodig was kon Patricia een van de auto's verkopen en een tijdje van de opbrengst leven.

'Ja, ja. En we hebben jouw hulp nodig.'

Lydia staarde Mama perplex aan. Ze had geen banen in de aanbieding voor rouwende weduwen. Maar omdat Mama haar had geholpen de klus te krijgen om Al te fotograferen voor de D'Angelo's, voelde ze zich verplicht haar te laten uitspreken.

Tony kwam de keuken uit en hield een groot zilveren bord omhoog. Hij was een ober van in de vijftig die ooit heel knap was geweest. Nu zag hij er met de over zijn kale hoofd gekamde lok en zijn strakke uniform uit als een bejaarde Don Juan. Hij zette het bord met bruschetta met veel flair voor Lydia neer en grijnsde flirtend naar haar. 'Uw bruschetta, *signora*.'

Mama fronste naar Tony en gebaarde ongeduldig dat hij weg moest gaan. Hij verdween de keuken weer in en Lydia zette haar tanden in het voorgerecht. Tomaat, ui, knoflook en basilicum lagen dik op het geroosterde brood. De smaak was pittig en vol en Lydia moest zichzelf dwingen niet te snel te eten.

'Mijn zonen vinden dat je je werk goed doet. Ze willen je niet kwijt. Je hebt veel meer creativiteit en belangstelling getoond dan wie dan ook van hun vorige assistentes.'

Lydia verstijfde midden in een hap en er gleed een stuk tomaat langs haar kin. Hoewel het natuurlijk fijn was om gecomplimenteerd te worden, begon dit er meer op te lijken alsof ze de bons kreeg. Hadden de D'Angelo's hun moeder soms de opdracht gegeven om haar te ontslaan? Zouden ze zo laf zijn? Lydia weerhield zichzelf ervan die vraag te stellen. Natuurlijk waren ze dat.

Mama ging verder zonder enige aandacht aan de verdwaalde tomaat te besteden. 'Patricia kan geen baan krijgen als ze niet wat ervaring opdoet op een kantoor, dus hoopten we dat jij haar zou willen opleiden en leren hoe jij je werk doet.'

Lydia kauwde haar eten bedachtzaam en slikte het door. Ze wilden dat ze Patricia ging opleiden om haar op te volgen. Ze zei al maanden tegen zichzelf dat ze van haar baan af wilde. De D'Angelo's waren ruziezoekers, het grootste deel van het werk was ongelooflijk saai, en ze vond het vreselijk dat ze niet zoveel aan haar eigen fotografie kon werken als ze graag wilde. Misschien zou het opleiden van haar opvolgster Patricia haar een goede gelegenheid bieden om zich te oriënteren en erachter te komen wat ze nou echt wilde, in plaats van rondrennen en proberen voor detective te spelen. 'Natuurlijk,' zei Lydia. Voorzichtig veegde ze haar handen aan een gigantisch roze servet af. 'Ik help jullie graag.'

Mama keek opgelucht. 'We moeten echt iets vinden om haar bezig te houden.'

Misschien dacht ze aan de tijd dat ze zelf weduwe werd. Zichzelf begraven in het dagelijkse werk van haar restaurant was ongetwijfeld een goede afleiding van haar eigen verdriet geweest. Lydia vroeg zich af hoe Papa D'Angelo was geweest. Ze stelde zich voor dat hij evenzeer in de ban van Mama was geweest als haar zonen waren. Patricia's huwelijk had niet zo'n liefdevolle indruk gemaakt, dus was Lydia er nog steeds sceptisch over hoe erg Patricia rouwde. Maar ze was het er helemaal mee eens dat ze een baan nodig had.

Lydia nam nog een hap van haar bruschetta. Die smolt bijna in haar mond. Ze was opgelucht dat ze in elk geval werd omgekocht met iets wat verbazingwekkend heerlijk smaakte. Het zou toch een beetje afbreuk aan de hele ontmoeting hebben gedaan als ze iets te eten had gekregen dat maar een beetje zozo was.

Mama leunde voorover, met haar ellebogen op tafel. 'En wat vind je van Caroline? Aardige meid, hè?'

'Ze is best stil,' zei Lydia, zonder te vermelden dat Caroline aan de telefoon heel wat te vertellen had aan andere mannen dan Leo. Ze had met zichzelf afgesproken dat het haar zaken niet waren.

'Ja, ja,' zei Mama, 'maar er is iets...'

Lydia vroeg zich af of Mama Carolines geheim had ontdekt. 'Ja?'

Mama tikte met haar nagels op het tafelblad. Ze waren kort en recht, waarschijnlijk om praktische redenen. 'Er is iets wat vreemd voelt.'

'U hebt de kans om ze weer te observeren wanneer ze vandaag komen lunchen.'

'Wat? Komen ze vandaag?' Mama's zwarte suikerspin trilde van verontwaardiging. Ze hield er niet van als ze ergens niet van op de hoogte was. 'Daar heb ik niets over gehoord.'

'Ik dacht alleen...' Lydia vroeg zich af of ze een flater had begaan. 'Leo vertelde me dat hij en Caroline ergens gingen lunchen, en ik kon me niet voorstellen waar ze anders naartoe zouden gaan. Tenzij ze ineens erge trek in sushi hadden gekregen.'

'Sushi! Wat moet een nette Italiaanse jongen nu met sushi?' Mama sloeg met haar handpalm op tafel. De glazen schudden. 'Ik ga hem bellen om te vragen of hij hier komt met Caroline.' Ze stond op en stormde de keuken in.

Lydia vroeg zich af of Leo zijn moeder had verteld over zijn samenwoonplannen en ze was blij dat ze in elk geval niet met dat nieuws uit de school had geklapt. Haar maag rommelde nog, maar ze stond op omdat ze dacht dat er geen eten meer kwam.

Toen verscheen Tony uit de keuken met een afhaaldoos. 'Hier zijn de gevulde schelpen speciaal. Mama dacht dat je misschien weer terug moest naar kantoor.'

Dat klopte. Lydia pakte de doos aan en maakte dat ze wegkwam. Ze hoopte maar dat Leo niet al te boos op haar zou zijn. En ze hoopte dat Patricia een snelle leerling was. Ze werd gek van die familie.

# 31

'Archiveren? Maar straks breek ik nog een nagel!' jammerde Patricia.

Lydia haalde diep adem en herinnerde zichzelf eraan dat ze geduld moest hebben. Patricia was tenslotte kortgeleden weduwe geworden. Maar wilde ze ooit een baan krijgen en in haar eigen levensonderhoud voorzien, dan moest ze toch echt wat aan haar houding doen. Ze was een uur te laat op haar werk verschenen met een taxi en had geld uit de kas gevraagd om de rit te betalen. De D'Angelo's vonden het duidelijk niet prettig, maar maakten er ook geen bezwaar tegen. Mama had hen ervan overtuigd dat Patricia een baan nodig had. En ze had ingespeeld op hun schuldgevoel, omdat ze hadden gefaald bij het schaduwen van haar man.

Ze was er al snel achter gekomen dat de broers niets te maken wilden hebben met Patricia's opleiding. Nadat ze haar hadden 'geïnstalleerd', wat alleen inhield dat ze ongemakkelijk 'hallo' tegen Patricia hadden gezegd, hadden Frankie en Leo Lydia opgedragen haar wegwijs te maken. Daarna waren ze verdwenen in de richting van Mama's restaurant. Lydia begreep nu wel waarom.

'Zou je dan liever willen beginnen met het invullen van de cijfers in de laatste onkostenrapporten?'

Patricia fronste haar voorhoofd en draaide aan haar superdure gouden horloge. 'Ik kan niet zo goed typen.'

'Je mag er zoveel tijd voor nemen als je nodig hebt,' zei Lydia hartelijk. Ze leidde Patricia naar Frankies bureau, opende het document, legde de kwitanties voor haar neer en liep weer terug naar haar eigen bureau. Ze was ervan overtuigd dat wat ze Patricia ook liet doen, ze het over zou moeten doen. Ze had niets aan haar. Maar Lydia had ook haar eigen werk nog en kon niet de hele dag op Patricia passen.

Toen Frankie en Leo een paar uur later terugkwamen, excuseerde Patricia zich. 'Mama vroeg me om te komen lunchen. Ik ben zo terug.'

Met 'zo' bedoelde ze vast niet over een paar minuten. Lydia haalde opgelucht adem. Patricia was veel te nadrukkelijk aanwezig.

'Hoe doet ze het?' vroeg Frankie hartelijk. Hij slurpte van zijn koffie. 'Is ze al een beetje ingewerkt?'

Lydia schudde haar hoofd. Ze was geïrriteerd door de hele familie en had geen zin om het voor Patricia op te nemen. 'Ze kan niet typen, ze zegt dat haar nagels breken als ze moet archiveren, en ze heeft mijn kas leeggeplunderd voor die taxirit.'

'Ze heeft net haar man verloren en haar auto staat bij de garage. We moeten een beetje begrip hebben.'

Leo keek zo zuur dat Lydia wist dat dat voor hem een hele opgaaf was. Hij zag niet graag dat de kas werd gebruikt voor niet-factureerbare uitgaven en hij vond het vervelend als andere mensen lui waren.

'Best, maar dan moet je niet verbaasd zijn dat er niets afkomt. Ik heb geen tijd om elke dag te moeten uitleggen hoe je rijen toevoegt in Excel en haar te laten zien hoe ze de helderheid van haar beeldscherm kan instellen. Ze weet echt helemaal niks.' Lydia had een hekel aan klagen, maar de rotzooi die Patricia had gemaakt, was de druppel geweest. Nadat ze het grootste deel van de ochtend kleren had geshopt op internet, had Patricia haar vieze koffiekopje voor Lydia laten staan en was zelf verdwenen voor een lange lunchpauze. Lydia zou gewoon boterhammen met pindakaas en jam aan haar bureau eten, terwijl Patricia zich door Mama in de watten liet leggen. Ze voelde zich net Assepoester.

'Maak je geen zorgen. Ze krijgt het vast gauw door. Ze was altijd een slimme meid.'

Maar Frankie was te optimistisch. Lydia had zelfs nog minder aan Patricia toen ze terugkwam van haar lunch. Ze bracht de middag door met een afspraak bij de kapper maken, met haar personal shopper bij Macy's praten en tegen een reisagent schreeuwen omdat die geen tickets wilde terugnemen.

'Ik heb mijn man verloren! Kunt u niet een beetje respect tonen?' schreeuwde Patricia in de hoorn. 'Wat hebt u nodig? Een bewijs van overlijden?'

Lydia diepte een rolletje snoep en een pijnstiller op. Ze kon het niet laten om nog een pathetisch berichtje voor Jack achter te laten waarin ze hem vroeg wat er aan de hand was. Toen hij niet terugbelde dwong ze zichzelf te geloven dat hij die avond weer moest werken.

Patricia smeet de hoorn neer en leunde hijgend naar achteren. Het was alsof ze vijftien kilometer had hardgelopen in plaats van een reisagent had afgeblaft.

Lydia dwong zichzelf tot een sympathieke glimlach. 'Je klinkt echt heel erg van streek.' Ze schrok toen Patricia in tranen uitbarstte en met haar hoofd op haar bureau ging liggen. Misschien had Patricia veel meer van Al gehouden dan ze had gedacht. Rose was tenslotte degene die hen had ingehuurd.

Lydia vond een grote doos met zakdoekjes, die ze altijd achter de hand hielden voor cliënten die in tranen uitbarstten, en bracht die naar Patricia. Ze streelde aarzelend over haar knokige schouders. 'Kijk eens,' zei ze.

Patricia ging rechtop zitten en pakte wat zakdoekjes. Ze snoot luidruchtig haar neus en zuchtte dramatisch, gevolgd door een hik. 'Ik werd verliefd op Al toen ik pas negentien was. Ik dacht dat hij de slimste en grappigste man ter wereld was. En ik bleef van hem houden, hoe vaak hij me ook bedroog.'

Lydia dacht aan haar eigen verdriet over Jack. Zou hun relatie ontrouw overleven? Waarschijnlijk niet. Maar zij waren nog geen jaren bij elkaar. Ze waren nog niet eens één jaar bij elkaar.

'Hij was er niet veel, maar hij regelde dingen voor me. Ik voel me zo hulpeloos met al die rekeningen en zo.' Patricia maakte een wanhopig gebaar naar de stapel papieren op haar bureau. 'Ik wil hem gewoon weer terug.'

'Ik vind het heel erg voor je.' En Lydia vond het nog erger dat ze de goede woorden niet kon vinden. Al was een laag-bij-de-grondse vent en wat Lydia ook zou zeggen, het zou de smet op zijn blazoen nooit uitwissen. Maar Patricia gaf nu tenminste toe dat hij haar had bedrogen. Ze deed niet langer alsof hij een martelaar was.

'Ik wil dat de moordenaar gepakt wordt!' Patricia smeet haar zakdoekjes op tafel. Die zweefden zachtjes naar de vloer.

'Dat weet ik. Dat willen we allemaal.' Lydia ging koffie voor Patricia en zichzelf zetten.

Ze namen samen een koffiepauze en praatten over de goede tijden die Al en Patricia hadden beleefd. Ze hadden het over de reis die Patricia en Al naar Las Vegas hadden willen maken en dat ze hadden gespaard voor een strandhuis op Long Island. Lydia vertelde haar over haar weekendje aan het strand en Patricia vroeg of ze het beroemde visrestaurant op Long Island had geprobeerd. Het was een leuke afwisseling om een collega te hebben die niet je baas was, vond Lydia.

Later, nadat Lydia weer aan het werk was gegaan en Patricia weer op internet zat, vroeg Lydia zich opnieuw af welke antwoorden ze bij de rivier zou kunnen vinden. Dit was een perfecte avond om daar weer naartoe te gaan en te kijken of iemand zich inmiddels iets anders kon herinneren over de avonden waarop de moorden waren gepleegd.

Ze belde Georgia. 'Zo, ga je vanavond mee?'

Georgia klonk nog steeds onzeker. 'Weet je zeker dat het een goed idee is?'

'Waarom niet? Je ben toch niet bang?'

'Nee, dat is het niet. Ik ben benieuwd naar de bus.'

'Laten we er gewoon een paar uur naartoe gaan. En als we niets ontdekken, dan stop ik ermee. Oké?'

Georgia zuchtte. 'Oké.'

'Je bent geweldig. Kom naar mijn huis, dan gaan we samen naar Kent Street.' Lydia glimlachte toen ze ophing. Toen ze zich omdraaide zag ze dat Patricia haar eigenaardig aankeek.

'Wat ben jij vanavond van plan?'

'Niets,' zei Lydia snel. Het gaf haar een ongemakkelijk gevoel om haar plannen met Patricia te bespreken. Ze wilde Patricia niet de hoop geven dat ze misschien Als moordenaar zou kunnen helpen vinden en hem zijn straf bezorgen. Patricia moest op de politie vertrouwen om dat te doen.

'Gaat je vriend mee?' vroeg Patricia met opgetrokken wenkbrauwen.

Ze had Lydia dan misschien net in vertrouwen genomen over haar financiën en haar huwelijk, maar Lydia moest eraan denken dat Patricia haar kon verlinken bij de D'Angelo's. Dan zou ze haar baantje afpakken. 'Nee, het is echt alleen meiden onder elkaar.' Dat klopte, tot de moordenaar verscheen natuurlijk.

# 32

Georgia Rae en Lydia stonden een kwartier op de hoek van Kent Street en Grand Street te wachten voor de regenboogbus kwam. In plaats van spanning en sensatie te voelen, moest Lydia aldoor aan Jack denken. Ze vroeg zich af hoe hij het zo druk kon hebben op zijn werk dat hij zelfs geen minuutje overhad om haar terug te bellen. Toen ze net iets hadden, had hij nooit overgewerkt en was hij nooit met excuses aangekomen waarom ze elkaar niet konden ontmoeten. Hij belde haar toen een paar keer per dag om te zeggen dat hij aan haar dacht. Het leek alsof ze elke vrije minuut bij elkaar waren of aan de telefoon als pubers tegen elkaar zaten te koeren. Ofwel hij had in die begindagen weinig te doen gehad op zijn werk, ofwel hij had niets meer met haar.

Ze wist dat zijn liefde wat was bekoeld toen ze betrokken raakte bij de moorden. Ze zei tegen zichzelf dat als ze hem wilde houden, ze gewoon kon stoppen met haar speurtocht en de politie haar werk moest laten doen, zonder haar hulp. Maar dat wilde ze niet. Er waren vrouwen vermoord en die hadden niemand om hen te verdedigen. En er waren nog steeds vrouwen op straat die elk moment aangevallen konden worden. Als ze niet probeerde de moordenaar te stoppen, zou ze zichzelf teleurstellen.

'Beloof je dat je me tegenhoudt als ik probeer nog meer berichtjes achter te laten voor Jack?' vroeg Lydia chagrijnig.

'O-o, dat klinkt niet best, schat.'

'Je weet nog niet half.' Lydia probeerde de situatie van de laatste paar dagen uit te leggen, maar stopte omdat ze het zo'n gezeur vond. Ze had een hekel aan zeurende mensen.

'Het klinkt alsof de wittebroodsperiode voorbij is,' zei Georgia filosofisch. Als kapster had ze waarschijnlijk evenveel mensen horen biechten als een barman en een priester bij elkaar. 'Sommige mensen kunnen er niet tegen als die periode voorbij is en zoeken steeds weer een nieuwe vlam om die eerste verliefdheid terug te krijgen.' Ze negeerde een auto die toeterend langsreed. 'Maar ik denk dat die periode wordt overschat. Iedereen kan zich geweldig voelen als het spannend en nieuw is, maar je weet pas op langere termijn of iemand echt iets voor je is. Ik kan me nooit helemaal ontspannen voordat ik een man heel goed ken.'

Lydia en Jack hadden nog niet zo lang iets met elkaar. Ze waren het intieme stadium alarmerend snel binnengegaan en nu balanceerden ze in de fase waarin beslist moest worden of ze een diepere band wilden. Maar in plaats van die beslissing te nemen, hadden ze zich allebei teruggetrokken. 'Ik wil alleen weten of hij het echt druk heeft of dat hij me ontloopt. Ik bedoel: ik ben vanavond bij de rivier en hij weet dat niet eens, omdat hij niet de moeite neemt me te bellen!'

'Natuurlijk. Maar soms kan het goed zijn om elkaar even niet te zien.'

Lydia friemelde aan haar mobieltje in de zak van haar jasje. Verder had ze twintig dollar bij zich voor een taxi en haar sleutels. Ze wilde vanavond niet te veel rommel meenemen.

'Ik heb hier iets voor je,' zei Georgia en ze overhandigde Lydia een oranje busje. 'Gewoon, voor het geval dat.'

'Wat is dat?' Het zag eruit als een vreemde lipstick en het was totaal niet haar kleur.

'Traangas.'

Lydia liet het in haar zak glijden en werd nog ongeruster. De rivieroever zag er 's avonds veel dreigender uit dan overdag. 'Denk je dat we het nodig zullen hebben?'

Georgia haalde haar schouders op. 'Je kunt niet voorzichtig genoeg zijn, zei mijn moeder altijd.'

De zon was nog maar net onder of ze werden al door passerende auto's gespot. Sommige auto's minderden zelfs vaart om hen te bekijken en Lydia vroeg zich nerveus af wanneer de bus zou komen.

Lydia gaf toe dat ze de hele onderneming niet goed had doordacht. Ze hoopte dat ze iets zouden zien waardoor ze meteen wisten wie de moordenaar was. Dan konden onaangename voorvallen worden voorkomen. Emmanuel werd beschuldigd van moord en zij wilde bewijzen dat hij het niet had gedaan. Zolang de politie geloofde dat het Emmanuel was, ging die niet op zoek naar iemand anders.

Eindelijk kwam de regenboogkleurige bus hortend en stotend naar het park toe rijden. Lydia grinnikte toen ze Georgia's stomverbaasde gezicht zag.

Iris deed de deur voor hen open. 'Goedenavond, dames. Sorry dat we zo laat zijn. Ik moest nog een doos met spuiten opsnorren.'

Ze klommen de bus in en Candi kwam op hen af om hen te begroeten. Ze was gekleed in een prachtig groenzijden pak dat geschikter leek voor een directiekamer dan voor de straat. Georgia en Candi kusten elkaar op de wang en wisselden complimenten uit. Daarna stelde Candi Georgia aan iedereen in de bus voor. Georgia wilde alles zien, zelfs de onderzoeksruimte, en Lydia merkte dat iedereen haar enthousiasme op prijs stelde.

Sarah, Candi en Lakisha waren allemaal al hard aan het werk. Lydia voelde zich een doorgewinterde busmedewerkster toen ze een klembord vol formulieren pakte en langs de koffie en de donuts liep om een plekje te zoeken.

'Ik weet niet of we vanavond veel te doen zullen hebben, meisjes. Ik denk dat iedereen van de straat blijft, tot we zeker weten dat de moordenaar gepakt is,' zei Candi. Ze liep door de bus heen en keek hoe ver iedereen was.

'Ik denk niet dat we ons daar nog langer zorgen over hoeven te maken,' zei Sarah. 'Ik heb gehoord dat ze al iemand gearresteerd hebben.'

Candi en Lydia wisselden een blik, maar zeiden niets. Lydia was van plan Candi onder vier ogen te bedanken dat ze Emmanuel een advocaat had gestuurd. Ze wilde dat niet voor het oog van de groep doen. Candi wilde misschien geen ruchtbaarheid geven aan haar genereuze daad. En misschien wilde ze niet dat bekend werd dat zij degene die van de moorden werd beschuldigd aan een advocaat had geholpen.

Er was die avond inderdaad niet veel te doen, en algauw zat iedereen te geeuwen, te veel donuts te eten en te veel koffie te drinken. Georgia en Candi gaven elkaar een manicure en bespraken kapsels. Lakisha ging lekker in een boek over stadsplanning zitten lezen. Iris speelde patience en praatte met Sarah over een van hun wel erg spectaculaire nachten op straat. Lydia keek naar buiten in de hoop iemand te zien die haar kon vertellen wat er aan de hand was. Er liep een moordenaar rond en tot die gevangenzat, waren de vrouwen hun leven niet zeker.

Af en toe reed er een auto langzaam Kent Street af, op zoek naar vrouwen. Maar vanavond was er niemand. Lydia had geen enkele sympathie voor de hoerenlopers, maar ze wist dat de vrouwen niet veel spaargeld hadden om op terug te vallen. Als ze te veel nachten niet konden werken, was dat een ramp voor hen. Ze dacht aan Gators weelderige appartement en vroeg zich af hoe het met zijn financiën zat. Als de moordenaar niet Gator was, maar iemand die hem schade wilde toebrengen, had hij hem nu in ieder geval in zijn portemonnee getroffen. Tot de vrouwen weer gingen werken, zouden er geen grote feesten zijn of nieuwe breedbeeldtelevisies komen. In zijn arrogantie had Gator verondersteld dat hij al zijn rivalen succesvol van zich af had geslagen, maar hij had misschien ongelijk.

Lydia onderdrukte een geeuw en keek opnieuw op haar mobieltje. Het was pas vijf minuten geleden dat ze dat voor het laatst had gedaan. Nog steeds niks van Jack. Ze stopte de telefoon weer in de zak van haar jasje, dat op een stoel lag. Ze zag dat Candi naar haar keek en glimlachte schaapachtig terug.

'Ik denk dat het een rustige nacht wordt, meiden,' zei Candi. 'Waarom zetten jullie tweeën er voor vanavond geen punt achter?'

Georgia aarzelde niet, greep haar tas en stond op. 'Tot ziens allemaal. Ik vond het leuk om te doen.'

Lydia zei ook gedag en moest zich haasten om Georgia bij te houden. Het was buiten nog steeds warm, maar er waaide een windje vanaf de rivier. Ze kon de geur van organisch materiaal in het water ruiken; een gronderige geur die haar eraan herinnerde dat er nog steeds natuur was, ook in de stad. Het was laat en de straten waren verlaten. Zwijgend liepen ze door en Lydia keek voortdurend over haar schouder.

Weten dat prostituees kwetsbaar waren was één ding, maar het was iets heel anders om dat gevoel zelf te ervaren. Terwijl de lichten van de auto's voorbij flitsten, kon Lydia het verlangen achter de donkere autoruiten voelen en ze huiverde. De rivieroever maakte een verlaten, lege en gevaarlijke indruk. De schaduwen onttrokken ratten en andere enge dingen aan het oog. Ze rilde toen de wind haar blote armen streelde. Ze wilde zo snel mogelijk de andere kant op rennen. 'Misschien moeten we een taxi bellen,' zei ze tegen Georgia. Ze probeerde zacht te praten, zonder dat haar stem trilde.

'Geen sprake van. Dit herinnert me aan hoe ik mezelf als kind angst aanjoeg door naar de begraafplaats te gaan.'

Zo voelde het inderdaad, alleen was het nu geen kinderspelletje. Als Lydia gelijk had en Emmanuel niet de dader was, dan liep er nog steeds een moordenaar rond die het op prostituees gemunt had. Ze rilde opnieuw en realiseerde zich dat ze haar jasje in de bus had laten liggen. 'O god! Nu heb ik mijn mobieltje niet en geen geld voor een taxi.' En haar traangaspatroon had ze ook niet.

Ze bleven midden op de stoep staan.

'Wil je teruggaan om het te halen?'

Lydia dacht erover na wat erger was: weer teruglopen in het donker of zonder mobieltje zitten. De bus was waarschijnlijk toch al vertrokken. Candi zou het jasje wel opmerken bij het opruimen en het waarschijnlijk meenemen naar huis. Dan kon Lydia het morgen bij haar ophalen. Gelukkig had ze haar sleutels in haar broekzak gedaan, zodat ze vanavond tenminste haar appartement in kon.

Een enorme zwarte suv stopte met piepende banden naast hen. Georgia en Lydia verstijfden. Hij leek precies op de suv die Lydia bijna had overreden.

Het getinte raampje gleed open en Gators bodyguard stak zijn hoofd naar buiten. 'Voor wie werken jullie, chicks?'

Lydia slikte en vroeg zich af of Gator ook in de auto zat. Hij zou haar herkennen als ze iets zei. Op een of andere manier leek haar dat niet handig, omdat ze hem onaangename vragen had gesteld. Ze hoopte dat de bodyguard zou zien dat ze geen hoeren waren als ze gewoon door bleven lopen. Hopelijk zou hij hen dan met rust laten.

Maar Georgia had zich al tot de auto gewend. Ze verviel in haar zuidelijke accent: 'Alleen voor onszelf, cowboy.'

Lydia begon bijna hardop te kreunen. Georgia dacht kennelijk dat dit een geweldige plek was om haar acteertalent te laten zien.

De bodyguard fronste zijn voorhoofd en klopte op het portier. 'Weten jullie dan niet dat er een moordenaar rondloopt? Meisjes als jullie hebben bescherming nodig.'

Lydia vond dat Georgia Rae te dicht bij de man stond en dat er iets moest gebeuren. Ze wilde niet dat haar vriendin iets overkwam, alleen omdat zij haar mee had gesleept. Dus ging ze voor Georgia staan om de aandacht van haar af te leiden. Ze probeerde haar gezicht afgewend te houden. 'Het heeft die andere meisjes ook geen goed gedaan, toch? Wij doppen liever onze eigen boontjes.'

De bodyguard pakte Lydia's pols vast en rukte haar naar de auto toe. Ze rook een muntgeur uit zijn mond, die vermengd was met iets scherps en onaangenaams. 'Jij moet maar tegen degene voor wie je werkt zeggen dat dit ons gebied is en dat er nare dingen gebeuren met meisjes die niet luisteren.' Met zijn andere hand haalde hij een stiletto tevoorschijn en klapte dat open.

Lydia herinnerde zich ineens een techniek van de cursus zelfverdediging die ze maanden geleden had gedaan. Ze draaide haar arm naar zijn duim en wist haar pols plotseling los te rukken uit zijn greep. Met haar andere hand zette ze zichzelf af tegen de suv en ze rende zo hard ze kon weg. Struikelend trok ze Georgia mee. 'Rennen!' schreeuwde ze.

Georgia leek het mes ook te hebben gezien en ging er niet tegenin. Samen spurtten ze de straat uit naar Northside, waar ze hopelijk veilig waren.

'Wie was dat?' gilde Georgia.

'De bodyguard van Gator. Hij is ongelukkig genoeg een van mijn verdachten.' Lydia probeerde net te doen alsof ze hardloopschoenen aanhad, maar dat haalde niets uit. Haar schoenen hadden weliswaar geen hakken, maar waren echt niet gemaakt om op hard te lopen.

Georgia hijgde. Zij bezocht de sportschool ook niet zo vaak. Haar idee van sporten was stagediven. 'Wat moeten we doen?'

Een snelle blik achterom bevestigde dat de suv hen achtervolgde. 'Ik weet het niet!'

De suv haalde hen in en reed de stoep op. De bodyguard opende het portier om uit te stappen.

'We moeten ons opsplitsen,' zei Lydia hijgend. 'Ren naar Bedford en ga hulp halen!'

Georgia stormde gehoorzaam Kent Street in en daarna North First. Lydia hoopte dat Georgia in veiligheid was toen ze zelf haar schoenen uitschopte, zich omkeerde en de weg terugrende die ze net waren gekomen. De bodyguard zat achter haar aan. Hij was een grote vent en ze was bang dat hij haar zou inhalen. Maar hij had op de sportschool kennelijk meer aan gewichtheffen dan aan cardio gedaan, want na één straat was hij al aan het hijgen en puffen.

Ze versnelde haar tempo toen ze langs het Grand Street Park rende, puur op adrenaline en angst. Ze had er geen zin in om alleen en kwetsbaar in het donker gepakt te worden. Ze hoopte dat ze snel een politieauto zou zien die ze kon aanhouden, maar ze zag er geen. En ze kon de politie ook niet bellen, omdat ze haar mobieltje niet had.

Opeens stopte er een donker gekleurde suv naast haar langs de stoeprand. Lydia raakte in paniek en keerde zich om om terug te rennen.

Op dat moment stak Patricia Savarese haar hoofd uit het raampje van de suv. 'Stap in! Stap in! Hij haalt je in!'

Lydia was nog nooit in haar leven zo opgelucht geweest om iemand te zien. Ze sprong op de achterbank van de donkergroene suv en sloeg het portier achter zich dicht. Toen Patricia wegreed, zag Lydia vanaf de achterbank dat ze de rennende bodyguard en de enorme suv van Gator ver achter zich lieten.

Lydia hapte naar adem en probeerde haar hartslag weer rustig te krijgen. 'Bedankt dat je me hebt gered. We moeten mijn vriendin Georgia zoeken en de politie bellen.'

'Ik denk dat die wel eens een beetje achterdochtig zou kunnen zijn als die hoort dat je hier bent. Wat deed je hier?'

Lydia wilde al bijna vertellen dat ze waren gekomen om de moordenaar uit zijn tent te lokken en dat het precies volgens plan was gegaan, toen ze tot de slotsom kwam dat Patricia dat waarschijnlijk niet zou begrijpen. Langzaam begon ze weer normaal te ademen. Patricia was een vreselijke chauffeur. Ze nam de bochten met piepende banden. Ze staken Bedford Avenue over en bleven doorrijden. Lydia vroeg zich te laat af wat Patricia bij de rivier had gedaan en waar ze haar nu mee naartoe nam.

# 33

'Je mag me overal afzetten,' begon Lydia, terwijl ze zich schrap zette tegen het portier toen ze weer met piepende banden een bocht namen. Ze wurmde zich naar het midden van de achterbank toe, zodat Patricia haar beter kon horen, en deed haar gordel om, zodat ze niet weggleed.

Patricia ving Lydia's blik op in de achteruitkijkspiegel. 'Wat was je daar aan het doen? Hoe haal je het in je hoofd? Weet je dan niet dat het gevaarlijk is?'

Lydia was er niet zeker van of haar hartslag ooit weer normaal zou worden. Ze haalde diep adem en zei tegen zichzelf dat ze nu veilig was. Ze vond het onverstandig dat ze zichzelf in zo'n kwetsbare positie had gebracht, maar het was vreemd dat Patricia haar daar ineens voor op haar kop gaf. 'Ik waardeer het echt dat je me hebt geholpen aan Gator te ontsnappen,' begon ze.

Patricia gaf weer gas en reed langs een dubbel geparkeerde auto.

Lydia deed even haar ogen dicht en vroeg zich af hoe ze Patricia ertoe kon bewegen om langzamer te gaan rijden en haar naar huis te brengen. 'Ik moet je wel waarschuwen dat ik snel wagenziek ben.'

Patricia negeerde haar en trapte het gaspedaal nog verder in. Lydia's hoofd sloeg achterover. Ze had een onpasselijk gevoel en dat kwam niet door iets wat ze had gegeten. Er klopte iets niet. Patricia had zich eerder ook al grillig gedragen en leek soms een gespleten persoonlijkheid te hebben. Maar nu gedroeg ze zich echt bizar, totaal niet als iemand bij wie Lydia in de auto wilde zitten.

Meer dan wat ook wilde ze dat ze haar mobieltje mee had genomen. Een van haar stomste zetten was dat ze haar jasje in de bus had laten liggen. En dat ze dacht dat zij de moorden op de prostituees kon oplossen door terug te gaan naar de rivier.

Lydia schraapte haar keel. 'Zou je me alsjeblieft bij de metro willen afzetten? Of bij een winkel waar ik kan bellen? Ik moet zeker weten dat het goed gaat met mijn vriendin.'

'Je vriendin? Wie dan? Waar is ze?'

Doordat Patricia zo snel vragen op haar afvuurde, wist Lydia dat ze vandaag geen valium had genomen. Maar ze maakte zich zorgen dat Patricia onder invloed was van iets anders.

Lydia peinsde er niet over om Georgia bij Patricia in te laten stappen als ze zo reed. Ze was ervan overtuigd dat het Georgia was gelukt te ontsnappen, omdat de bodyguard en de suv beide achter Lydia zelf aan waren gekomen. 'Ze is waarschijnlijk alweer thuis, maar ik wil het graag zeker weten.'

Patricia zoefde op topsnelheid een bocht om. De banden piepten over het wegdek. Lydia sloot haar ogen weer even. Ze had al vermoed dat Patricia een of andere persoonlijkheidsstoornis had, maar ze had gedacht dat dat kwam door de situatie waarin ze zich bevond. Patricia moest zich gedeprimeerd hebben gevoeld bij de rivier en de herinnering aan Al. Ondanks haar vreselijke huwelijk was het een grote schok voor haar dat ze weduwe was geworden.

Maar dat alles verklaarde haar onbeheerste gedrag niet echt.

Patricia zwenkte om een gat in het wegdek heen en Lydia voelde het weer trekken in haar maag. 'Ik denk dat ik me wat beter voel als ik gemberbier drink. Als je even wilt stoppen bij een winkel, dan wip ik daar naar binnen.'

'Geen denken aan. Niet terwijl die pooier ons nog achtervolgt.'

Lydia speurde de weg achter hen af, maar zag niets wat op Gators suv leek. Ze vermoedde dat ze hem bijna meteen hadden afgeschud. Hij wilde niet dat er twee vrouwen in zijn gebied tippelden, had zijn mening kenbaar gemaakt en hen weggejaagd.

'Hij is weg. Maak je er geen zorgen over. Ik kan hier uitstappen en naar huis lopen.'

Patricia mompelde iets, maar Lydia verstond niet wat ze zei. Ze wilde dat ze wist wat er in Patricia's hoofd omging. Ze gingen nog een keer snel een bocht om en reden bijna een voetganger aan, die gelukkig opzij wist te springen. Lydia klampte zich vast aan haar stoel en was opgelucht dat ze niet iets tegen de auto aan hoorde bonzen. Ze vroeg zich af waarom het haar nooit was opgevallen dat Patricia in een donkere suv reed die veel op de auto leek die geprobeerd had haar te overrijden.

'Iedereen onderschat me. Iedereen. Mijn familie denkt dat ik zwak en dom ben. Jij denkt dat ik niks kan. Nou, ik zal het jullie allemaal laten zien!'

Daar zat Lydia niet bepaald op te wachten. Maar ze moest zichzelf de vraag stellen of Patricia Glenda, Anna, Josefina en Al vermoord zou kunnen hebben. Gisteren zou ze nog gelachen hebben om de mogelijkheid dat de vrouw die zich afwisselend versuft en verwend gedroeg iemand gewurgd of doodgeschoten zou kunnen hebben. Maar Patricia's woede en bizarre gedrag van vanavond maakten haar tot een veel aannemelijker verdachte. Misschien had ze de vrouwen wel vermoord om de mensen af te leiden van haar eigenlijke doel: Al. Zo'n aangename echtgenoot was hij niet geweest en het zou geen grote verrassing zijn als Patricia van hem af had gewild. De act van de rouwende weduwe was vanaf het begin nep op haar overgekomen, maar Lydia zou Patricia er nooit van hebben verdacht dat ze haar man naar de andere wereld had geholpen.

Wat Lydia nog liever wilde dan een antwoord krijgen, was uitstappen en weg zien te komen van Patricia. Ze sprong liever niet uit een hard rijdende auto, omdat ze uit ervaring wist dat dat echt pijn deed, maar ze wist niet goed wat voor andere keuzes ze eigenlijk had. Ze probeerde het portier en schrok toen dat op slot bleek te zijn. Patricia had alle deuren vergrendeld. Ze zou iets anders moeten verzinnen om te ontsnappen.

Lydia probeerde kalm en vriendelijk te praten. 'Iedereen vindt het heel erg voor je dat Al is overleden. En we zijn ervan overtuigd dat je het geweldig zult doen op kantoor als je je daar eenmaal op je gemak voelt. Waarom laat je me niet uitstappen bij Mama's restaurant, dan zie ik je morgen wel weer op het werk.'

Patricia lachte. Het was een onplezierige, raspende lach. Ze minderde geen vaart. Het lukte helemaal niet om zoete broodjes bij haar te bakken en Lydia vroeg zich af waar ze naartoe gingen. Ze dacht aan de vrouwen die waarschijnlijk door Patricia's hand waren gestorven en wist dat ook zijzelf het gevaar liep om dood te gaan, als ze niets bedacht om uit de auto te komen.

Lydia keerde zich om en gilde. 'O god! Dat is Gators auto. Hij zit achter je aan. Ik heb hem het bewijsmateriaal gegeven. Hij weet wat je hebt gedaan en hij gaat je vermoorden.'

Patricia keek om naar Lydia en de suv begon als een gek te slingeren. Lydia greep zich vast aan de deurhendel en wist niet of haar plannetje wel zo'n goed idee was geweest. Als Patricia ergens tegenaan botste kon dat de dood van hen beiden betekenen.

Maar Patricia keerde zich net op tijd weer om. Ze draaide het stuur naar rechts, waardoor ze net niet op een geparkeerde auto knalden. 'Waar heb je het over?'

'Ik heb foto's, weet je nog?' Lydia hoopte dat er ergens tussen de foto's die ze had genomen bewijsmateriaal zat dat Patricia schuldig was, maar op dit moment blufte ze alleen maar.

'Jij hebt me de foto's gegeven. Je hebt me gezegd dat je de negatieven had vernietigd.'

'Ik denk dat je niet begrijpt hoe digitale fotografie werkt.' Lydia keek naar buiten. Patricia moest toch een keer stoppen. Ze kon niet blijven gas geven en straffeloos stopborden negeren. En precies op dat moment moest Lydia in actie komen. 'Ik heb je kopieën gegeven, maar de originelen staan nog steeds op de harde schijf van mijn computer.'

'Je hebt tegen me gelogen!' schreeuwde Patricia en ze sloeg met haar hand op het stuur. 'Je bent een leugenaar, net als Al. Hij bezwoer me dat hij van me hield en voor me zou zorgen, maar hij ging steeds met die smerige hoeren naar bed.'

Lydia hoopte dat Patricia zou blijven raaskallen tot zij erachter was gekomen hoe ze de vergrendeling moest forceren om uit de auto te komen. Ze was bereid heel wat schrammen en builen op de koop toe te nemen, als ze maar bleef leven.

'Ze dachten dat het zo gemakkelijk was. Ze dachten dat ze alleen maar hun benen uit elkaar hoefden te doen voor hem en het geld konden innen. Maar dat pikte ik niet. Ik heb ze allemaal een lesje geleerd.'

Dus Patricia had de vrouwen inderdaad vermoord. Lydia's hart ging naar hen uit. Glenda, Anna en Josefina hadden haar wraak niet verdiend. Die vrouwen hadden alleen maar geprobeerd in een harde en gevaarlijke wereld een armzalig bestaan op te bouwen. En Al mocht dan een vuilak zijn, ook hij had het niet verdiend om te sterven. Patricia deed net alsof het volkomen gerechtvaardigd was om ze allemaal te doden. Ze was gestoord en tot alles in staat.

Lydia's hart bonkte wild. Ze probeerde koortsachtig iets te bedenken om het gesprek gaande te houden. 'Ik dacht dat je oorspronkelijke plan van een scheiding prima was. Een paar foto's, en elke jury in de wereld had je beloond met het huis en de auto en een toelage.'

Patricia sloeg weer op het stuur en reed nu slingerend door de straat. 'Nou, mijn Kerk gelooft niet in scheiden!'

De laatste keer dat Lydia het had gecontroleerd, geloofde de Kerk ook niet in moord. Maar ze veronderstelde dat er binnen de Kerk toch ook wel vergeving was voor hen die gezondigd hadden. Ze realiseerde zich dat Rose waarschijnlijk zonder haar dochters toestemming de D'Angelo's had gebeld. Patricia had geen behoefte aan getuigen toen ze Al en de prostituees vermoordden. En daarna moest ze snel handelen om zich van het bewijsmateriaal te ontdoen. 'Je had de foto's tegen hem kunnen gebruiken en het huwelijk nietig laten verklaren. Moord geeft zo'n... troep.'

'Moord is gemakkelijk,' zei Patricia lachend.

Door het hoge, raspende geluid van haar lach kreeg Lydia een knoop in haar maag. Ze voelde dat de inhoud ervan omhoog dreigde te komen.

'Ik heb Al laten smeken en toen heb ik hem alsnog doodgeschoten. Hij had nooit gedacht dat ik dat zou doen.'

Lydia zag opnieuw Crest IJzerwaren en vermoedde dat ze in kringetjes rondreden. Ze wist niet of Patricia de weg kwijt was, of in de war, of dat ze iemand probeerde af te schudden. Nog een andere mogelijkheid was dat ze volkomen geschift was en dat Lydia in ernstig gevaar verkeerde. Die laatste theorie werd steeds aannemelijker.

Patricia draaide zich om en keek Lydia aan met een waanzinnige blik in haar ogen. 'Niemand verdenkt me. Niemand. Ze denken allemaal: Die arme Patricia. Ze kon haar man niet houden. En toen werd ze weduwe.'

Lydia kon niet zeggen of Patricia het vervelend vond dat ze als onschuldig werd beschouwd. Ze leek te genieten van haar macht, maar tegelijkertijd wilde ze niet gepakt worden. En Lydia was er niet zeker van wat Patricia van plan was nu ze het had opgebiecht. Als ze niet gepakt wilde worden, moest ze haar getuige lozen. En Lydia wilde uit alle macht blijven leven. Ze wilde niet het volgende slachtoffer worden. Ze had nu graag Georgia's traangas gehad, maar ze wist eigenlijk niet of het wel zo'n geweldig idee was om dat naar een hard rijdende chauffeur te spuiten. Het zou nog handiger zijn geweest als ze haar mobieltje had gehad, maar ze had beide in de bus laten liggen.

Opeens doemde er een vuilniswagen midden op straat op die achteruitreed. Patricia remde hard, maar kon niet bijtijds stoppen. Ze raakte de vuilnisauto met ongeveer veertig kilometer per uur. Gelukkig voorkwam Lydia's gordel dat ze door het raam vloog. Ze sloeg ertegenaan en viel weer terug op de bank. De airbags voorin klapten open, waardoor Patricia bekneld kwam te zitten.

Zodra Lydia weer kon ademen, maakte ze haar gordel los en tastte langs het portier naast Patricia. Die wrong zich vloekend in allerlei bochten. Lydia wist dat dit haar enige kans was om te ontsnappen. Patricia kon immers een vuurwapen of iets dergelijks voorin hebben liggen en proberen het tevoorschijn te halen. Ze vond de ontgrendelingsknop voor alle portieren vlak bij Patricia en drukte erop. En toen ontsnapte ze achter uit de auto.

De vuilnismannen kwamen kijken wie er op hun auto was gebotst. Het waren grote kerels in het groen en met werkhandschoenen aan. Ze waren niet blij toen ze de schade opnamen. 'Hé, mevrouw! Zag u niet dat we achteruitreden?'

Patricia zat nog steeds klem achter de airbag. Lydia had geen tijd om een praatje met de mannen te maken. Patricia kon zichzelf immers elk moment bevrijden. 'Ik denk dat de chauffeur gewond is. Ik ga hulp halen.'

'Hé, mevrouw,' protesteerde een van de mannen, maar Lydia snelde weg. Hij kon haar niet dwingen te blijven. Zij had de auto niet bestuurd en voor haar veiligheid moest ze snel zien weg te komen. Lydia liep snel naar de hoofdstraat. Ze kromp ineen toen ze met haar gehavende kousen over het wegdek liep. Haar schoenen waren allang weg. Toen ze op Metropolitan Avenue aankwam, zag ze opgelucht mensen lopen en auto's langsrijden.

Ze hield de eerste de beste taxi die ze zag aan en stapte in. Ze gaf de chauffeur het adres. 'Graag een beetje snel,' zei ze erbij.

Ze leunde naar achteren en haalde diep adem. Ze probeerde op een rijtje te zetten wat ze allemaal had ontdekt. Het enige wat ze wist was dat ze de moordenaar had gevonden en zelf bijna vermoord was. Ze had geen idee wat ze nu moest doen.

# 34

Nadat ze een biljet van twintig dollar had opgesnord in haar appartement om de taxi te betalen, was het Lydia's eerste zorg om in contact te komen met Georgia Rae. Ze wilde zich ervan verzekeren dat het goed met haar ging. Ze leende de draadloze telefoon van haar buurvrouw, die wonderbaarlijk genoeg ook in haar eigen appartement werkte. Ze was opgelucht dat ze ongeveer zeven voicemailberichten van Georgia had, waarin die haar vroeg direct te bellen. Dat deed ze.

'Wat is er met je gebeurd? Heeft Gator je achtervolgd?' Georgia's zuidelijke accent was heel geprononceerd als ze van streek was. 'Ik heb me enorm veel zorgen gemaakt.'

'Ik kreeg een lift van Patricia, de nicht van de D'Angelo's. Ze heeft me weggehaald bij de rivier.'

'Wat deed zij daar in vredesnaam?'

Lydia haalde diep adem. 'Ze was daar omdat ze me had afgeluisterd toen ik met jou afsprak om naar de rivier te gaan. Ze wilde ons ervan weerhouden de moordenaar te vinden.'

'Wacht – is dat niet de vrouw van die man die is vermoord?'

'Ja. De Kerk staat kennelijk niet zo positief tegenover scheiden, dus besloot ze het heft in eigen hand te nemen.' De kat sprong bij Lydia op schoot en begon te spinnen. Dankbaar liet Lydia haar vingers door zijn vacht glijden. Het beestje was warm en zacht, maar Lydia had het nog steeds koud.

Georgia floot. 'De moordenaar was dus een afgewezen vrouw? Waarom zat die pooier dan achter ons aan?'

'Ik denk omdat Gator dacht dat we een bedreiging waren voor zijn heerschappij over de zaken aan de rivier. Of misschien verdacht hij ons ervan dat we naar bewijzen zochten dat hij de moordenaar was.'

'Heb je Romero al gebeld?'

Lydia moest toegeven dat ze te veel over haar toeren was geweest om de politie te bellen. Ze had geen enkel bewijsmateriaal dat Patricia de vrouwen had vermoord, alleen het geraaskal van een krankzinnige vrouw die misschien onder de drugs zat. Maar ze was het Emmanuel en de anderen verschuldigd om de politie te bellen en ervoor te zorgen dat Patricia werd ingerekend en meegenomen voor verhoor.

Ze belde Romero's mobieltje en liet een voicemailbericht voor hem achter dat hij haar op het nummer van haar buurvrouw terug moest bellen. Ze zei dat het dringend was en dat ze een aanwijzing had wie de echte moordenaar was. Lydia was niet verbaasd toen hij haar binnen een halfuur terugbelde. Ze had zijn nieuwsgierigheid helemaal weten te prikkelen.

'Wat heb je, McKenzie?'

'Ik kreeg een lift van Patricia Savarese, de vrouw van Al, en zij biechtte op dat ze de drie vrouwen en haar man uit wraak heeft vermoord.'

'De weduwe?'

Romero klonk niet overdreven sceptisch, dus ging ze verder. 'Ze is helemaal knetter. Ze pikte me op met haar auto en toen heeft ze me alle bloederige details verteld.'

'Hmm. Soms verzinnen mensen dingen om aandacht te trekken.'

'Dat denk ik niet.' Lydia dacht aan Patricia's opsomming van haar misdaden en huiverde. Die vrouw had vier levens beëindigd en toonde totaal geen berouw. Ze was er juist heel vrolijk onder geweest.

'We gaan het natrekken.'

'Ze is in Frost Street tegen een vuilniswagen aan gereden. Ik ben ertussenuit geknepen en naar huis gerend.'

'Dat is het eerste verstandige wat ik je ooit heb horen doen.'

'Bedankt, Romero.' Ze was te moe om ruzie met hem te maken. Ze had gedaan wat ze kon, maar ze vroeg zich af of de politie wel bewijsmateriaal zou vinden om Patricia te veroordelen. Die zou waarschijnlijk alles ontkennen. Lydia ijsbeerde door haar appartement. Ze werd nog steeds niet rustiger en controleerde alle sloten drie keer. Toen herinnerde ze zich haar belofte aan de bende van het Gouden Hoefijzer. Ze belde Princess op en vertelde haar het nieuws.

'Ze heeft ze allemaal voor haar man vermoord?' Princess klonk sceptisch. Misschien was geen enkele man dat waard voor haar.

'Om hem gaf ze ook niet zo veel. Ze heeft hem als laatste vermoord.'

'Hoe heette ze ook alweer?'

Lydia noemde opnieuw Patricia's naam en vertelde over het ongeluk in Frost Street. 'De politie gaat haar zo snel mogelijk arresteren. Maak je geen zorgen. Het is voorbij.'

Princess snoof.

Lydia leidde daaruit af dat ze haar niet echt geloofde. Misschien wás ze ook wel naïef. Het justitieel systeem functioneerde gebrekkig en er bestond een kans dat Patricia er met alleen een berisping van afkwam.

'Bedankt voor je hulp. We zullen de poen binnenkort laten bezorgen.'

Lydia stond op het punt om te protesteren. Ze hoefden haar helemaal niet te betalen. Het gaf haar een vies gevoel om het geld te accepteren. Zij had de boel eerst verprutst en toen werden er nog meer vrouwen vermoord. Het leek haar niet eerlijk dat ze daarvoor beloond zou worden. Maar ze realiseerde zich dat ze dan tegen een kiestoon zou praten, dus hing ze op.

Ze was nog steeds rusteloos en realiseerde zich dat ze wanhopig naar gezelschap verlangde. Ze belde Jack. Verrassend genoeg nam hij meteen op.

'Waar bel jij vandaan?'

Ze realiseerde zich dat hij het nummer van haar buurvrouw niet had herkend. Ze had geen zin om het helemaal uit te leggen. 'Ik ben mijn mobieltje kwijt en heb de telefoon van mijn buurvrouw geleend. Ben je vanavond bezet?'

'Ik wilde net een film gaan kijken,' zei hij.

'Waarom neem je die niet mee hiernaartoe?' vroeg ze. Haar televisie was niet al te best, maar ze konden dan lekker tegen elkaar aan kruipen en er vanuit haar bed naar kijken. Ze wilde liever niet alleen zijn nu en bovendien wilde ze dolgraag dat ze hun meningsverschillen bijlegden.

Hij stemde ermee in, maar klonk niet erg enthousiast. En zij moest nog heel wat werk verzetten. Ze haalde de spinnende kat van haar schoot en ging naar de badkamer. Ze ving een glimp van zichzelf op in de spiegel en snakte naar adem. Ze zag er vreselijk uit. Snel scrubde ze haar gezicht en ze trok een lekker zittend zomerjurkje aan met een mooi decolleté.

Toen ze er wat toonbaarder uitzag, ging ze naar de keuken om popcorn te maken. Ze deed dat graag op de ouderwetse manier in een grote pan op het fornuis. Het was zo ongeveer het enige waar ze haar fornuis voor gebruikte, behalve om soep klaar te maken en thee te zetten. De plofgeluidjes klonken vrolijk en bevredigend en ze genoot van de geur van popcorn die door het hele appartement trok. Ze deed de popcorn in een grote schaal en druppelde er voorzichtig gesmolten boter overheen.

Toen Jack arriveerde omhelsde Lydia hem en gaf hem een zoen. Hij beantwoordde beide wat minder enthousiast, alsof hij niet goed wist waar ze aan toe waren. Lydia vroeg zich af hoeveel werk het zou kosten om hun relatie weer op de rails te krijgen. Ze wist niet precies wat hun was overkomen.

'Wat heb je in je schild gevoerd?' vroeg ze vrolijk. Ze hoopte maar dat hij haar niet naar haar dag en avond zou vragen. Het was te lastig om uit te leggen.

'Ik heb gewerkt.' Jack deed zijn koerierstas af en legde hem op een stoel.

Ze wilde dat hij hem ergens zou ophangen, maar ze weerhield zichzelf ervan om er iets van te zeggen. Ze wilde niet zeuren.

'De popcorn ruikt lekker.'

'Wil je een fles wijn opentrekken of wil je een biertje?'

'Een biertje is prima.'

Bier was niet zo romantisch, maar ze wilde dat Jack zich op zijn gemak voelde. Ze rommelde wat onder in haar koelkast tot ze twee lichte biertjes van de Brooklyn Brewery had opgediept.

Ze stonden in de keuken van hun bier te drinken en zeiden niets. Het voelde allemaal heel ongemakkelijk, alsof ze een blind date hadden of zo. Lydia realiseerde zich ineens hoeveel ze voor hem achterhield en dat ze haar leven aan censuur onderwierp. Ze wist niet zeker wat ze daar eigenlijk van vond, of wat ze zou moeten doen om het recht te zetten. Jack had haar ook buitengesloten en hun relatie was bekoeld.

De kat sprong op tafel en snuffelde aan de kom met popcorn. Lydia joeg hem vriendelijk van tafel af.

Hij zei: 'Ik zie dat de kat er nog steeds is.'

'Ja, maar het asiel heeft gisteren gebeld. Ze denken dat ze iemand hebben gevonden die hem wil overnemen.'

'En ga je dat doen?'

'Ik weet het niet. Ik ben er een beetje aan gewend geraakt om hem om me heen te hebben.' Ze wilde er nog niet over nadenken. Ze had geen zin om alleen te zijn. Ze pakte de kom met popcorn op. 'Zullen we de film gaan kijken?'

'Ik weet niet of jij hem wel leuk zult vinden.'

Jack leek nerveus en Lydia vroeg zich af waarom. 'Wat is het voor film?'

'Dat zul je wel zien.'

Lydia installeerde zich met de popcorn op het bed en liet haar biertje tegen haar borst rusten. Ze hoopte dat het niet een of andere supergewelddadige film was. Na vanavond was haar maag nog niet bestand tegen uitgebreide autoachtervolgingen of vuurgevechten. Dat kwam te dichtbij.

Jack ging naast haar op het bed zitten en verschoof de kom popcorn, zodat die tussen hen in stond. Nadat de film begonnen was, duurde het ongeveer tien seconden voordat Lydia doorhad dat het een pornofilm was. Ze zaten naast elkaar te kijken hoe een feestje aan het zwembad veranderde in iets waarbij iedereen uit de kleren ging. Er waren triootjes en kwartetten in en om het zwembad en de film liet alles zien.

Lydia beschouwde zichzelf niet als preuts, maar ze had nooit veel porno gekeken. En ze had helemaal geen porno gekeken sinds ze met haar reportage over prostituees was begonnen. Nu herkende ze in de vrouwen op het scherm dezelfde lege blik, het duidelijke verlangen om ergens anders te zijn en het geveinsde enthousiasme dat ze bij de hoeren ook had gezien. Ze vroeg zich af hoe Jack het in godsnaam opwindend kon vinden. Het zag er geënsceneerd, emotieloos en goedkoop uit.

De seks ging maar door en werd steeds ongeïnspireerder en geveinsder. Lydia probeerde gewoon haar popcorn op te eten en de film te negeren, maar ze merkte dat Jack opgewonden werd van de seks op het scherm. Hij wilde waarschijnlijk zo alle stand-jes uit de film nadoen. Maar dat kon ze niet en dat wilde ze ook niet. Ze vereenzelvigde zich te veel met hen. Ze had vanavond in hun schoenen gestaan en was bijna vermoord, net als Glen-da, Anna en Josefina. Het gaf haar geen fair gevoel om getuige te zijn van de vernedering van de vrouwen.

Ze stapte van het bed af en zette abrupt de film uit. De tv sprong meteen op een plaatselijke nieuwszender en de weerman voorspelde nog meer regen.

'Wat is er aan de hand?' vroeg Jack.

'Ik vind het niet leuk,' zei ze.

'Je bent verkrampt,' klaagde hij. 'Je moet je ontspannen.'

'Misschien. Maar het geeft me een ongemakkelijk gevoel. Die vrouwen zijn slachtoffers.'

'Hou toch op. Ze worden ervoor betaald,' zei Jack. Hij keek teleurgesteld dat ze zijn plezier bedierf. 'Zij zijn net zo min slachtoffers als dat ik een slachtoffer ben op mijn werk.' Lydia had nog nooit gehoord dat iemand handelen in aandelen gelijk-stelde aan tippelen, maar ze veronderstelde dat er best overeen-komsten tussen waren.

De herinnering aan de geur van Jacks huid toen ze terugkeer-de van het feestje van Gator kwam opnieuw in een misselijkma-kende golf over haar heen. Als hij werd aangetrokken door por-no, zou hij zich er dan toe verlaagd kunnen hebben om naar de hoeren te gaan en deel te nemen aan Gators orgie? Ze wilde niet samen zijn met een man die haar bedroog. Ze was geen slacht-offer. En ze zag in dat ze niet meer genoeg vertrouwen had in Jack, als ze zich zo gemakkelijk kon voorstellen dat hij haar be-droog.

Het weerbericht was afgelopen en er kwam een verslaggeef-ster in beeld. Ze stond ergens op straat en onder in het scherm verschenen haar naam en de letters: WILLIAMSBURG, BROOKLYN.

Ineens werd een beeld getoond van een bekende SUV. Er hing een portier open. 'Is dit een afrekening door een bende? Dat is de vraag die de politie zich stelt. Slechts één week nadat ze weduwe werd, kreeg Patricia Savarese onderweg naar haar huis in Queens een auto-ongeluk. Terwijl ze wachtte tot de politie arriveerde, werd ze in koelen bloede vanuit een langsrijdende auto doodgeschoten. Getuigen ter plekke zeggen dat het zo snel ging, dat zij de aanvallers niet konden identificeren.'

'O god.' Lydia ging zitten met een hand op haar hart en hoorde nauwelijks wat de nieuwslezer verder zei. Ze wist dat de informatie die ze had doorgegeven aan de meidenbende Patricia's dood had veroorzaakt. Ze had gehoopt dat ze zouden wachten tot het recht zou zegevieren, maar ze had beter moeten weten. Ze hadden haar immers telkens weer verteld dat ze de politie niet vertrouwden. Ze had hun Patricia's naam gegeven en daarmee het doodvonnis van de weduwe getekend.

# 35

De volgende dag was Lydia alleen in het kantoor van de D'Angelo's. Ze was niet verbaasd. De D'Angelo's kwamen altijd met de hele familie bij elkaar als het noodlot toesloeg, en ze was weer eens jaloers op hun verbondenheid. Ze zou heel graag iemand hebben gehad om vandaag steun aan te hebben. Ze was officieel weer alleen. Jack was de avond ervoor vertrokken, vol afkeer van haar reactie op de porno en gechoqueerd door de moorden waarbij ze betrokken was geraakt. Ineens hadden zij samen niets meer. Het deed haar pijn, maar ze wist ook dat ze op een haar na aan een ramp was ontsnapt. Ze had zichzelf bijna toevertrouwd aan een man die haar leven ellendig zou hebben gemaakt. Het was veel beter om nu uit elkaar te gaan. Maar het zou fijn zijn als het niet zo'n pijn deed.

Ze moest er die ochtend eerst op uit om haar jas en mobieltje op te halen. Candi was gaan werken en had de spullen voor haar in een café in de buurt achtergelaten. Lydia gaf de mensen daar wat geld en dronk er een kop slappe koffie.

Vlak voor de lunch verscheen er een koerier in een glanzend zwart trainingspak op kantoor, en ze was blij om een ander menselijk wezen te zien en ermee te praten.

'Een detectivebureau,' zei hij, terwijl hij rondkeek. 'Geweldig.'

'Op sommige momenten wel,' zei Lydia somber. Ze tekende voor het pakje en was verbaasd dat het aan haar geadresseerd was. Toen de koerier was vertrokken, maakte ze de bubbeltjes-envelop open. Er gleed een stapeltje honderddollarbiljetten uit. Ze voelde haar maag samentrekken. De bende van het Gouden Hoefijzer had haar betaald voor de verleende diensten. Lydia's schuldgevoel knaagde aan haar. Ze stopte het geld snel terug in de envelop en staarde er met een akelig gevoel naar.

Haar mobieltje ging. Ze zag dat het Romero was. Ook al kon hij haar of het geld niet zien, voordat ze opnam stopte ze het pakje goed weg in haar bureaula.

'We hebben het wapen gevonden in haar auto,' zei hij, zonder de moeite te nemen hallo te zeggen. 'Ze was een fotograaf in de dop. Ze heeft steeds een paar foto's van haar slachtoffers genomen, voordat ze de plaats delict verliet.'

Lydia kreunde. Ze wist niet wat ze erop moest zeggen.

'We weten nog steeds niet zeker waarom ze de eerste twee vrouwen gewurgd heeft en daarna Al en Josefina doodschoot. Misschien probeerde ze ons gewoon op het verkeerde been te zetten.'

Het was ongebruikelijk dat vrouwen zulk soort misdrijven pleegden. De meeste vrouwen zouden hun man thuis vergiftigen, maar Patricia had duidelijk een gewelddadige inslag.

'Jammer dat we niet de kans krijgen om haar te vervolgen. Weet jij wie haar heeft vermoord?' vroeg Romero.

Lydia zweeg. Ze wilde niet dat de vrouwen van de bende van het Gouden Hoefijzer in de problemen zouden komen. Ze keurde natuurlijk niet goed wat ze hadden gedaan. Ze hadden Romero Patricia voor zijn rekening moeten laten nemen, zoals Lydia had gevraagd. Maar de bendeleden hadden geen vertrouwen in justitie en Lydia kon het hun niet kwalijk nemen. Ze zou niets zeggen en hoopte dat de politie er zelf uiteindelijk wel achter zou komen. 'Laten jullie Emmanuel nu gaan?'

'Hij is al op vrije voeten,' vertelde Romero haar. 'We konden hem niet langer vasthouden, nadat we alle bewijsmateriaal tegen Patricia verzameld hadden. En de aanklacht wegens geweldpleging in Jamaica blijkt een vechtpartij in een café te zijn geweest.'

Lydia moest bijna glimlachen. Je kon je gemakkelijk voorstellen dat Emmanuel iemands eer verdedigde of zich tegen iets onrechtvaardigs verzette. Ze was blij dat hij vrij was, maar er waren te veel tragedies gebeurd om in een juichstemming te verkeren.

Ze had nog steeds veel vragen over de moorden, maar ze zag in dat veel daarvan waarschijnlijk altijd een mysterie zouden blijven. Ze herinnerde zich dat ze de eerste keer dat ze Al hadden gevolgd door een VW-kever waren geschaduwd. Misschien had Patricia wel meer auto's gehad, of misschien had ze het zich allemaal verbeeld.

'Breng mijn condoleances maar over aan de D'Angelo's. Ik heb zelf een kind en ik zou het vreselijk vinden als hem iets overkwam.'

Ineens zag Lydia het verontrustende beeld voor zich van Romero met een vrouw en een kind. 'Ben je getrouwd?' Ze schaamde zich dat ze dat eruit had geflapt.

Romero klonk geamuseerd. 'Gescheiden.'

Ze had zich Romero nooit als echtgenoot of als vader voorgesteld. 'Hoe oud is je zoon?'

'Zeven.'

Het was waarschijnlijk een schattig jongetje. Ze zag meteen een jochie voor zich met Romero's bruine ogen en een glimlach om zijn mond, iets wat Romero zelden had.

'Dus jij staat binnenkort met die jongen – Jack heet hij, toch – voor het altaar?' vroeg hij haar.

'O, nee. Dat is uit,' zei Lydia. Ze voelde zich verdrietiger over haar teleurstelling dan over het einde van de relatie. Waarom was het zo moeilijk om in deze stad een goede vent te vinden?

'Hij leek me een kouwe kikker. Jij kunt wel een betere vinden.'

Lydia glimlachte bijna toen ze zijn woorden hoorde. Het was fijn om te weten dat hij positief over haar dacht, ondanks alle beledigingen die hij de laatste paar weken had geuit. Ze wilde dat ze vrienden konden zijn. Romero was een aantrekkelijke man en ze stelde zich voor hoe het zou zijn om hem te zoenen.

Haar gezicht werd rood en ze was blij dat hij het niet kon zien. Ze hoorde iemand op de achtergrond tegen Romero praten.

Hij hield de hoorn weg bij zijn mond en schreeuwde: 'Ik kom, ik kom.' Hij kwam weer aan de lijn. 'Ik moet gaan. Ik moet nog een paar dingen afhandelen.'

'Oké. Bedankt voor het bellen.'

'Pas goed op jezelf, Lydia. Ik zie je gauw.'

Ze nam afscheid en vroeg zich af of dat een belofte of een dreigement was. Ze voelde zich een beetje melancholiek. Tijdens deze zaak had ze maar een glimp van zijn leven opgevangen en vreemd genoeg wilde ze meer weten. Maar er was geen sprake van dat haar leven dat van Romero opnieuw zou kruisen, tenzij ze nog een keer bij een moord betrokken zou raken. En dat wilde ze beslist niet.

Ze schoof een uur lang papieren op haar bureau heen en weer. Ze kon zich nergens op concentreren, er kwam niets uit haar handen. Rond de lunch kwamen Leo, Frankie en Mama D'Angelo allemaal het kantoor binnen. Mama huilde in een zakdoek. Leo en Frankie keken geërgerd.

'Lydia, zeg maar tegen mijn jongens dat ze moeten achterhalen wie onze kleine Patricia heeft vermoord. Ze was nog zo jong! En zo mooi! Mijn nicht Rose zit onder de kalmerende middelen. Ze is er kapot van.'

Leo plofte neer op zijn bureaustoel. 'We doen geen moorden, Mama. Dat weet je. We kunnen onze vergunning verliezen als we ons met de zaken van de politie bemoeien. Zeg haar dat maar, Lydia.'

De D'Angelo's hadden de neiging haar in al hun twistgesprekken te betrekken, maar hier wilde ze zich niet aan branden, voor geen goud. Patricia was een gestoorde moordenares geweest en Lydia wist best wie haar had vermoord. Maar het moorden moest ophouden. En er moest ook een eind aan de wraak komen. Uiteindelijk zou iedereen tot rust komen en weer doorgaan met zijn gewone leven.

'Ik heb net een telefoontje van rechercheur Romero van Moordzaken gehad. Hij zegt dat ze er hard aan werken om de zaak op te lossen,' vertelde Lydia.

Mama snoof verontwaardigd, alsof ze op die manier uiting wilde geven aan haar mening over de politie.

Maar Leo knoopte aan bij Lydia's verhaal. 'Zie je wel, Mama? De politie doet haar best en we moeten de rechercheurs hun werk laten doen. Verder kunnen we niets. We hebben geen contacten in het bendeleven.'

'Kunnen we Patricia echt in de koude, harde grond naast haar arme man leggen, zonder dat hun beiden recht is gedaan?' Mama snoot luidruchtig haar neus in haar zakdoek.

Haar zonen keken schuldig, maar Lydia wist dat ze niets zouden doen.

Als God bestond, leek het Lydia de beste straf voor zowel man als vrouw om eeuwig naast elkaar te moeten liggen. Deze ellende zou allemaal niet gebeurd zijn als ze bereid waren geweest elkaar los te laten en door te gaan. Dan waren er veel andere levens gespaard gebleven. Een uitstekend argument voor een scheiding.

Mama sloeg gebiedend met haar hand op het bureau. 'Ik wil dat de hele familie naar de begrafenis komt. We mogen Patricia niet vernederen doordat er maar een paar rouwenden zijn. Neem je die vriendin van je mee, Leo?'

Leo werd vreemd bleek. Hij was er in het verleden zo op gebrand geweest om zijn vriendin te laten zien, dat Lydia zich afvroeg wat er was gebeurd. Misschien was hij er eindelijk achter gekomen dat ze hem bedroog. Het leek of geen van de broers was voorbestemd tot geluk in de liefde.

Mama verliet het kantoor een paar minuten later alweer. Ze zei dat ze terug moest naar het restaurant voor de drukte tijdens lunchtijd. De broers werden allebei zichtbaar rustiger toen ze vertrokken was. Het was een zware opgave om een moeder te hebben die voortdurend de baas over je speelde.

'Waarom komt Caroline niet naar de begrafenis?' Frankie was kennelijk even nieuwsgierig naar het lot van de heilige vriendin als Lydia.

'Ze komt gewoon niet.' Leo boog zijn hoofd over zijn papieren.

'Waarom niet?' drong Frankie aan. Hij wist nooit van ophouden.

'We zijn uit elkaar. En het spijt me dat ik haar ooit aan jullie heb voorgesteld. Mijn excuses.'

Frankie keek geschokt. Hoe vaak zijn hart ook was gebroken, hij bleef erin geloven dat vrouwen volmaakt waren. 'Maar ze leek zo'n aardige vrouw. Wat is er gebeurd?'

Leo stond op en schoof daarbij zijn bureaustoel naar achteren. De stoel op wieltjes sloeg hard tegen de muur achter hem. 'Ze heeft me bedrogen. Ze werkte stiekem als telefoniste bij een sekslijn.'

Lydia's mond viel open en ze slikte een giecheltje in. Ze had angenomen dat Caroline een vriend aan de telefoon had gehad, maar het idee dat ze die telefoontjes voor haar werk pleegde was wel heel verrassend. Leo was vast enorm geschokt geweest toen hij het had ontdekt.

Frankie liep vreemd paars aan. 'Dat is vreselijk,' stamelde hij. 'Laat Mama er maar niet achter komen.'

Lydia glimlachte in zichzelf. Op een of andere manier kwam het er bij de D'Angelo's altijd op neer dat ze elkaar beschermen tegen beledigingen en pijn. Ze werd nog steeds gek van hen, maar ze bewonderde hun liefde voor elkaar.

Onderweg naar huis voelde ze het gewicht van het geld dat de bende haar had gegeven onder in haar tas. Ze kon het in elk geval niet houden. Het was bloedgeld. Het bezit ervan gaf haar het gevoel dat ze een moordenaar was. Ze moest ervan af zien te komen. Als ze het nu eens van de Williamsburg Bridge af gooide en toekeek hoe het naar beneden zweefde, het water in? Of als ze het in de gitaar stak van een musicus in de metro, of in de hoed van een dakloze gooide? Dan was ze het misschien wel kwijt, maar dan vrat het nog steeds aan haar geweten.

Ze besloot dat ze de slachtoffers zou compenseren voor hun verlies. Het enige juiste om te doen was een derde ervan aan Glenda's kinderen geven, een derde aan Anna's familie en een derde als donatie aan Candi's bus. De moorden hadden de kinderen van hun moeder beroofd en ze hadden geld nodig om nog iets van een toekomst te hebben en de cirkel van de armoede te doorbreken. En de bus deed geweldig werk door vrouwen op straat te beschermen en ze te helpen de ondersteuning te krijgen die ze nodig hadden. Ze zou het geld morgen anoniem verdelen.

Thuis wond de kat zich rond haar enkels en hij spon ter be-

groeting. Ze was blij hem te zien, het appartement zou ander
veel te stil hebben aangevoeld. Jack zou nooit meer terugkomen
Ze nam snel haar post door – een stapel rekeningen – en dach
erover haar ouders op te bellen. Over een paar maanden zou z
proberen een paar dagen vrij te krijgen om hen weer te ontmoe
ten. Haar familie was zo belangrijk voor haar dat ze hen gauw
weer wilde zien.

Ze liet haar tas vallen en plofte neer op de bank. De kat spron
op haar schoot, alsof hij haar wilde troosten. Ze aaide hem, op
gelucht dat ze niet helemaal alleen in het appartement was. Z
krabde achter zijn oren en het viel haar op hoeveel dikker hij d
laatste week was geworden, nu hij regelmatig te eten kreeg. E
was geen sprake van dat ze deze kat weg zou doen. Morgen zou
ze de dierenarts bellen om het haar te vertellen.

'Het eerste wat we moeten doen, is je een naam geven.'

De kat spon en gaf kopjes tegen haar hand.

'Wat dacht je van Fred? Ben jij een Fred?' Ze nam aan dat hij
spon omdat hij er geen bezwaar tegen had. Hij zou Fred heten.
Een aardige, simpele naam.

Ze zat lang op de bank en zag het buiten donker worden. Een
vrouw alleen met haar kat.

# Verantwoording

Aan alle mensen over de hele wereld die werknemers in de seks-industrie bijstaan en helpen – jullie zijn de echte helden.

Veel dank gaat uit naar mijn agente Faith Hamlin, omdat ze me altijd weer de juiste kant op stuurde. En naar mijn 'team' bij Minotaur Books voor hun steun en wijsheid: Ruth Cavin, Toni Plummer, Hector DeJean en Anne Gardner.

Dank ook aan mijn schrijfgroep, Triss Stein, Jane Olson en Mary Darby, die tot de geweldigste vrouwen in Brooklyn behoren. Soms praten we tijdens onze bijeenkomsten zelfs over schrijven, maar plezier hebben we altijd.

En ten slotte wil ik zoals altijd mijn familie bedanken voor hun liefde en stimulans. Zonder jullie zou ik het niet kunnen doen.

Elke denkbare nuance was er, maar kleuren waardoor ze eruit zou zien als Ragedy Ann of alsof ze aan te veel straling was blootgesteld, schoven ze al snel terzijde.

Nadat ze zich over een paar kleuren het hoofd had gebroken, begon Lydia er scheel van te zien. Uiteindelijk zei ze tegen Georgia dat die maar een keuze voor haar moest maken. Dat vertrouwde ze haar wel toe.

Georgia glimlachte en begon de verf te mengen. Lydia besloot zichzelf tijdens het wachten een pedicure te geven. Ze wist dat haar stemming zou opfleuren als haar nagels in een vrolijke kleur gelakt waren.

'Hoe staat het met de band? Jullie waren geweldig op de rolschaatsbaan.'

'We spelen later vanavond in het Spiral House. Je moet komen.'

'Dat zou ik leuk vinden.' Ze vroeg zich af of Jack met haar mee zou gaan. Het zou haar een vreemd gevoel geven om alleen te gaan. Iedereen zou zich afvragen waar hij was en haar vragen stellen. Ze was er nog niet aan toe om die vragen te beantwoorden. Of ze zouden aannemen dat ze single was, en dat zou haar een nog raarder gevoel geven.

'We zijn ook gevraagd om een nummer bij te dragen aan een liefdadigheidsalbum. Het geld gaat naar Mexicaanse kinderen die in hun levensonderhoud voorzien door vuilnis te sorteren.' Georgia begon zorgvuldig strengen van Lydia's haar te scheiden en de kleverige substantie erop te doen. 'Ze hebben ons op dat concert gehoord en gevraagd of we wilden meedoen. Ik heb een artikel over die kinderen gelezen en hoe ze proberen die naar school te krijgen en ze gezondheidszorg en zo te geven. Ik wil echt helpen.'

Lydia bracht net de kleur Passionate Pink aan op haar teennagels en stopte abrupt. Er waren zo veel hongerige, wanhopige mensen op de wereld, en zij gaf zichzelf een schoonheidsbehandeling. Glenda, Josefina en Anna waren ook weerloos geweest en hadden hulp nodig gehad. Ze had het gevoel dat ze hen in de steek liet. Misschien liep er nu wel een andere kwetsbare vrouw op straat die was overgeleverd aan de willekeur van een koelbloedige moordenaar. Ze knipperde haar tranen weg, terwijl ze naar haar half gelakte teennagels staarde.

'Wat is er aan de hand? Vind je de kleur niet leuk?'

'Het is allemaal zo'n puinhoop. Ik weet niet wat ik moet doen.'

De bezorger van het Thaise restaurant klopte op de deur en Georgia liep haastig weg om hem te betalen. Lydia voelde zich opgelucht. Ze wist niet zeker of ze er al aan toe was om erover te praten. Het was allemaal zo deprimerend.

Terwijl ze in hun eten prikten, zat Lydia met aluminiumfolie op haar hoofd en tissues tussen haar tenen te wachten tot de nagellak droog en de verf ingewerkt was.

Maar Georgia was het niet zomaar vergeten. 'Is er iets op je werk?'

Lydia zuchtte. Het leven met de D'Angelo's ging weer zijn gewone gangetje. 'Nee.'

'Waar zit je dan mee?'

'De bende van het Gouden Hoefijzer wilde dat ik zou uitzoeken wie de vrouwen vermoordde bij de rivier, en ik kon het niet.'

'Waarom verwachtten ze dat jij het er beter van af zou brengen dan de politie?'

'De meesten van hen zijn prostituee en ze vertrouwen de politie niet. Ze denken dat die niet evenveel aandacht besteedt aan de dood van gekleurde vrouwen als aan de dood van blanke yuppen.'

'Hebben ze daar gelijk in?'

Lydia haalde haar schouders op. 'De pers besteedt zeker meer aandacht aan blonde slachtoffers, maar ik kan me niet voorstel-